Françesk Radi

The Indomitable Musician

Translated from the original into English by Virgjil Kule

Author: Tefta Radi

First published by Busybird Publishing 2023

ISBN

Print: 978-1-922954-50-3

Cover Image: Armand Islami

Layout and typesetting: Busybird Publishing

Busybird Publishing
2/118 Para Road
Montmorency, Victoria
Australia 3094
www.busybird.com.au

CONTENTS

Françesk Radi. - The Indomitable Musician

Françesk Radi. - Der Musiker und die Diktatur

Françesk Radi. - Gjurmë në pentagram

CHAPTER IV

Reason and the Heart

All of a sudden, my happiness was snatched from me. After 42 years of love, commitment, passion and sacrifices, the closest person of my life's journey lost his life quite ahead of his time—the renowned artist Françesk Radi. I lost the man with whom I had shared my youth, joys and sorrows, feats and failures—everything that adorns life with the colours of each season. Our love grew in the simplicity of everyday life that is far from exaggerated dreams and fantasies. Simplicity has been our spiritual richness. There is a French expression: 'Money makes us both masters and slaves. Our power over money is real, but only when we understand its power over us.' That is why Franko and I chose to treasure love and humanity and to never trade them off. Consequently, our love never tasted the bitterness of delusion.

When such an immeasurable happiness abruptly disappeared, I could not help my heart from being seized by an equally immeasurable pain and sorrow. Out of the blue, I was struck with the blues. I felt on edge and beaten down. Though surrounded by other love, fruits from his love, none of it could replace Franko's.

Franko had instilled in me the eternal love of a husband, a father of our children and an artist. He left behind the story of a 20-year-old man with a guitar who was persecuted by one of the cruellest dictatorial regimes. My never-fading love for Franko and the glow of his soul amidst the stars of the galaxy empowered me to raise myself above the pain and lethargy in order to prevent his story hiding beneath the dust of forgetfulness. This book presents a chronology of the life and artistic activity of Franko. It weaves together multiple strands of events accounting the fall of a talented artist during communism and his rise when democracy was restored.

The documents and photos presented here are obtained from family records as well as state archives. Some of them are published for the first time. What makes the book special is the transcripts of Franko's best musical creations, which represent Albanian pop music of the seventies. To the world history of music, this book adds a testimony about the mistreatment that Albanian artists suffered under the communist dictatorship.

While writing these memories, I recalled a full twin-flamed existence with Franko's noble soul that was free from vengeful feelings towards those who unjustly destroyed his youth. Writing about him is writing about music, and music can be used in many ways to prevent conflict and promote peace.

I decided to publish the work in three languages (Chapter 1: English, Chapter 2: German, and Chapter 3: Albanian) in order to convey a message that memories of this kind are not just nostalgia. Maybe future generations will not be able to correct the misdeeds of the past, but they must remember the principle that individual freedom is paramount as long as it does not harm others.

Finally, I dedicate this book to Franko, the families of my wonderful children, Anjeza and Baltion, and to our dear parents as well as all our relatives, to whom I feel very close.

My life and my memories end up at you Franko. Forever together!

Tefta Radi

Introduction

We were sitting in the rehearsal room at the Radio-Television building. That afternoon, Françesk Radi—or Franko, as his friends called him and as he had introduced himself to me—had been working with the young singers who would debut at the 2009 Festival of Song three weeks later. My young friend was excited—and nervous. The songs, the performances, the spectacle, the composers, the poets, the singers: soon he would be part of that history. Franko called out his name. It was his turn to rehearse.

From the back of the room, I watched as the renowned singer-songwriter began to coach this young amateur: 'Start soft, then gradually become louder … Hold out this final word here; don't hurry too much there.' Franko sat at the piano and demonstrated, showing the young singer how to make his delivery all the more communicative, all the more powerful. He rose and clapped when the singer finally got it. I smiled; Franko seemed more excited than the young man.

I was in Tirana writing a book about light music, and Sela Ishmaku at the Editorial Office had invited me to observe festival preparations. Before I came to Albania, I had known Radi through his music video clips and albums—and through his story, which all Albanians came to learn in the 1990s. During this period, the singer-songwriter had helped communicate a powerful narrative about the communist state, about how young people of his generation had sought refuge in films, fashion, the arts, and of course music. That story became one of the dominant ways to think about the past. 'Nën ritmin rrok

/ unë protestoj,' Franko sang in 'Rock i Burgut,' the lyrics by Agim Doçi—
'under rock's rhythm / I protest.'

But Franko's testimony also helped articulate a powerful narrative about
how the state exercised its power against artists and musicians as individuals.
Unfortunately, this is a story that too many Albanian families already knew.
When I interviewed Franko for my book, he related that individual story, one
he had told many times.

His popularity as a young singer-songwriter, the 11th Festival of Song,
the denunciation, the years of exile. To me the most powerful elements of
Franko's story were the ones that showed how the State functioned not a
faceless entity, but as a collection of individuals. Certain individuals made
decisions to denounce him, to speak against him in public forums. Others
made the decision to simply remain silent.

If there is a positive side to that part of Radi's story, it is this: that some
people made the decision to exercise courage. They reached out their hands in
the street, did not avert their eyes when passing him. They refused to treat him
as a non-person because of that black mark on his biography. There's another
element to that story, too: Radi's enduring sense for beauty and fairness, which
shone through in his life and his art.

But what about the story that was interrupted? The story that Radi began
with his guitar in Tirana all those years before, at parties with other young
urban people, at the Anketa Muzikore on the Radio, at the 11th Festival of
Song? The story of a young man who expressed in his songs the vibrancy of
a generation of young people educated in Tirana.

A representative of that urban youth, imagining a future filled with joy, love,
optimism, music and art. 'Dusk found us,' Franko sang in 'The Bicycle,' 'with
so much joy when our eyes were illuminated by neon lights!' If only that joy
had not been perceived as a threat to the political order. Why did that story
have to be interrupted?

Back at the Radio-Television, the rehearsal concluded. I asked my young
friend if he had ever heard Françesk Radi sing live. 'No?' I turned and, of
course, Franko had already sat down at the piano. Soon came the rolling
chords that introduce 'Fools Rush In,' and Franko's voice filled the room with
the words of Elvis Presley's famous love song.

Everyone stopped to gather around the piano and listen. Franko came to
the end of the song and the young singer asked him what the text meant.
Looking at me, Franko raised an eyebrow and launched into the song once
again, joyously, translating the words into Albanian as he sang.

So many artists, musicians and intellectuals have published their memoirs over the past few decades; so many biographies have been written about major figures. But the history of Albanian light music cannot be told without including Franko's story.

Nicholas Tochka, the University of Melbourne
Melbourne, Victoria, Australia
12 October 2022

Françesk Radi (Franko) in Tirana, 1972 (family archive)

Franko in Fushë-Arrëz, 1973 (family archive)

Chapter I

Portrait

Françesk (Franko) Radi (13 February 1950 – 3 April 2017) was a singer-songwriter from Tirana, Albania. The genre belongs to the generation of artists from the 1970s. He graduated in 1974 from the Higher Institute of Arts of Tirana with a diploma in double-bass and became a brilliant instrumentalist. Considered the first Albanian singer-songwriter, he brought innovation to modern Albanian music. His work, from its beginnings, departed from the classic structure of Albanian light music and his musical creativity founded the Albanian version of English and American pop-rock. Franko's performances aimed to bring awareness and social change. He was a singer, songwriter, music composer and multi-instrumentalist. In addition to double-bass, he played guitar, piano, guitar-bass, mandolin and a variety of two-string folk instruments. Franko left behind an enduring legacy of outstanding pop songs and arranged folk songs. Prosecuted by the dictatorial regime for introducing foreign modern trends into his music, he was expelled from the capital and sent for re-education to the small town of Fushë-Arrëz, in the Puka district of the country's north. For two consecutive decades, he was banned from participating in the most important musical event of the country—the yearly Festival of Song, of Albanian RadioTelevision (ART). Franko would return to that stage only after the 1990s with the fall of the communist regime and the establishment of democracy. His musical interpretations are part of the Golden Voices of Albania.

Life

Françesk was born on 13 February 1950, in Tirana to Balto and Rosa Radi. He was the fourth of five children.

When you were born
you didn't cry
instead
you uttered tunes
like pentagram notes

That was the song
that was the life
you sang to
until the very last moment
with your euphonious voice
(Fatmir Demo).

𝕬 𝕮𝖍𝖎𝖑𝖉𝖍𝖔𝖔𝖉 𝖎𝖓 𝕾𝖍𝖐𝖔𝖉𝖗𝖆:
The Growing of Franko's Musical Passions

𝔉ranko was raised in Shkodra by his dear grandmother, Luçia, whose house was near the big church of the town.

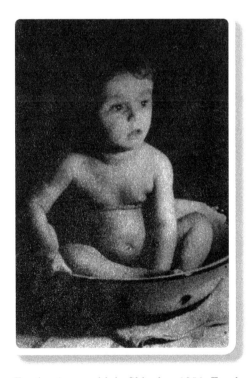 

Franko, 1 year old, in Shkodra, 1951; Franko, 3 years old, in Shkodra, 1953 (family archive)

Franko, 3 years old, sitting on the lap of his mother Roza, close to his grandmother, Luçia (family archive)

Franco in the third row, second right. Primary school, in the former printing house of the Franciscan church, Shkodra, 1960 (Family archive)

As the cultural cradle of several great music composers, such as Palok Kurti, Martin Gjoka, Prenk Jakova, Simon Gjoni, Çesk Zadeja, Tish Daija, Tonin Harapi and Gjon Simoni, the town of Shkodra nourished Franko's love for music. In Shkodra, there were also great performers of the beautiful Yare songs, such as Marie Kraja, Ibrahim Tukiçi, Bik Ndoja, Luçije Miloti, Shyqyri Alushi, and more. Certainly, they were a source of inspiration to the little child Franko while he 'played' the improvised guitar that was made of his grandmother's wooden wool spinning fork. In the summer evenings, one could often see Franko waiting near the orchestra that accompanied the very young singer Tonin Tërshana while he performed on terraces of bars that were packed with people. Radi wrote in his memories: 'I was marvelled by Tonin and often said to myself: will the day come for me to perform like him?'[1]

---

[1]   F. Radi, singer-songwriter, composer,instrumentalist; TV: 'Albanian Sunday.' (Klan TV, 28 November 2010). BOOK: Radi, Tefta and Demir Gjergji. *Francesk Radi, A life spent with the guitar.* (Tirana, 2019), 35. NEWSPAPER: 'F. Radi, music, my first passion,' *Integration*, 22 March 2010, 16.

The Return to Tirana:
Participation in Cultural and Artistic Life

When Franko finished the third year of elementary school, he returned to his family in Tirana. Many of Franko's colleagues say that Shkodra turned into his muse of unending love. The Radi family members practiced various arts, and they contributed a lot to the Albanian culture. Initially, Franko, not yet possessing a guitar, played a mandolin. At the age of twelve he managed to touch a real guitar for the first time which, with the passage of time, became a 'part of his body.'

The brothers Ferdinand and Franko at home, 1993 (family archive)

His older brother, Ferdinand, was an actor, playwright and poet. He had many friends in the world of arts. One of them was Bujar Kapexhiu, the director of the State Variety Show in the late sixties and early seventies. A multifaceted artist, Kapexhiu had listened to Franko sing and invited him to perform in a premiere of the Variety Show.

Franko's first appearance on the stage of the State Variety Show in Tirana, 1968 (family archive)

'I am aware of the fact that you sound a bit futuristic within the present artistic atmosphere, but I will do my best. I hope those from the [Communist Party] won't object. If you win their positive opinion, you will be for sure part of my premiere variety show. I will back you strongly because I like the way you sing,' Kapexhiu said to Franko.[2]

Franko sang 'We Journeyed Together,' a song dedicated to the young students who took part in voluntary field work. On the stage of the State Variety Show in 1968, Françesk Radi began his journey to success. A singer with a guitar was something new to the audience. So far, this kind of coupling was considered by the spin doctors of the dictatorial regime as an embodiment of western decadence. Nevertheless, the public received him very warmly.

'At that moment,' says Radi, 'I felt strong emotions. The applause bursting from the audience gave me the feeling that I was to become dear to them.'[3]

---

2   F. Radi, singer-songwriter, composer, instrumentalist; 'With Mariza' (Scan TV, 30 December 2016).

3   F. Radi, singer-songwriter, composer, instrumentalist; *F. Radi, Troubled Life* (TVSH, 18 April 2018).

Actor, director and producer Bujar Kapexhiu. To the right on the screen is Franko, 1971, in the
Partizani Sports Palace, known today as the Asllan Rusi Sports Palace (family archive)

'Not only on the stage of the Variety Show, but in all the concerts at the
Sport's Palace and other public spaces, Françesk was put first in the set list of
the performers. He was able to create an enticing atmosphere of enthusiasm,
which triggered those first rounds of warm applause that are indispensable
to a successful continuation of the show,'[4] said director Bujar Kapexhiu, who
was the first to organise shows with large public gatherings.

Franko in the Palace of Sports 'Partizani,' 1971 (family archive)

'Four Thousand Applauders' was the title of a chain of variety shows that took place at the four-thousand seat Palace of Sports 'Partizani.' The venue today bears the name of the famous Albanian volleyball player, Asllan Rusi. Those were the best shows with massive public presence of the time.

At the time of his first appearance on stage, Franko was a double-bass student at the Jordan Misja Artistic Lyceum. Earlier he had won a selective competition, but he hadn't told his parents about the achievement or about his dreams and plans for the future. He thought he would please them with the good news once he had been officially admitted as a student at the famous school, which boasted a glorious history. Franko had competed with the song 'I Am Searching for the Window' composed by Tonin Harapi. Gjon Simoni presided on the jury.

The Lyceum was a prestigious high school that enrolled many young and talented people, some of whom came from families of artists. Those were the years of voluntary field work and cheerful student gatherings, which on summer evenings would nourish their wonderful dreams of love and passion for the arts. In the Western world, those were the years when hippie-influenced fashions were taking off in the mainstream. Franko was influenced by them. According to the well-known composer and Franko's schoolmate, Gazmend Mullahi, Franko demonstrated qualities that made him dear to young people. 'Franko was handsome, had a muscular body, kept his hair long, dressed trendy, played the guitar and sang foreign songs, mainly Italian ones, which he brought fresh upon release to Albanian youth. The cherry on top was his vocal harmony and voice tone, which resembled that of the famous Italian singer of the time, Adriano Celentano. These qualities were enough for him to be looked at by young people as one of the most charismatic public figures of Tirana.'[5]

The musicologist Fatmir Hysi said of Franko: 'Despite the general atmosphere of cultural austerity, we could feel the presence of the so-called bourgeois-revisionist garbage, and, strangely enough, we liked its smell. It was not really the usual smell coming from the decomposition of trash, but a nice fragrance of Western rhythms that sometimes made us squeeze our life dreams into a single song of The Beatles and a pair of blue jeans. The underground orchestras of Blerim Reçi, Don Miluka, Nard Topi and, in particular, the Celentano-ism of Françesk Radi created our virtual horizon of changes, which we stared at with the pride of grown-up kids playing with forbidden toys.'[6]

---

5   G. Mullahi, composer; 'F. Radi the one who remained in music, in the heart and in bronze' *Koha Jone*, 4 April 2019, 16.

6   Dr. M. Minga, ethnomusicologist; "Françesk Radi," Word Landscapes (Peizazhe të Fjalës), April 28, 2021, https://peizazhe.com/2021/04/28/francesk-radi/.

Franko (third to the left) at work for the construction of railways in Xibrakë, Elbasan, 1969 (family archive)

The talented painter Roland Karanxha writes: 'Describing the personality of Franko for me requires travelling back on a long path of emotions and unique friendship. I came to know Franko in the autumn of 1967. Although in different classes at the Lyceum, we developed a wonderful friendship that had its own soundtrack—the extraordinary music that only a rare artist like him could produce. I recall mornings during the field work period when the boredom that arose from the absurdities of that social system was soothed by the gently awakening sounds of the famous songs of The Beatles—"Yesterday" or "Let It Be"—nicely interpreted by Franko.'[7]

Franko was successful in his studies at the Lyceum. He writes: 'I was very busy, indeed, studying various types of music. At only 16 years old, I played my bass guitar in the professional orchestra of Albanian RadioTelevision. I also studied piano and guitar, thus completing my musical knowledge.'[8]

Oboe player Ilir Mërtiri, one of Franko's classmates from the Lyceum and the Higher Institute of Arts remembers: 'Among all of our classmates, Franko was an outstanding musician. His musical talent was undisputed. But I also want to mention the fact that we considered him to be talented at sports. He was athletic and played football well. He lifted weights to build up body mass. He was elegant and athletic enough to be used as an example. The thing that comes to mind were the required military training exercises common in schools in those days. In our platoon, one of the exercises required was a timed obstacle course measured by a stopwatch. It was challenging to go through the

7   R. Karanxha, painter; 'I remember the pet awakening of F. Radi between the sounds of "Yesterday" and "Let It Be,"' *Koha Jone*, 4 April 2019, 17.

8   F. Radi, singer-songwriter, composer, instrumentalist; *F. Radi, Troubled Life* (TVSH, 18 April 2018).

Franko, (first left, leaning against the column), at the artificial lake of Tirana, 1967 (family archive)

obstacles of the course. Franko was able to do that with unprecedented speed. He set the record for the military school of Zall-Herr. We still talk about it, even the military command held it as an example. He was very athletic, very elegant. He was special.'[9]

Gazmend Mullahi said of Franko: 'So many times we sat at the piano in order for Franko to rehearse the freshly released songs he had listened to on the radio. He had that extraordinary ability to instantly grasp the three main elements of a song—the melody, the harmony and even the lyrics. We didn't have any tape recorders at that time, so his mind and ears must have been marvellously attuned.'[10]

From an early age, Franko showed all the signs of a prodigious musical talent. As a result, he gained the attention of some of the most influential musicians of the time. The trumpeter Gaspër Çurçia, otherwise known as the Albanian Louis Armstrong, invited the sixteen-year-old Franko to perform in his orchestra called The Big Band. The distinguished pianist Robert Radoja involved him in his own orchestra. At the same time, Franko was also performing with the Symphonic Orchestra of Albanian RadioTelevision (ART), which was conducted by the famous composer, Ferdinand Deda.

---

9   I. Mërtiri, oboist; documentary: *The 70s, light music, dictatorship, Dedicated to the artist Françesk Radi* (TV1 Channel, October 2022).

10   G. Mullahi, composer; 'F. Radi, the one who remained in music, in the heart and in bronze,' *Koha Jone*, 4 April 2019, 16.

Franko (left, top row) playing bass guitar in The Big Band with Gaspër Çurçia for the
seventh Festival of Song of RTSH (family archive)

Franko (second to the left) plays the bass guitar in the band of the pianist Robert Radoja. This picture was taken
during rehearsal for the ninth Festival of Song of RTSH, 1970 ('Radio-Përhapja,' RTSH January 1971)

Class Struggle
and Affected Families

In order to be admitted as a double-bass student to the Higher Institute of Arts, Franko had to cope with a certain political reluctance from the authorities—he came from a family that was considered 'objectionable' by the communist regime.

Franko's mother, Roza Prennushi, was the daughter of Nush and niece to Monsignor Vinçenc Prennushi, a well-known Catholic priest, active participant in the Albanian Renaissance Movement and ardent fighter for democracy during the first half of the twentieth century. In the communist prison of Durres, he suffered brutal torture that caused his death. He passed away at the hands of his inmate Arshi Pipa, a distinguished democratic figure.

Franko's uncle, Lazër Radi, was a graduate of the University La Sapienza of Rome. Because of this, he knew and was a close friend of several distinguished and democratically minded intellectuals, like Musine Kokalari and Ernest Koliqi. Most of them were labelled enemies of the people by the communist regime.

On 14 April 1945, together with 61 other intellectuals, Lazër was sentenced to long-term imprisonment, which ended only 45 years later when democracy was established in Albania.

Lazër was also a friend of the famous Albanian poet, Migjeni, as well as many other graduates of the High School of Shkodra between 1935 and 1938.

The brothers Nush, Ndoc and Vinçenc Prennushi with their mother Drane in 1917. This was during the years of WWI, so the brothers, Nush (left) and Ndoc (right), are dressed in military uniform. (photographed by Marubi, sourced from family archive)

Vinçenc Prennushi, 1943, (photographed by Marubi, sourced from family archive)

Lazër Radi (left), Migjeni (centre) and Hajdar Delvina (right) in Puka, 1936 (family archive)

Musine Kokalari (left) and Lazër Radi (right) on a boat trip, April 1939 (family archive)

One of them was Fadil Paçrami, who later would become a high official of the communist regime. In 1970, when Franko was applying for the Higher Institute of Arts, Paçrami held the post of Secretary of the Central Committee of the Albanian Party of Labour. He was in charge of supervising ideological matters. Franko's brother Ferdinand mediated on behalf of Lazër, and Paçrami took the risk of favouring the Radi family. Indeed, Franko was admitted to the Higher Institute of Arts, but a few years later Paçrami was labelled an enemy of the people and sentenced to imprisonment, accused of liberal bias. He was in prison for almost two decades between 1975 and 1991 even though he had faithfully served the regime for many years.

𝔉𝔯𝔞𝔫𝔨𝔬:
A Student, Songwriter, Performer and Instrumentalist

𝔉ranko was a double-bass student at the Higher Institute of Arts.

According to the musician and composer Zef Çoba, Franko's schoolmate: 'Franko was a self-disciplined student. He practiced musical instruments for long hours and, from time to time, performed in various orchestral groups. Thanks to his talent and intensive study, Franko was able to produce good music.'[11]

In 1971, Franko composed 'The Address – Adresa,' which soon became a hit. To develop the song, he used motifs from a folk song dedicated to a popular hero in Southern Albania called Sofo the Kid. It was a simple tune that was beautifully arranged within Franko's song. He said of the song: 'The lyrics were written by my friend—the talented composer Kastriot Gjini.

There is a young man who paints the town's streets red in search of the address of the girl he has fallen in love with. A masterful stroke!'[12] At that time there were no cell phones, no social networks, nothing of today's means of communication.

'The Address' was performed in the second Student's Music Festival, which took place in March of 1972 at the Higher Institute of Arts' concert hall.

---

11   Prof. Z. Çoba, composer; *Telegraf*, 8 April 2021, 20.
12   F. Radi. singer-songwriter, composer, instrumentalist; *Talk To Me* (TVSH, 15 May 2015)

Franko, 1971 (family archive)

Franko in the Second Student's Music Festival, March 1972 (family archive)

Although Franko was only awarded the second prize, the song sparked a nation-wide fan frenzy. Franko was enormously encouraged by this first trophy.

Franko said of the experience: 'The song was a hallmark of sincerity. Living under a totalitarian regime, we managed to find ways to sincerely narrate the real feelings of young people and their dreams for social freedom and democracy. It was impossible for the regime to keep firmly closed all doors of communication with the Western world. Music was one of the most efficient means to penetrate those barriers.'[13]

'It was a very good sympho-jazz orchestra that accompanied Franko singing "The Address,"' said the great Albanian composer Aleksandër Lalo. 'It has been a tremendous success.'[14]

Professor Hamide Stringa, 1972 (Photo by H. Stringa)

At the Higher Institute of Arts, Franko was a student of the musicology professor Hamide Stringa, who graduated from Tchaikovsky Moscow State Conservatory.

She said of her student: 'I heard Franko singing the song that he had composed for the second student festival ... I liked it, especially the very warm way of performing. He has a nice baritone-coloured vocal timbre. Franko was also an excellent guitarist.'[15]

Zef Çoba said that 'Franko gave the overall impression of an extraordinary personality. He often demonstrated a rebel spirit. A mere glance from him conveyed the inner energy of his eyes—an energy that was also in harmony with the way he would move his body. In my opinion, Franko as a musician was better visually coupled with a guitar than with any other instrument he was studying.'[16]

13   F. Radi, singer-songwriter, composer, instrumentalist; *With Mariza* (Scan TV, 30 December 2016).
14   A. Lalo, composer; *Music, Emotion, Music* (TVSH, 14 December 2001).
15   Prof. H. Stringa, musicologist, singer; 'Franko at the 11th Festival of Song, brought new spirit,' *Telegraf*, 8 April 2021, 21.
16   Prof. Z. Çoba, composer, 'F. Radi is the sincere voice of the passionate musician,' *Telegraf*, 8 April 2021, 21.

In 1972, Franko, still a student, composed his second song entitled 'The Bicycle – Biçikleta,' which was immediately a top hit played on the weekly broadcast by Radio Tirana.

'I also wrote the lyrics,' said Franko. 'It's about the romantic feelings of young people—about a young guy leaning on a bridge railing and waiting there at a key place where the ladies pass by. There will be one girl who shows up often, passing through on her bicycle. And there will also be the guy who loves to stare at her. He hopes that she will one day pull over with some technical problem and ask for help. He will be there at the ready to talk to her! Although the song is lyrically innocent, it was considered a bit 'daring' in communist Albania. Too much casual intimacy!'[17]

---

17   F. Radi, singer-songwriter, composer, instrumentalist; *Afternoon* (Top Channel, 19 June 2015).

The Seventies:
Françesk Radi Creates a Unique Musician's Profile

The 1970s witnessed some liberalisation of cultural trends. Western fashion and trendy hairstyles were often seen among young people walking the streets. Even within an atmosphere of austerity, young people hoped for an opening through which Western culture could be transmitted to Albania. Franko was ready for these upcoming developments and the ways in which he performed his music already mirrored these hopes.

Orchestra conductor Zhani Ciko said: 'Franko was able to introduce into his songs the natural intimacy that characterises relationships between young people. In my opinion, he is the first singer and songwriter of modern Albanian pop music.

He adapted himself to the newest trends of making music by not merely imitating Western singers but by building his own style from them, which proved to be both modern and Albanian at the same time.'[18]

According to Zef Çoba, 'there was something outstanding in Franko's musical action. The timbre of his voice was never heard before, and the lyrics of his songs were quite far from the communist orthodoxy used to describe young people. He had a warm voice and was always accompanied by the guitar. That guitar was played by a passionate artist who embodied on stage

---

18   Zh. Ciko, conductor; *F. Radi, Troubled Life* (TVSH, 18 April 2018).

the triple talents he was known for—the singer, the instrumentalist and the songwriter.'[19]

The pianist Gjon Shllaku said of Franko: 'The contemporary trends of music that had swept the world also involved Albanian radio and TV to some extent. English and American songs of The Beatles and The Rolling Stones were occasionally broadcast in Albania. We became enthusiastic about these developments in our music at that time. In such an atmosphere of optimism in 1972, there emerged this new and brilliant singer and songwriter on the weekly radio program, Enquete Musical—the voice behind the famous song "The Address." I used to listen to him with great pleasure. I enjoyed Franko's warm and lightly nasal voice (similar to Celentano's). The rhythm and the simple lyrics of his songs triggered in me lucid dreams of a music without boundaries—music that was able to express genuine human feelings.'[20]

'I had just started my mechanical engineering studies when the song "The Address" by Françesk Radi was released. The special sound of his voice made us shiver. As students, we rushed instinctively towards each other, because we felt the arrival of a young artist, a fellow student at the Higher Institute of Arts, who bore a striking resemblance to Adriano Celentano, our favourite singer and our early symbol of dissent. Our youth absorbed Franko, as he absorbed the entire youth of Albania and the generations beyond.'[21]

During the early seventies, many other young and talented singers emerged. They added to the group of start, which until then consisted of older talents, such as Vaçe Zela, Anita Take, Pavlina Nikaj, Muharrem Xhediku, Qemal Kërtusha or Rudolf Stamolla. The younger artists included Sherif Merdani, Tonin Tërshana, Naim Kërçuku, Justina Aliaj, Liljana Kondakçi, Luan Zhegu, Kozma Dushi and many more. They all belonged to a generation in the 1970s that lent a new fervour to Albanian pop music.

For the renowned poet Sadik Bejko, 'Franko was unique. Certainly there were some other acclaimed singers, like Sherif Merdani or Tonin Tershana, but Franko made a difference. He looked much more Western in his performance and particularly in the messages he gave to his generation through his art.'[22]

Zef Çoba said that 'Franko managed to establish a spontaneous and confidential relationship with the audience. His fame spread quickly throughout the country, but he never became complacent. He always remained that modest guy of his early times—gracious, polite, childish and happy that his art could please audiences.'[23]

---

19   Prof. Z. Çoba, composer; 'F. Radi is the sincere voice of the passionate musician,' *Telegraf*, 8 April 2021, 21.
20   Gj. Shllaku, composer; '"Address" and "Bicycles" by F. Radi, hits that time elevates,' *Telegraf*, 11 May 2021, 22.
21   G. Apostoli. 'Françesk, my Dear friend, I will see you in heaven ...' (family archive).
22   S. Bejko, poet; *F. Radi, Troubled Life* (TVSH, 18 April 2018).
23   Prof. Z. Çoba, composer; 'F. Radi is the sincere voice of the passionate musician,' *Telegraf*, 8 April 2021, 20.

The writer Shpend Sollaku Noe shared of the songwriter: 'Franko was one of those individuals who came into this world to make a difference. He came here to disperse the monotony with which life strikes us mortals. A true groundbreaker, in my opinion. Franko was a precious gift from the heavens for us.'[24]

In the late sixties and early seventies, Franko entered the world of music together with many other musicians of the same generation. Among these artists were Aleksandër Lalo, Gazmend Mullahi, Josif Minga, Aleksandër Peçi, Bajram Lapi, Lejla Agolli, Selim Ishmaku, Ruzhdi Keraj. There was already a tradition of good Albanian pop music in place, established by those such as composer and brilliant guitarist Alfons Balliçi, the maestro Agim Prodani, Muharrem Xhediku (otherwise known as the father of Albanian Tango music), Abdulla Grimci, Tish Daija, Nikolla Zoraqi, Llazar Morcka and more.

Professor Stringa discerns two main tendencies of Franko: 'On one hand, he would perform his songs according to the method practiced by the composer Agim Krajka while, on the other hand, he tried to adopt the performance methods of a couple of Italian singers, considering how similar was his vocal timbre to theirs. In my opinion, this was a very smart approach. I said to myself: "artists like Franko are the ones who make songs soulful."'[25]

---

24   Sh. S. Noé, writer; 'F. Radi led his revolution,' *Shqiptarja.com*, 27 March 2019.

25   Prof. H. Stringa, musicologist, singer; 'Frankua at the 11th Festival of Song brought new spirit,' *Telegraf*, 8 April 2021, 21.

𝔜oung 𝔓eople 𝔆hallenge
the Communist Dictatorship by Secretly Listening to Forbidden Music

𝔇uring those years, young people seemed to be quite familiar with the Western hits of pop music. Often one could hear them singing these hits in groups. Even when the regime banned the consumption of foreign radio and television programs, some singers of that generation dared to belt them in the very parks and beaches where young boys and girls gathered spontaneously to flirt with each other to the rhythms of those songs that, according to the regime, "embodied Western decadence,'" said Franko.[26]

Franko had a long journey through music together with the composer Gazmend Mullahi.

Mullahi said of his friend: 'At the beach, Franko was the king. He was not on any throne but sitting cross-legged down on the sand, somewhere on the corner of the Tourist Hotel. Once the admirers spotted Franko there with his guitar in hand, they surrounded him asking him to sing. In those moments, Franko felt free to unravel all the threads of his passion in an unending chain of song.'[27]

'I met him for the first time at a student's camp in Durres during the summer of '72. In awe, we'd listen to him perform. He'd sing Celentano cover songs tirelessly. I remember one evening when I timidly requested asked to

26   F. Radi, singer-songwriter, composer, instrumentalist; 'F. Radi, Kitara and the song served as "bait" to bring the girls closer,' *Gazeta Shqiptare*, 29 July 2010.
27   G. Mullahi, composer; *The 70s, light music, dictatorship, Dedicated to the artist Françesk Radi* (TV1 Channel, October 2022).

sing Albano's "Nel Sole" and he generously accompanied me with his guitar. That's a beautiful memory of an unforgettable night,' said Gaqo Apostoli, a friend of Franko.[28]

Franko (centre) on the beach of Durrës, 1974 (family archive)

The area surrounding the artificial lake of Tirana was Franko's favourite place to walk and occasionally sing in the company of his close friend and famous volleyball player, Asllan Rusi. Asllan was very fond of Celentano, and Franko pleased him with many of the Italian singer's songs.

Franko writes: 'The lakeside was our preferred outdoor stage because only there could we freely sing as many banned songs as we wanted. There were a few bands around town, like The Graduated of 1972 or Leonard Bulku and Arben Duro. I usually performed some foreign songs at the New Tirana quarter. Another band led by the wonderful duo Demokrat Shahini and Don Miluka performed at the Vasil Shanto block. Then there were Kujtim Shehu and Nasi. We sang the songs of Elvis Presley, The Beatles, Johnny Hallyday, Adriano Celentano. I learned a lot from all their styles and introduced certain elements from their music in the songs I composed, all while maintaining an Albanian style, though.' [29]

At that time, rock and roll had been flourishing in America and Europe. During the seventies, many bands developed various styles of it. The renowned bands of rock music included The Beatles, The Rolling Stones, and The Byrds.

---

28   G. Apostoli; 'Françesk, my dear friend, I will see you in heaven ...' (family archive).
29   F. Radi, singer-songwriter, composer, instrumentalist; 'Albanian Sunday' (Klan TV, 28 November 2010).

The genre peaked with Elvis Presley, often referred to as The King of Rock and Roll. Rock and roll was a major contributor to a change in young people's behaviours because it encouraged them to embrace originality and the idea of freedom. Certainly, the young Albanian musicians were strongly influenced by the genre.

Franko (right), Asllan Rusi (fourth from right) and friends gathering at the artificial lake of Tirana, 1970 (family archive).

Franko said in a television program that 'living in the capital gave us the advantage of being technically closer to Western music. I remember the volleyball player Asllan Rusi showing us the first radio cassette recorder. Now we could listen to and later rehearse the recorded songs of Ray Charles, The Beatles, The Rolling Stones … so many pieces of world music.'[30]

University and high school students would often ditch class at around 1pm to gather around radios and listen to the weekly Italian Hit Parade. They also tuned in to the Song Festival of San Remo and the musical program Canzonissima.

Gazmend Mullahi said of the songwriter: 'The very next day, Franko was able to sing the latest song released by his preferred singer, and his performance was complete, with all the key elements of that song in place. Within a week of the Festival of San Remo, he could reproduce most of the songs that competed there.

---

30   F. Radi, singer-songwriter, composer, instrumentalist; 'Top Show Magazine' (Top Channel, 18 December 2014).

Thanks to those programs, he learned the Italian language pretty well.'[31]

Eleven years after its inauguration in 1951, the Italian Song Festival of San Remo served as a model for the Radio Tirana's first Festival of Song. For example, the set plan was adopted from the San Remo festival. Vath Çangu and the distinguished composer Abdulla Grimci were co-founders of the event and both worked in the musical department of Radio Tirana. The first Festival of Song was held on 21 December 1962.

---

31   G. Mullahi, composer; *The 70s, light music, dictatorship, Dedicated to the artist Françesk Radi* (TV1 Channel, October 2022).

Assembling the First Electric Guitar in Albania

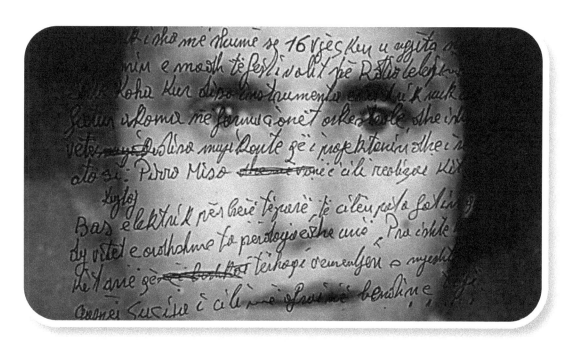

Franko's instructions for the first electric bass guitar assembled in Albania (family archive)

I was 16 years old when I performed for the first time with the orchestra of the RTSH Festival of Song. The orchestra didn't have any electric instruments until the guitarist Pirro Misso assembled bits and pieces to craft an electric bass guitar. I was lucky to play that instrument over the next two years. Because of it, maestro Gaspër Çurçia invited me to play in his band,' Franko said.[32]

---

32   F. Radi, singer-songwriter, composer, instrumentalist; *F. Radi, Troubled Life* (TVSH, 18 April 2018).

Franko:
An Idol and Role Model for the Era's Youth

The musicologist Mikaela Minga said of Franko: 'This testimony helps us learn about the artist in his relationship with the musical reality of his time. It also allows us to examine, through him, the technical developments in Albanian music. As both jazz and rock progressed, and the tonal variety of the electric bass became evident, the electric bass took off. Although omnipresent in rock, pop, jazz, blues and hip hop, the electric bass didn't enjoy the fame of the electric guitar, considering that the latter evolved into an instrument which is capable of a multitude of sounds and styles in genres ranging from pop and rock to country music, blues and jazz. The electric guitar served as a major component in the development of electric blues, rock and roll, heavy metal music and many other genres. While during the second half of the twentieth century a large number of artists 'went electric' worldwide, in communist Albania the vibration of guitar strings converted into electrical signals were captured only by a limited number of "receivers," which, if lucky, didn't interfere with the official totalitarian "antennas." Franko was the first music composer to introduce electric sounds in his song "The Address," which marked a difference in Albanian music between the traditional ways of orchestration and the modern Anglo-American pop-rock musical arrangements. "The Address" has pedal points and ostinatos that help its rhythmic pulsation, while the vocal interpretation of Radi, accompanied by the guitar, utterly avoids the lyrical cantilena.'[33]

Although there was some limited freedom at the beginning of the seventies, Albanian pop music was unlike Western music when it came to a song's official release. No music composer could publish his creation without the prior approval of the specialised bodies of the party-state. No singer was free to have his own band perform in stadiums or open-air concerts.

Franko said of this circumstance: 'Each era poses its own specific problems to artists. Their mission is to make all the necessary effort and sacrifices in order to ensure the survival of the art genre they represent. The beginning of the seventies witnessed a certain climate of freedom in the Albanian arts. It became common to see groups of young people singing The Beatles' "Yellow Submarine" while riding in truck beds around places of field work.'[34]

33   Dr M. Minga, ethnomusicologist; "Françesk Radi," Word Landscapes (Peizazhe të Fjalës), April 28, 2021, https://peizazhe.com/2021/04/28/francesk-radi/.

34   F. Radi, singer-songwriter, composer, instrumentalist; Bushi, Ilir. 'My connection with music is eternal,' Republika, 21 October 1999, 13.

'The Address' and 'The Bicycle'
Become Hits of the Generation and Albania's First Music Videos

The songs 'The Address' and 'The Bicycle' became hits in two consecutive song competitions of Radio Tirana in 1972. As a result, Albanian Television decided to produce music videos for them. These were the very first of their kind in Albania.

Film director Ylli Pepo said of the projects: '[The songs'] lyrics triggered lots of simple ideas for shooting the right film images that described the real life and feelings of young people. Franko started this revolution in Albanian pop music. With his manner of singing, his lyricism and his physical appearance on stage, he demonstrated a lack of conformity. His quasi-rebellious attitude was a response to the hostility of the regime toward the music that he loved. Franko's fame was confined to Albania not because he merely imitated Western styles of performance, but because he developed an original synthesis that was specifically adapted to Albanian tastes.'[35]

Zef Çoba said of Franko: 'In the lyrics of Franko's songs, each word and poetic device was meant to exclusively function as a social message. This was a rare practice at that time because the regime demanded that song lyrics fit its ideological objectives. The artists had to be politically engaged.'[36]

---

35   Y. Pepo, producer, director; *F. Radi, Troubled Life* (TVSH, 18 April 2018).

36   Prof. Z. Çoba, composer; 'F. Radi is the sincere voice of the passionate musician,' *Telegraf*, 8 April 2021, 20.

The writer Shpend Sollaku Noé said that 'The Address' and 'The Bicycle' were far from adhering to this requirement. 'Through Franko's songs, we also realised that the Albanian language was well suited to Western-style songs. The songs, then, became the soundtracks of innocent enthusiasm and hope for the nearing of the days of freedom of expression.'[37]

---

37   Sh. S. Noé, writer; 'F. Radi led his revolution,' *Shqiptarja.com*, 27 March 2019.

The Disappearance
of Albania's First Two Music Videos

'I became a model for them because they saw in me a breaker of rigid communist norms. Unfortunately, both of my music videos cannot be traced today in the archive of RTV. They have disappeared, and with them a piece of history is gone for good. It is a pity, because the film directors Ylli Pepo and Albert Minga did an excellent job,' wrote Franko in his memoirs.[38] Anila Kati, a beauty star featured in 'The Address' music video, said of her experience: 'I remember my white linen dress with a low-necked blue fillet, which contrasted my long, chestnut hair. I was running while the cameraman Gazmir Shtino took tracking shots of me. It was fun. Me and nature. I felt free. Franko was there, as well. At the end of the video we appear together on the screen. The music video was very successful. When I happened to pass by a group of young people, I could hear them singing a verse from the song: 'Where is That You Live, O Girl?' Black and white photos from the video were published in the newspapers. Some young people had clipped off my photo and kept it in their purses—like a token of good luck. Those memories still make me smile today—nice times of freedom, which ended too soon.'[39]

38   F. Radi, singer-songwriter, composer, instrumentalist; 'Afternoon' (Top Channel, 19 June 2015).

39   A. Kati, painter; Radi, Tefta and Demir Gjergji. *Francesk Radi, A life spent with the guitar.* (Tirana, 2019), 277

Anila Kati, 1972 (Photo by A. Kati)

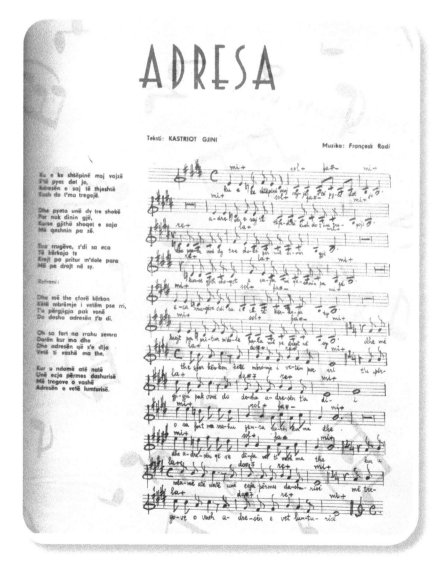

The original musical score of 'The Address' as published by the magazine *Radio-Përhapja* (16th edition, August 1972) to announce the start of music video production (Marin Barleti Library, Shkodra).

'The audiences really liked both music videos. They were broadcast several times on TV, but their life was very short: 4 to 5 months. After the infamous 11th Festival of Song of RTV, the songs were banned,' Franko recalled in an interview.[40]

---

40 F. Radi, singer-songwriter, composer, instrumentalist; 'Afternoon' (Top Channel, 19 June 2015).

The 11th Festival of Song:
Franko Performs a Political Rock Song Against the War in Vietnam

Albanian RadioTelevision's 11th Festival of Song took place at the end of the year in 1972. For young artists like Josif Minga, Aleksander Peçi, Enver Shëngjergji, and Gëzim Laro, it was their first time participating in the festival. In an assertive rock style, Franko performed the song 'When We Hear Voices from the World'. It was a song of protest against the war in Vietnam.

Franko wrote in his diary: 'I wanted to compose a song of protest in the rock style, but I needed something to protest against. There was a song by the Italian singer Gianni Morandi, "C'era un Ragazzo Che Come me ..." which gave me the idea of protesting against the war in Vietnam.

At that time my country supported the Viet Cong, so my protest would have been in line with the authorities, although the real idea behind the song was only the protest itself. I wanted young people to be familiar with the concept of protest as a public expression of objection and dissent towards the injustices of the social system. Sadik Bejko wrote the lyrics. He described a group of boys and girls accompanied by a guitar, singing their protest against the war in Vietnam.'[41]

---

41   F. Radi, singer-songwriter, composer, instrumentalist; *Talk To Me* (TVSH, 15 May 2015).

Këngëtari Françesk Radi në këngën «Kur dëgjojmë zëra nga bota», kompozuar nga Françesk Radi, me tekst të Sadik Bejkos.

Franko performing 'When We Hear Voices from the World' (*Magazine Radio-Përhapja*, no.1, January 1973, sourced from Marin Barleti Library, Shkodra)

The artistic director of the festival, Nikolla Zoraqi, welcomed Franko's song of protest. The orchestra conductor Zhani Ciko said of the performance: 'Franko brought it on stage and engaged his whole body in a sway that made the song more visually convincing and coordinated with the rhythmic feel of Franko's voice.'[42]

In this festival, Franko also played the bass guitar as part of the orchestra.

A new wave in Albanian music had become tangible. For the professor of musicology Hamide Stringa, this new wave 'was substantiated by the 11th festival. It was a delicate moment of progress. This progress was made possible by participating youths and their thirst to bring about novelty in music—and to put this novelty on stage.'[43]

---

42   Zh. Ciko, orchestra conductor; *F. Radi, Troubled Life* (TVSH, 18 April 2018).

43   Prof. H. Stringa, musicologist, singer; 'Frankua at the 11th Festival of Song brought a new spirit,' *Telegraf*, 8 April 2021, 21.

The original musical score, 11th Festival of Song of RTSH, 1972 (family archive)

Franko (second to the right) in the orchestra pit (*Magazine Radio-Përhapja*, no.1, January 1973, sourced from Marin Barleti Library, Shkodra)

Franko is Heavily Criticised for Evoking Western Modernism

The 11th festival of 1972 showed that Western styles of music were beginning to trend in Albania. Every element of the festival was innovative. The presenters Edi Luarasi and Bujar Kapexhiu looked flawlessly chic in elegant evening gowns. Franko could be seen also playing the bass guitar amid the orchestra members, who were all dressed in their best. Hopes were running high that liberal views would soon flourish. But it was an illusion. Nobody could imagine that the regime was preparing a fierce counterattack.

The first one to criticise Franko's song was his teacher at the Higher Institute of Arts, Spiro Kalemi.

Kënga jonë duhet t'u përgjigjet kërkesave të masave

Spiro Kalemi, pasi foli për rëndësinë e festivaleve të këngës, për rëndësinë e platformës ideo-estetike të tyre, pasi përmendi faktin se përpjekja e parealizuar për një këngë të thjeshtë e të gëzueshme, solli një këngë skemë pa zhvillim melodik, krijime pa kërkesë artistike, pasi shprehu mendimin se varfëria e këngëve shprehej edhe në edukimin e tyre. Kur ne arrijmë të realizojmë këtë kërkesë, atëhere mund të themi në mënyrë të ndërgjegjshme se kemi realizuar një nga qëllimet e shumta të artit tonë socialist si edhe një nga detyrat tona shoqërore. Ne vimë të gjithë në festival duke pritur të dëgjojmë këngë të bukura, të kënduara bukur dhe harrojmë se festivali, megji-

hu dhe mendimin s[...] problem bëhet edhe n[...] mprehtë kur dihet se [...] ngët nuk janë orkestr[...] nga autorët e tyre, [...] nga duar të tjera. Si m[...] të shpjegohet që komp[...] zitorë si Zadeja, Daija [...] i kanë orkestruar kër[...] e tyre? Detyrimisht [...] here ata janë gjetur p[...] alternativës, t'i prano[...] ato orkestracione, pava[...] sisht nëse u dukeshin [...] përshtatshme, ose jo. [...] tëkuptohet se një ves[...] e bukur, e natyrshme [...] vetëm e pasuron këng[...] por e zbukuron atë, e [...] më të plotë, kur konc[...] tohet afër mendimit [...] jues dhe, në raste të [...] lla, ajo bëhet pjesë [...]

Newspaper *Drita*, February 1973 (National Library, Tirana, https://www.bksh.al)

Newspaper *Drita*, February 1973 (National Library, Tirana, https://www.bksh.al)

On 11 February 1973, Kalemi published an article in the arts newspaper *Drita* entitled 'Our Song Must Meet the Spiritual Demands of the Masses.' He wrote: 'The influence of foreign music has spoiled our artistic atmosphere. All the elements of the song 'When We Hear Voices from the World,' whether the melody, the texture, the rhythm and the harmony, are similar to foreign songs.'[44]

Later, in March of 1973, Kalemi expressed the same opinion in a meeting of The League of Writers and Artists where the 'misdeeds' of the 11th Festival of Song were discussed.

Franko himself remembers the havoc wrought over his song: 'The most criticised element of the song was my voice timbre. They even played a cassette tape of Adriano Celentano and compared his voice to mine. They exclaimed: 'Listen, aren't they performing identically?' Indeed there was some similarity between the two voices, but voices are just gifts from God.'[45]

Zhani Ciko, a participant in that meeting, said: 'It was one of our colleagues who, probably unaware of the consequences, made that nasty gesture of comparing the voices of Celentano and Radi. He shouldn't have made such a demonstration in front of the top party leaders. In my report, I had made only some minor objections against trivial artistic elements which would not have resulted in the death sentence of the song. I approached that colleague during the meeting break and said to him: 'My dear colleague, your speech

---

44   S. Kalemi, musicologist; *Drita*, 11 February 1973, 13. (National Library, Tirana)
45   F. Radi, singer-songwriter, composer, instrumentalist; 'Afternoon' (Top Channel, 19 June 2015).

sent Albanian music ten years backward.' Later on, I had to "apologize" to him and tell him that he had sent Albanian music backward not ten but fifteen years.'[46]

Voice of Youth – Zëri i rinisë newspaper, January 1973 (National Library, Tirana, https://www.bksh.al)

46   Zh. Ciko, orchestra conductor; 'Françesk Radi, A Life Spent with the Guitar' promotion interview, *TVSH Academy of Sciences*, 27 September 2019 .

On 21 January 1973, the song was also criticised by the poet Hysni Milloshi in the newspaper *Zëri I Rinisë – The Voice of Youth* under the title 'A Few Considerations about the Lyrics of the Songs.'

The music composer Enver Shëngjergji describes Françesk in 1972: 'God gifted him with a brilliant voice timbre, which was coincidentally similar to Adriano Celentano's. Franko did not imitate Adriano. He developed his own artistic individuality, but in that dark atmosphere created by the communist party officials (and of some artists faithful to the party) and their attack of the festival, there was no room left for appreciating Franko's own talents. Someone also mentioned Franko's guitar (like the American or the Italian singers) in order to cynically pair him with the secret idol of our generation: the Italian singer Adriano Celentano. That was enough to oust him from the stages.'[47]

---

47   E. Shëngjergji, composer; *F. Radi, Troubled Life* (TVSH, 18 April 2018).

Criticism for Renowned Albanian Composers

The terrifying campaign of criticism against the festival went on for quite some time. Once the name of a 'sinner' singer or composer was mentioned, the artist would suffer social persecution. Many prominent people from the world of Albanian music had to make their mea culpa.

On 11 February 1973, Tonin Harapi wrote an article entitled 'About the National Physiognomy of Our Song' for the newspaper *Drita*: 'This festival disguised its sinister goals as a promoter of concepts of novelty, of modernisation and of breaking old norms. I never understood what norms they were and who represented them.'[48]

Tish Daija, in his article entitled 'We Are Against So-Called Modern Festivals,' wrote of his suggestion: 'We must draw lessons from the 11th Festival in order for the next one to be ideologically strong, nation-spirited and with far better artistic quality.'[49]

Under the title 'We Will Organise Better Quality Festivals,' another brilliant music composer, Agim Prodani, wrote: 'Was the 11th festival the festival of light, rhythmic music? Shall we continue on this path? Will this be the future profile of our festivals? What about the songs dedicated to the masses of workers and peasants? What will happen to the social-revolutionary songs? Do we need to organise three or four more festivals? I don't think so.'[50]

---

48   Prof. T. Harapi, composer; *Drita*, 11 February 1973, 4. (National Library, Tirana)
49   Prof. T. Daija, composer; *Drita*, 11 February 1973, 4. (National Library, Tirana)
50   A. Prodani, composer; *Drita*, 11 February 1973, 4. (National Library, Tirana)

Drita newspaper, February 1973 (National Library, Tirana, https://www.bksh.al)

Franko (first row, third from the left) with fellow students from the Higher Institute of Arts in Tirana, 1971 (family archive).

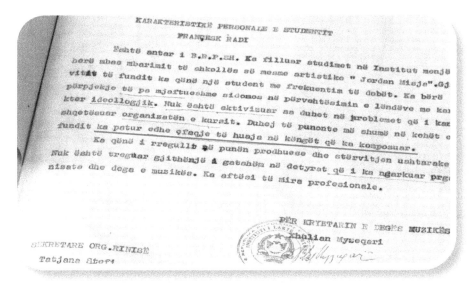

The secret document in Franko's personal files at the HIA, dated 5 February 1973 (family archive)

Dictated by the atmosphere of enmity against modernism, some teachers and students of the Higher Institute of Arts got involved with the political attacks against Franko. One of the institute's documents of evaluation (see above image), dated 5 February 1973, stated of Franko's performance: 'Franko puts very little effort into learning the lessons of ideology. He is not sufficiently active in discussing social problems, and the songs he composes display many features of foreign music.'[51]

From this ill-fated situation there emerged an important truth: no one spoke ill of Franko the artist. Even the secret documents that mentioned his performance suggest that 'Franko possesses good professional skills.'[52]

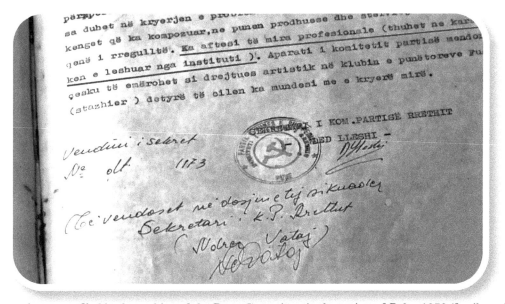

The secret document filed in the archive of the Party Committee in the region of Puka, 1973 (family archive)

---

51   The secret document in Franko's personal files at the HIA, 5 February 1973 (family archive).
52   The secret document filed in the archive of the Party Committee of the region of Puka, 1973 (family archive).

The 4th Plenum:
A Hiroshima of the Youth and Albanian Intelligentsia

The infamous campaign against so-called liberal trends in arts and culture displayed by the 11th Festival of Song began in January 1973 after Enver Hoxha's speech at the Presidium of the People's Assembly. Later on this campaign would also involve the army and the economy. Hoxha's speech strongly criticised the festival. The criticisms reached their peak in late June when the 4th Plenum of the Central Committee of the Party of Labour of Albania was held. The 4th Plenum resounded Enver Hoxha's thesis that he had put forward on 15 March 1973 in his speech ('How We Can Comprehend and Successfully Fight the Imperialist-Revisionist Siege of Our Country') at a meeting with the bureaucrats of the Central Committee of the Party. The 4th Plenum put an end to all hopes for any democratisation of the regime. It was a kind of political Hiroshima for the youth and for intellectuals.

The 11th Festival marked a tragic career setback for both Radi and Bejko. In that illusory atmosphere of liberalism in the beginning of the seventies, both of them were not able to realise that their enthusiasm for rock music would backfire.

Franko himself admits this: 'Honestly speaking, we did not realise the pride before the fall. There seemed to be an atmosphere of acceptance of girls wearing miniskirts, of boys in cowboy jeans keeping their hair long, of the songs of Tom Jones, Celentano, The Beatles and many others being broadcast on the radio … gentle winds of democracy seemed to blow. Then came the

11th Festival of Song. Its aftermath showed that austerity was not at all over for the arts.'[53]

Sadik Bejko, author of the lyrics, said of the circumstances: 'It was impossible for us to perceive that a song talking about American bombs falling on Vietnamese soil would drop bombs on its authors. Franko was banned from appearing on stages for the next 15 or 16 years.'[54]

The brilliant composer Aleksander Lalo recalled: 'Françesk fell into disgrace. For a very long time he was not allowed to perform his repertoire.'[55]

The composer Gjon Shllaku said: 'The waves of criticism swept over Franko's entire, most significant, repertoire. Although Franko's music demonstrated a mastery of the pentatone of Southern Albanian folk music, the song "The Address" could not escape strong criticism of its rhythm, orchestration and tone. On the same grounds, "The Bicycle" was crucified as well. Franko's genius and the values of his creativity were utterly neglected. The artist was labelled an enemy of the musical taste of the people.'[56]

---

53   F. Radi, singer-songwriter, composer, instrumentalist; *F. Radi, Troubled Life* (TVSH, 18 April 2018).

54   S. Bejko, poet; *F. Radi, Troubled Life* (TVSH, 18 April 2018).

55   A. Lalo, composer; *Music, Emotion, Music* (TVSH, 14 December 2001).

56   Gj. Shllaku, composer; '"Address" and "Bicycles" by F. Radi, hits that time elevates,' *Telegraf*, 11 May 2021, 22.

Overcoming Censorship:
Composers Managed to Produce Good Music from 1970-72

Radi never repented his actions. Later on he would state: 'We felt the responsibility to take action in order to bring our music closer to the preferences of young people, and I think we attained that goal. The music composers of the early seventies produced beautiful songs that contained simple fable stories of love and of an array of graceful expressions of everyday life. Most of these songs stood the test of time while the so-called ideologically engaged songs of the communist era have since been long forgotten. The music compositions of the early seventies are vivid testimonials to the fact that true art survives all the blows it might face.'[57]

---

57   F. Radi, singer-songwriter, composer, instrumentalist; *F. Radi, Troubled Life* (TVSH, 18 April 2018).

Franko Is Removed from Tirana and Sent for Re-Education:
The Stage, the TV Screen and Musical Creations

The artist Françesk Radi, a young guy in love with music and once acclaimed by hundreds of thousands of people, was expelled from the capital city. He was sent for re-education 'amidst the working class' to the distant and tiny town of Fushë-Arrëz in the region of Puka in Northern Albania. Fushë-Arrëz was a village of woodcutters and miners.

'Well, that's what they planned for him—to be re-educated in Fushë-Arrëz,' said his teacher, Professor Hamide Stringa.[58]

'Very bad luck for Franko's career. Not only banned from singing in Tirana but also compelled to start a life in remote Fushë-Arrëz,' remarked the music composer Enver Shëngjergji.[59]

Gaqo Apostoli: 'After a year, Franko's voice and image were lost in the distant city of Puka. He was persecuted by the dictatorial regime, which violated the artistic product of the 11th Festival. Included was the young singer-songwriter's, "When We Hear Voices from the World – Kur dëgjojme

58   Prof. H. Stringa, musicologist, singer; 'Frankua at the 11th Festival of Song brought a new spirit,' *Telegraf*, 8 April 2021, 21.

59   E. Shëngjergji, composer; *F. Radi, Troubled Life* (TVSH, 18 April 2018).

zëra nga bota," and his entire musical production … but he remained in our hearts and we awaited his return.'[60]

Franko sitting by a river in Fushë-Arrëz, 1973 (family archive)

With much regret over leaving Tirana, which was his heart and soul, Franko also had to abandon his career as an emerging national music star and his job at the Orchestra of RTV. Once he arrived there, however, those regrets were brushed aside. Being capable of both sorrow and happiness, Franko hoped that his new environment would allow him the opportunity for healthy self-discovery and self-realisation. He would go on to become a resident of Fushë-Arrëz.

His elder brother Ferdinand, an actor, theatre director and poet, had a strong emotional connection to Franko. When Franko was sent north for re-education, Ferdinand wrote the following verses:

> Through the strings of your guitar
> Sounded the melody
> And to the hearts in love
> It brought the lovely spring
>
> Inside its sound chamber
> Love made its nest
> We called you Celentano
> Both your dream and your melody

60   G. Apostoli; 'Françesk, my Dear friend, I will see you in heaven …' (family archive).

Were destroyed by the lackeys
And they threw away your guitar
In a northern corner
Where even the high tension wires
Hang frozen above the snow

(Ferdinand Radi, audio file, family archive).

𝔉ranko,
Three Generations of Radis and Their Contributions to Puka

𝔉ranko was not the first of his family to set foot in Puka. In 1936, his aunt, Julia Radi, worked there as a teacher together with the famous Albanian poet of the twentieth century, Millosh Gjergj Nikolla (otherwise known as Migjeni). This fact is noted by Migjeni himself. Thanks to her and Lazër, Franko's uncle, they became close friends of the great poet.

The original appointment document of Julia Radi as a teacher in Puka, 1936
(Archive of the Historical Museum of Shkodra)

Julia (left) with Cvetka, the sister of Migjeni, in a schoolyard in Puka, 1936 (photo by Lazër Radi, family archive)

Prend Radi, Franko's grandfather, in Prizren, 1922 (family archive)

By the end of the nineteenth century and the beginning of the twentieth, Franko's paternal grandfather, Prend, travelled often to trade charcoal between the towns of Prizren and Shkodra. He was a very good lahuta player. In Puka there was the Inn of Gomsiqe where travellers usually spent one or two nights on the way to their destinations. Together with Prendush Gega, the famous rhapsodist from Puka, Franko's grandfather organised wonderful evening concerts and sang legendary songs. In 1929, the Radi family moved from Kosovo to Durrës and in 1943, they settled in Tirana.

The Secret Police
and the Founding of the Local Artistic Ensemble

In Fushë-Arrëz, Franko was given a job in the local House of Culture. 'The miners and the woodcutters there knew a lot about Franko, but now he was under strong public scrutiny as the individual who was brought there for re-education,' said Professor Josif Papagjoni.[61]

'I was told to be careful because the police agents often went around my living quarters to make sure that I wasn't rehearsing any foreign songs,' Franko recalled.[62]

Professor Papagjoni was the director of the local House of Culture. A former teacher at the Higher Institute of Arts, he was also sent to Puka after the 4th Plenum of the Labour Party and crucifixion of the 11th Festival of Song. Many of the artists in the capital were sent out to the provinces to learn from the workers and peasants.

Professor Papagjoni strongly encouraged Franko to join his initiatives to enrich the region's cultural life. Franko chose the most talented amateurs to form a musical group, and introduced the town's traditional folk orchestra to a combination of modern instruments. Thanks to his hard work and the support of the good friends he made within the group, Franko was granted the opportunity to perform on Puka's stage.

---

61   Prof. J. Papagjoni, art critic; *F. Radi, Troubled Life* (TVSH, 18 April 2018).
62   F. Radi, singer-songwriter, composer, instrumentalist; 'Albanian Sunday' (Klan TV, 28 November 2010).

Franko (far left) plays a çifteli with the rest of the amateur musicians in Fushë-Arrëz, 1974 (family archive)

He highly appreciated the loyalty of his fellow amateur artists. 'Initially I was suspicious about possible spies among them, but after some time I realised that they were very good friends. None of them ever spied on me,' said Franko.[63]

Among his newly made friends, there were the brilliant rhapsodists Ndue Shyti and Frrok Haxhia. Franko learned to play the multiple folk instruments, including a type of double-stringed lute called a çifteli. He became immersed in the folk music of the area and greatly developed his professional skills. After 1990, Franko used the knowledge he gained there to compose rock music played with a çifteli. Expanding on popular musical motifs of the region, Franko had much to give to Puka's culture and much to learn from it as well.

Professor Papagjoni said of this experience: 'Franko was a kind and sweet hearted person, equipped with Socratic patience, courageously facing his destiny. Instead of moaning in despair about his career misfortune, Franko turned it into a challenging learning process about the subtleties of the region's folk music. This experience helped him both increase his engagement and satisfaction and improve his resilience. Franko significantly contributed to and advanced vernacular music to a higher level.'[64]

By the mid-seventies, Professor Stringa went to Fushë-Arrëz to carry out the one-month period of physical work, obligatory for all intellectuals. There, she met again with her former student Franko and asked him to interview for a project about impressions of life as a student. The first thing she noted was Franko's long hair.

---

63   F. Radi, singer-songwriter, composer, instrumentalist; 'Albanian Sunday' (Klan TV, 28 November 2010).
64   Prof. J. Papagjoni, art critic; *F. Radi, Troubled Life* (TVSH, 18 April 2018).

Franko in the barracks of Fushë-Arrëz, 1973

Franko in Fushë-Arrëz, 1974 (family archive)

'My somewhat conservative view of hairstyles led me to scold him: 'Go back home and have your hair well combed before we meet again.' I realised that my brusque approach intimidated him a bit, but the truth is that there was nothing wrong with Franko's long hair,' said Professor Stringa. [65]

The kindness and the equanimity of Franko had the power to disarm anyone. That evening a concert was held for a highly entertaining crowd composed of the public and students from the Higher Institute of Arts. Professor Stringa sang a few songs, including a Russian one.

'I asked Franko to accompany my songs with his guitar. I liked his personality, and I was also pleased with myself for not standing the rigid official ground toward these young people who dreamed of flying free,' said Professor Stringa in an interview.[66]

Speaking about his passion for rock music, Franko said: 'It is a terrible thing to deprive a songwriter from his heartfelt creativity. I was a wounded soul.'[67]

'The years I spent in Fushë-Arrëz brought me a very pleasant surprise. There, I found my future wife, Tefta. She stepped into my life just in time to heal the spiritual shock caused by the unjust disruption of my musical career. Tefta was a literature teacher and performed as a presenter in the artistic events organised at the local House of Culture where I worked. Although attracted to each other, we didn't dare expose our feelings in public because there was a substantial difference in social status between us. She was appointed officially as a teacher, while I was the guy sent there for re-education and, consequently, under police surveillance. Apart from this, everything else was the same for both of us. We lived in the same type of barracks and ate at the same worker's canteen. It was dangerous for a love affair to be exposed under those circumstances. If 'public opinion' had noticed, the party organisation would have immediately forced a marriage that meant a permanent stay in Fushë-Arrëz, which, for me, meant saying farewell to Tirana for good.

I couldn't betray Tirana. So, we kept our love affair secret until we got married later on when we were back in the capital. We were everything to each other.'[68]

65   Prof. H. Stringa, musicologist, singer; 'Frankua at the 11th Festival of Song brought a new spirit,' *Telegraf*, 8 April 2021, 21.

66   Prof. H. Stringa, musicologist, singer; 'Frankua at the 11th Festival of Song brought a new spirit,' *Telegraf*, 8 April 2021, 21.

67   F. Radi, singer-songwriter, composer, instrumentalist; *With Mariza* (Scan TV, 30 December 2016).

68   F. Radi, singer-songwriter, composer, instrumentalist; 'How I Found Tefta,' *Shekulli*, 18 March 2001.

Franko, Tefta, Lezha, 1975 (family archive)

Franko, Tefta, Tirana, 2015 (family archive)

Return to Tirana:

Difficulty Finding a Job

After the long ordeal of re-education, Franko returned to Tirana in 1981. He was supported politically by the First Secretary of the Party Committee of Puka, Thomas Dine, and by a member of the Politburo and former director in the woodcutting business of the area, Pali Miska. Both of them appreciated Franko's commitment to the local culture. The final agreement for his readmission to the capital was signed by Ramiz Alia, the Secretary of the Central Committee of the Party who supervised ideological matters.

Back in Tirana, Franko remained unemployed for two long years. He knocked on doors in search of work, but many did not answer. He was not even accepted into the Symphonic Orchestra of RTV where he had begun his career as a double-bass player in 1973.

Only in 1983 was Franko given a job in the orchestra of the Tirana Circus as a bass guitar player. A few years later, he moved onto the State Variety Show to play the contrabass guitar in its orchestra. Since he was not yet given permission to perform his own material on stage, Franko composed songs for other singers.

The brilliant music composer Aleksander Lalo said of Franko's circumstances: 'We worked a lot together on music orchestrations for many variety shows. I felt very sorry that he was not permitted to perform on the stage as a songwriter. I tried to help him several times to obtain that permission.'[69]

---

69   A. Lalo, composer; *Music, Emotion, Music* (TVSH, 14 December 2001).

The successful songs during these years were 'The Woodcutter,' 'Journeys and Years,' 'Shoulder to Shoulder,' 'By the Sea,' and, in particular, 'We Walked Together,' which was performed by Luan Zhegu, who placed first at the monthly musical radio contest. A number of others performed songs composed by Franko, and they went onto win many of Radio Tirana's music competitions. Many of these songs remain public favourites to this day.

Reflecting on his songs of that period, Franko said: 'Sure, there was some ideological conformism in their lyrics, which is out of my character, but if I wanted to continue making music I had to somehow adapt myself to the restrictions of the era. Before being released, all songs were scrutinised by the local party authorities.'[70]

---

70   F. Radi, singer-songwriter, composer, instrumentalist; *Talk To Me* (TVSH, 15 May 2015).

Franko's Musical Creations:

1970–72, Mid-1980s and Post-1990s

According to the renowned pianist Gjon Shllaku, the timeline of Françesk Radi's musical creations can be divided into three segments:

1. 'The period of liberalism: Songs from this period include 'The Bicycle,' 'The Address' and 'When We Hear Voices from the World.'

2. The period of the mid-1980s: Songs from this period include We Walked Together – 'Ecëm të dy tok,' 'We Knit Together a Song – Thurrëm bashkë një këngë,' 'We Walked through Life Shoulder to Shoulder – Krah për krah në jetë,' (a warm duet of Franko and a well-known singer of the time, Elida Shehu), 'The Most Beautiful Flower – Lulja më e bukur' and other.

3. The period after the 1990s: Among many other songs, this period includes "The Pseudo Democrat "Heresy" – Pseudodemokrati, "Herezia",' 'I Lost the Springtime – Humba pranverën,' 'Prison Rock – Rock I burgut,' 'Shattered Heart – Zemër e lodhur,' 'Heartfelt Phone Call – Telefonatë zemrash,' 'Summer Breeze – Erë vere' and 'You Are So Beautiful – Sa e bukur je' and many other songs.

Although fruits of a 'self-controlled inspiration' and lyrically conformist, Franko's songs of the mid-1980s contained perfectly balanced melodic lines. 'We Walked through Life Shoulder to Shoulder' is one such example. As found in 'We Walked Together,' the same balance was accurately maintained even when the songs were based on folk melodies. Franko's genius prevented him from falling into the trap of merely arranging or harmonising pre-existing folk melodies, as was frequently done by other composers of the 1980s and 90s. Instead, Franko considered a folk-tune as a musical kernel from which he developed his own compositions, which only intensified and enlarged the spirit of the original folk song.[71]

During the second half of the 1980s, Franko made another attempt to participate as a songwriter and singer in the RTV Festival of Song. He had been officially rehabilitated after re-education, but a public statement from top party leaders was still necessary to convince artistic circles and rigid lower government structures that Franko was cleared to practice transgressive art. In those times, everybody was trying to protect themselves.

The physician Gëzim Gjata mediated for Franko during this time: 'Between the years 1987 and 1988, Franko expressed to me his desire to perform on stage at the Festival of Song. At that time, I worked in a special medical clinic for party officials. He asked me to hand over a letter to some high official in charge of controlling the arts. Franko was lucky. I managed to show the letter to the very top party leader, who said "No problem—let him perform!" I accompanied Franko to the RTV offices. With some initial reluctance, the people in charge formally accepted his song. It was a beautiful song with lyrics that were based on a poem written by the Albanian Renaissance poet Naim Frasheri. While the song 'The Most Beautiful Flower' was being recorded, the music editor thought about the infamous story of Franko imitating Celentano. And he said to Franko: "Could you please sing it again, but this time a bit differently? If you perform it again like you did a minute ago, I am afraid your song might not pass the commission's judgment."'[72]

Indeed, the song was rejected by the commission. Franko was not accepted this time to the Festival of Song. Nevertheless, he received an award for the same song at The Enquete Musical—another, lower-profile song contest which was still very popular and which Franko had won almost every time he had entered. What followed was a gradual rise of Franko's career. He was re-confirmed by authorities as a songwriter, singer and instrumentalist. Now he could even perform some Latin-American hits. Invitations were extended to him from many places. One of them came in 1988 from Stalin Town (today's Kuçova) for a concert, which proved to be successful.

---

71   Gj. Shllaku, composer; '"Address" and "Bicycles" by F. Radi, hits that time elevates,' *Telegraf*, 11 May 2021, 22.

72   G. Gjata, doctor; 'Albanian Sunday show,' (Klan TV, 28 November 2010).

Franko among the amateur troupe of artists in Kuçova, November 1988 (family archive)

Skënder Jaçe, director of the House of Culture of Stalin Town, said of Franko: 'During those years, Franko reached the peak of his career. Our concert hall could not contain more than 300 people. A huge crowd of around 2,000 people would still gather outside. We put two powerful loudspeakers on the window for them. Although it was cold outside, people stayed until the end of the concert listening to the melodious voice of this brilliant singer.'[73]

The drummer Edmond Naqellari said: 'Franko performed many songs in that concert. By the end of it, he introduced two foreign songs: "Palma'o" and "Bamboleo" from the Flamenco group Gipsy Kings. The latter song was encored three times. The indoor and outdoor audiences, standing up and ardently applauding, accompanied Franko in chorus while he sang the refrain of the song.'[74]

'Even on the eve of the fall of the Berlin Wall, the fear instilled in us by the regime was still alive. That evening Franko killed it. The concert hall still echoes Franko's melodious voice that enchanted the audience. He had worked hard with our orchestra of amateur instrumentalists in order to be in tune,' shared Skënder Jaçe in an interview. 'I remember that the people waiting outside after the concert were asking Franko for autographs. Cell phones were not available at that time, so our photographer was almost torn apart by young people asking him to take photos of them with Franko.'[75]

---

73   S. Jaçe, filmmaker; *The 70s, light music, dictatorship, Dedicated to the artist Françesk Radi* (TV1 Channel, October 2022).

74   E. Naqellari, instrumentalist; 'Memories: Françesk Radi Concert,' *Vatra Newspaper*, 2 June 2021, https://gazetavatra.com/kujtime-francesk-radi-koncert-show-ne-qytetin-stalin-kucove-ne-1988/.

75   S. Jaçe, filmmaker; *The 70s, light music, dictatorship, Dedicated to the artist Françesk Radi* (TV1 Channel, October 2022).

Franko Returns:
The Symphonic Orchestra of ART and the National Festival of Song

Françesk Radi playing the bass guitar in the Symphonic Orchestra of Albanian RadioTelevision, 1996 (family archive)

Supported by its orchestra conductor, Zhani Ciko, Franko joined the Symphonic Orchestra of RTV in 1992. He also became a part of a light music band connected to the orchestra.

There, he played together with other celebrities, such as Edison Miso, Edmond Xhani, Genc Dashi and Shpëtim Saraçi, but the group disbanded after a while. After the 90s, Albania had opened to the rest of the world and many artists left the country for better income, some of them for good. Franko continued to play in the Symphonic Orchestra, now with the title of Musical Maestro.

Only in 1993, after the fall of the communist regime, would Franko appear as a celebrity on the stage of the Festival of Song, just over 20 years after he had been ousted from participation. For the 32nd Festival, he composed a song entitled 'A Mother, the Children, the Era and I' with lyrics written by the Italian-American singer Romina Power.

In an interview, Franko recalled his extremely emotional state of mind on the eve of the Festival: 'They were difficult moments. I felt the responsibility to maintain the level of success I had enjoyed during the early years of my career. Tough moments.'[76]

Zhani Ciko said: 'Franko was brilliant in that Festival of Song. He performed to the best of his ability, fully displaying his unchanged rebel spirit.'[77]

His set included many other socially engaged songs: 'Phone Call between Hearts,' 'Life Doesn't Allow You to Remain a Child' and 'I Lost My Springtime.' The latter's lyrics by Agim Doci. This song will sound forever as homage to all those who emigrated but endure nostalgia for their home country. Besides the songs that Franko fully authored, like 'The Bicycle,' 'Paganini,' or 'Christmas Time,' he performed many other songs with lyrics that were written by the distinguished authors Kastriot Gjini, Agim Doci, Vangjel Kozma, Alqi Boshnjaku, Demir Gjergji and the great writer Dritero Agolli.

Franko was still extremely keen on being a voice of protest. Songs of this nature include 'Tired Heart,' with lyrics written by Vangjel Kozma and dedicated to the sinister events of 1997, and 'Doomed to Such Fate,' with lyrics by Agim Doci. Both protest negative phenomena in Albanian society.

Franko said of the rebel spirit in his music: 'The success of a socially-engaged song resides in both the melody and the lyrics. I wanted my songs to advocate for fostering social awareness and engagement among young people.'[78]

Franko also composed many beautiful love songs, timeless and relatable to everyone. More often than not, Franko's love songs were uncomplicated, rather simple songs about a myriad of situations and the feelings they bring, like falling in love and experiencing heartbreak at its end. 'Sleep My Suffering Beauty,' 'How Beautiful You Are,' 'Summer Breeze,' 'Her Eyes Dazzle Me,' 'The Address' and many other love songs incorporated lyrics suitable to Franko's style of creativity. They were written by renowned authors, such as Dritero Agolli, Agim Doci, Demir Gjergji and Kastriot Gjini.

'After the 1990s, Franko felt free to reign in his "own kingdom,"' said composer Gazmend Mullahi.[79]

---

76   F. Radi, singer-songwriter, composer, instrumentalist; 'Afternoon' (Top Channel, 19 June 2015).

77   Zh. Ciko, orchestra conductor; *F. Radi, Troubled Life* (TVSH, 18 April 2018).

78   F. Radi, singer-songwriter, composer, instrumentalist; *Talk To Me* (TVSH, 15 May 2015).

79   G. Mullahi, composer; *The 70s, light music, dictatorship, Dedicated to the artist Françesk Radi* (TV1 Channel, October 2022).

In an interview, fellow musician Gjon Shllaku added: 'After 1991, Franko rediscovered the sources of inspiration previously denied to him by the dictatorial regime. He retrieved the spiritual moments of his youth and, by contemporising them, rapidly progressed in his compositional style. He became a timeless musician in Albania like Adriano Celentano is considered in Italy. The songs pertaining to the third period of his creative timeline, including their lyrics, musical motifs, rhythm, orchestration and instruments used, bear the hallmark of the genuine inspiration of their author. Franko further developed the 'Alla Franko' introductions, which were typical of modern styles and instrument solos (especially the guitar) against the orchestral ensemble. Nothing could stop him anymore from fully expressing himself as a brilliant songwriter, singer and instrumentalist.'[80]

---

80   Gj. Shllaku, composer; '"Address" and "Bicycles" by F. Radi, hits that time elevates,' *Telegraf*, 11 May 2021, 22.

Franko:
The Anti-Conformist

Franko said of his protest music: 'I continued to compose songs of protest against both the past and the present moral and material corruption in Albanian society.' The song entitled 'The Pseudo-Democrat,' written by Alqi Boshnjaku, detailed the story of both Franko's life in communist times as well as being a sarcastic comment toward the two-faced behaviours of those adapting their rotten personalities to the moral values of democracy. Another song of protest 'Rock of Prison' (1996) was dedicated to all the artists who were jailed or exiled by Enver Hoxha's dictatorial regime (between 1944 and 1990) over their efforts to uphold freedom of speech. The lyrics of the song were brilliantly compiled by the poet Agim Doçi.[81]

The ethnomusicologist Mikaela Minga said: 'The return of Radi onto the stage of the Festival of Song after the fall of the dictatorship was also the return of his journey of protest and social engagement. The time between Radi's Festival performances showed that despite his vocal similarity to Celentano, he had rather adopted the 'Let It Be' attitude of the Beatles. His experiences gave him the space for further reflection on the human feelings in these pop songs.'[82]

The music critic from Kosovo, Professor Behar Arllati, said: 'Franko knew the secret codes of a myriad of musical elements. This made him able to move

---

81   F. Radi, singer-songwriter, composer, instrumentalist; *F. Radi, Troubled Life* (TVSH, 18 April 2018).

82   Dr M. Minga, ethnomusicologist; "Françesk Radi," Word Landscapes (Peizazhe të Fjalës), April 28, 2021, https://peizazhe.com/2021/04/28/francesk-radi/.

without any constraints from the songwriter to the song-interpreter of various styles of music, like rock or pop. He managed to put new faces on some very old traditional Albanian musical motifs while keeping intact the main themes from which they derived. In other words, he had the ability to bring new life to the same old skeletons.'[83]

The musician Gjon Shllaku said: 'Franko was able to express his musical inspiration through the best poems of the best authors. He must have had a thorough knowledge of the poetic devices, which is something we notice in the way he breaks down syllabic verses and then harmonises them with the melody. His compositions engender spectral colours in his listeners, which change according to the genre and style of each song. For example: "Paganini," a funk and hip-hop style, has a different order of spectral colours than "A Mother, the Children, the Era and I," which is a ballad that flows smoothly through its lyrics, which were written by Romina Power. The same goes for the comparison between the energetic rhythm of the Italo-disco song "The Heresy" and the romantic nostalgic tunes of "Tired Heart," or between the vivid rhythmic pattern of "Prison Rock," or even the finesse of "Heartfelt Phone Call," as well as the delicate expression of parental love in the ballade "Life Doesn't Let You Remain a Child." We notice the justified notes of pessimism in "I Lost My Springtime," which mirrors that of another song, the house-disco ballad "Doomed to Such Fate." Then again, listening to the song "Sleep, My Suffering Nymph," we climb down into the green valley of contemporary romance and marital love. Franko chooses styles tailored to the type of spiritual atmosphere he wants to create. In order to create the atmosphere of carefree summer days, he chooses to use the exotic reggae rhythm for the song "Everybody on the Beach." Quite the professional musician!'[84]

---

83   Prof. B. Arllati, ethnomusicologist; 'F. Radi, singer with bohemian spirit,' *Nacional*, 15 May 2021, 28.
84   Gj. Shllaku, composer; '"Address" and "Bicycles" by F. Radi, hits that time elevates,' *Telegraf*, 11 May 2021, 22.

𝕱𝕽𝖆𝖓𝖐𝖔'𝖘 𝕱𝖆𝖙𝖍𝖊𝖗:
An Ear for Music

Perhaps the lyrics of certain Italian songs that were sung by his father, Balto, on a daily basis impacted Franko's search for the messages he wanted to convey through his own music. Franko inherited a good ear for music from his father.

Balto Radi (centre) playing the double bass in the orchestra of Prizren, 1923 (family archive)

'My father was a musician. He played the guitar and the double bass in the orchestra of the town of Prizren. He also sang arias from the operas of Verdi and Puccini, from the opera "Cavalleria Rusticana" of Pietro Mascagni and from "The Barber of Seville" of Gioachino Rossini. He sang them in Albanian. Often we performed as a duo. The song he loved the most was a Holiday tune—"Silent Night."'[85]

'Our family of strong Catholic tradition did not stop celebrating Christmas after 1967 when the dictatorial regime banned religion and jailed or executed many of their clerics. Despite the risk of political implications, we gathered at home with family and friends to dance and sing (at the lowest possible volume) before sitting at the dinner table for our traditional Christmas dinner. Christmas night is deservedly called the "night of light and life,"' wrote Franko in his memoirs.[86]

---

85   F. Radi, singer-songwriter, composer, instrumentalist; *With Mariza* (Scan TV, 30 December 2016).

86   F. Radi, singer-songwriter, composer, instrumentalist; 'Top Show Magazine, Part 2' (Top Channel, 18 December 2014).

Adriano Celentano's
Influence on Franko

Adriano Celentano played an important role in shaping Franko's songs of protest. In fact, Franko knew Celentano's entire repertoire. Franko stated: 'I have rehearsed all the songs of Celentano. I felt quite comfortable with them probably because there was a certain similarity between our voices. But I did not imitate him. I was just inspired by him to compose my own original songs that suited my voice, which, by coincidence, contained modes of Adriano's vocal register.'[87]

Sherif Merdani, an artist who also suffered a long imprisonment, said: 'My idol was Tom Jones. Franko's idol was Celentano. He adored everything of Celentano—the guitar, the music, the lyrics and the style. Whenever there was a gathering for entertainment, he performed Adriano's songs. You could ask Franko to sing whatever song of his that sprang to your mind. He knew by heart the lyrics of all the songs.'[88]

Professor Josif Papagjoni, with whom Franko shared an old wooden cabin in Fushë-Arrëz, said of his friend: 'His voice and image remain in my mind, always in that small room in the snow, in the cold, lowering his voice and singing especially Adriano Celentano and other great Italian singers, with his head immersed in the guitar. He had an uncommon, almost magical, voice. Although he was sweet, special and specific, he also had a characteristic colour, which made him one of the very rare and special singers of that time.

---

87   F. Radi, singer-songwriter, composer, instrumentalist; *F. Radi, Troubled Life* (TVSH, 18 April 2018).

88   Sh. Merdani, singer; Radi, Tefta and Demir Gjergji. *Francesk Radi, A life spent with the guitar*. (Tirana, 2019), 272.

Through those lyrics and his guitar, Franco found his catharsis. He also vented our frustrations.'[89]

Franko had a lifelong veneration for Adriano Celentano. As a representative of the innovative artists of the seventies, Franko chose to bring the Italian singer's songs to the Albanian public. The earliest one was '24-Thousand Kisses.'

Why was he so found of Celentano? 'Because,' Franko shared, 'since the very beginning, Adriano has made excellent music. He has been innovative his entire career, even today.'[90]

In the documents Franko left behind, we can see that he thought about asking Celentano for a meeting. Pondering this a dilemma, he wrote: 'What if all the fans of Celentano asked him for meetings?' In the end, he decided to write him a letter—one that he never did send.

'Dear Adriano,

'It was you, your spirit that nourished our souls with the idea of freedom. We were well aware that your music was the forbidden apple for us at that time, but we were ready to make sacrifices in order to keep our souls alive. Knowing well the risks the people would face by listening to your music, the regime wanted to handcuff it. But the regime did not realise that the sound of music cannot be jailed. We were reported so many times to the police for singing your songs in the parks and on the beaches. But we did not stop singing them. It was you, Adriano, who inspired me to sing and compose music. Every time I started to create music, you crossed my mind as an omen of guaranteed success. I regret not meeting with you. It seems that it was easier for me to sing your beautiful songs than it would have been to actually meet you in person.'[91]

89   Prof. J. Papagjoni, art critic; *F. Radi, Troubled Life* (TVSH, 18 April 2018).

90   F. Radi, singer-songwriter, composer, instrumentalist; 'Top Show Magazine, Italian Music Part 2' (Top Channel, 21 April 2006).

91   The original letter written by Franko to Adriano Celentano. (family archive)

The original letter written by Franko to Adriano Celentano (family archive)

Fortunately, somebody else met Adriano on Franko's behalf. It was the writer Shpend Sollaku Noe: 'By the end of the nineties, I was given the opportunity to meet Adriano. I asked him to listen to a new version of his song 'Susanna.' Adriano spoke artfully: 'Yes, it's me … or, must be me … no, it is not me … it is someone who performs better than me!' I told him that we were listening to a singer named Françesk Radi, an Albanian songwriter who had suffered a lot in the past because of his commitment to [Adriano's] music. I promised Adriano to send him a CD loaded with Franko's songs.'[92]

92   Sh. S. Noé, writer; 'F. Radi led his revolution,' *Shqiptarja.com*, 27 March 2019.

His Own Twist:
Franko Performs World Hits and the Songs of His Colleagues

Franko performed around 80 hit songs in various languages of star singers, like Amy Winehouse, Stromae, Sting, La Bouche, B. Marlin, Aretha Franklin, Adamo and more. He sang some of their songs in Albanian, as well. According to Franko, the King of Music was Ray Charles.

Zef Çoba said: 'I hear his inner voice calling him to build a cultural bridge between Albanian and foreign music. To achieve this goal, he performed hit songs from the sixties to those of the first decade of the twenty-first century that had won international success. After the 1990s, when democracy was restored in Albania, he could freely sing in Italian, English, French, Greek and Spanish.'[93]

Franko was not a self-centred person. He performed songs composed by other Albanian artists, too, such as those of Kastriot Gjini, Aleksandër Vezuli, Josif Minga, Spartak Tili, Ardit Gjebrea, Roland Qafoku, Mentor Haziri and more.

He always talked with veneration about the Orchestra of Albanian RadioTelevision where he made his career. 'It is integral that I grew up in this institution. My success in this institution has been my sorrows, festivals, and contests. Every beautiful thing I have done as a singer-songwriter is connected to this institution,' said Franco.[94]

93   Prof. Z. Çoba, composer; 'F. Radi is the sincere voice of the passionate musician,' *Telegraf*, 8 April 2021, 20.
94   F. Radi, singer-songwriter, composer, instrumentalist; *F. Radi, Troubled Life* (TVSH, 18 April 2018).

Franko on Kitsch Music
and a Lack of Music Criticism

Radi never compromised on his spiritual beliefs, his honesty or his integrity as a musician.

He strongly criticised purely commercial music. He also advocated for a higher level of music critique that would foster professional attitudes toward kitsch music, which was invading some performance stages. 'Many of the so-called music critics boast more honorary titles than of press articles on contemporary Albanian music or even on Albanian songs that were chosen to compete in the Eurovision Song Contest.

In my opinion, the freedom to deliberately create bad music is destroying the music tastes of the public but I am optimistic that the newest generation of musicians will heal the wounds caused by the waves of such subpar creations,' declared Franko in media interviews.[95]

---

95   F. Radi, singer-songwriter, composer, instrumentalist; Kollobani, Lorena. 'F. Radi, singer-songwriter who does it all,' *Standard*, 24 March 2007, 29.

FAQE 14
E MËRKURË
31 GUSHT 2005

INTERVISTE

REPUBLIKA

Françesk Radi rrëfen mangësitë e këngës shqipe. Nuk ekziston kritika muzikore!

Krijimtaria artistike dhe pengjet e një artisti

"Xhanbazët e muzikës po e çojnë këngën shqipe drejt shkatërrimit"

ARJOLA HEKURANI

Si ka qenë kjo verë, për-sa i përket aktiviteteve kulturore për ju?

Ka qenë një verë e vaket, pa asnjë aktivitet kulturor, edhe pse duhej të ndodhte e kundërta, për fat të keq. Me të vërtetë, që ka shumë pak aktivitete. Njerëzit rendin vetëm pas fitimeve të tyre dhe nuk mendojnë që një koncert pranë pushueve do të ishte një mjet mjaft i mirë për të kaluar verën ata dhe ne. Unë, personalisht, të them të drejtën nuk kam bërë as këtë vit, por edhe vitet e tjera. Profesioni juaj i gazetarisë na ka marrë peng edhe ne (qesh dhe i referohet të shoqes, gazetares Tefta Radi).

I përkisni atij brezi të vjetër këngëtarësh, që kanë dhënë kontributin e tyre në muzikë, para dhe pas '90-ës, cili do të ishte mendimi juaj për këngëtarët e rinj të skenës shqiptare? Përparësitë dhe mangësitë, krahasuar me brezin tuaj.

Kryesorja është të thuhet se çfarë përfaqësojnë në vetvete këta këngëtarë të rinj. Kur them se çfarë përfaqësojnë ata në vetve-te, flas nga ana profesionale çfarë përfaqësojnë. Ata lënë shumë për të dëshiruar nga kjo anë. Muzika mbetet muzikë, sepse ka ndjenjën brenda, ka profesionalitetin, ka shumë gjëra që e bëjnë atë të pavdekshme. Megjithatë, unë jam pro përpjekjeve të mëtejshme të tyre që këto këngë të mos mbeten thjesht një rep, hip hop, etj. Megjithatë, vitet e muzikës para dhe pas viteve '90 janë paksa të vështira dhe për t'u krahasuar. Por, mund të them që muzika para viteve '90, paravraësisht censurimit, paravraësisht korinzës nga e cila nuk duhej të dilte, kishte profesionalizëm. Me muzikën në atë kohë merreshin emra të mëdhenj si Çesk Zadeja, Tish Daija, Ferdinand Deda, Robert Radoja

Françesk Radi dhe Xhani Morandi

e shumë emra të tjerë. Ndërsa, pas '90-ës pati një lloj çlirimi nga ana emocionale, por sërish është e vështirë të bësh këngë dhe muzikë sot. Pasi, arti është i vështirë në vetvete dhe kërkon shumë përgatitje. Ndodh që muzikantët e rinj kompozojnë, por që as vete nuk dinë se ç'kompozojnë. Të rinjtë, vërtet mund të kenë mbaruar një shkollë muzike, por nuk studiojnë, nuk janë të preokupuar për profesionin e tyre. Dhe kjo është vërtet shqetësuese, sepse diçka e tillë pasqyrohet më pas edhe në nivelin e artit shqiptar.

Sipas jush, a ekziston një kritikë e mirëfilltë për muzikën, këngën në Shqipëri?

Tek ne? Nuk ekziston fare një kritikë. Nuk flas për këngëtarët dhe muzikën që fola më sipër. Problemi qëndron tek aktivitetet e mëdha muzikore, për kompeticionet serioze. Këtu tek ne, kritika është vetëm një fjalë dhe mbetet këtu. Nëse i referohemi Sanremos, aty bëhet përherë një post festival, ku bëhet vërtet debat, kritikët dhe këngëtarët përballë njëri-tjetrit. Ndërsa, këtu tek ne, post festivali është vetëm për të ngrënë e për të pirë. Këtu nuk bën njeri kritikë, por të gjithë dalin e thonë "fantastike, shumë bukur, artistë të mëdhenj". Këtu nuk e kanë konceptin e marrësh këngëtarët në tavolinë dhe të bësh një kritikë, në mënyrë dashamirëse, jo shkatërruese. Unë kam kaq vite në RTSH dhe nuk kam parë të bëhet një kritikë e mirëfilltë. Këtu tek ne, kritikët mbajnë vetëm titujt se që tjetër nuk arrijnë dot të bëjnë. Për shembull, marrim rastin e Festivalit Evropian. Nuk u bë asnjë emision, nuk u thirr asnjë muzikant e asnjë ekspert që të diskutohej mbi këngën tonë atje. Nuk pati asnjë analizë në lidhje me humbjen e këngës shqiptare në këtë festival. Pse ndodh kjo? Sepse, këtu tek ne, nuk të lënë të ecësh para, ata që quhen xhanbazat e muzikës, të cilët vendosin këngët dhe i japin çmimet vetë. E kështu shkatërruan gjithë atë imazh të bukur që diti të na e dhurojë më se miri një vit më parë, Anjeza Shahini në Festivalin Evropian. Por, ne që jemi afër, e dimë shumë mirë se si ka shkuar kënga e Çelos në festival. Është një problem i madh ky për kritikën,

sepse çdo gjë këtu vlerë-sohet me superlativa. Të gjithë ne kemi të meta të këngë, ndaj duhet të ulemi për t'i zgjidhur ato. Unë, personalisht, do ta kisha për nder, nëse dikush do më thoshte: "Këtu nuk më pëlqen Françesk, rregulloje!"

Çfarë i ka ngelur peng nga krijimtaria artistike, Françesk Radi?

Kam shumë dëshirë të bëj ndonjë videoklip për këngët e mia. Sepse, unë kam bërë videoklipin e parë shqiptar, nëse do të cilësohet kështu, në vitin 1972 me këngën "Biçikleta". Ka qenë i pari në atë kohë, ndërsa tani e kam disi të vështirë. Por, kam një tjetër merak që klipi i atëhershëm i këngës "Biçikleta" dhe "Adresa" nuk ekziston më në arkivin e RTSH-së, është të zhdukur që aty. Nuk e di ku ekziston, kush e ka. Nuk jam munduar as vetë ta ruaj, sepse, siç e dinë të gjithë, unë, në ato vite, pata një shkëputje nga muzika për prirjet moderniste të kohës. Bëhet fjalë pas festivalit të 11-të. Në këtë festival, u paraqita me këngën "Kur dëgjojmë zëra nga bota". Ishte një këngë kushtuar luftës në Vietnam, një protestë ndaj asaj lufte. Ndoshta, kjo këngë, për në Shqipëri ishte paksa e parakohshme, sepse ishte paksa "alla amerikane", tip Rolling Stons dhe Bitëlsa. Madje, shprehja e ministrit

në atë kohë, ishte "Françesk Radi i këndon Vietnamit me kitarë si amerikanët".

Keni ndërmend të sillni një album të ri për publikun tuaj?

Po përgatitem për të nxjerrë një album të ri, që do të jetë vetëm me këngë të reja dhe të padëgjuara nga publiku. Vetëm me idenë se kur mund të dalë. Jam ende në fazën përgatitore, jam ende në procesin e zgjedhjes së fabulës. Vetëm dy tekste këngësh kam gati.

Me çfarë merret aktualisht, Françesk Radi?

Aktualisht, unë punoj në Radio Tirana, në redaksinë e muzikës. RTSH-ja është vërtet një industri e madhe dhe ka punë për të gjithë ata që duan të punojnë. Por, pavarësisht kësaj, në këtë institucion me përmasat e RTSH-së prodhohet shumë pak. Ka shumë

mangësi në koncepte, në cilësi dhe në varietete, gjithashtu. Ka raste që në këtë "industri" po e quajmë, kalojnë muaj të tërë pa u zhvilluar asnjë aktivitet kulturor. Televizioni, në përgjithësi, mbahet vetëm me Festivalin e Këngës që zhvillohet në fundvit. RTSH-ja ka një orkester të tërë simfonike që do ta kishte zili kushdo dhe që është një privilegj i madh për çdo artist.

T'i rikthehemi pak zonjës tuaj, nuk po e shohim më të shfaqet në TV.

Këtë pyetje ma kanë bërë shumë vetë, madje edhe vetë Teftës, të gjithë çu-diten. Megjithatë, asaj ia kanë mohuar një gjë të tillë. Nuk e dimë për ç'arsye... Vetëm dua të them që nuk na u ndan persekutimit në familjen tonë, jo vetëm tek unë, por edhe tek gruaja ime, gjithë jetën. Me sa duket, paska shumë Artur Zheji, gjithandej paska të tillë...

"KUR DËGJOJMË ZËRA NGA BOTA"

Mora shokët sukcesin në park,
Ishte intimje, ishte qetësi
Me kitarën zluri në stol
Nis një këngë me shokër e mi
Por dhe zëri s'ishte i lirë
Dhe kitara s'binte la hit...

REFRENI

Në Vietnam, o shoke
Bombarduan prapë
sonte. Shqetësimin
iona ne kitarë ta kën-
dojmë.

Françesk Radi dhe autori i teksteve të Luço Batistit, Mogoli

𝔉𝔯𝔞𝔫𝔨𝔬 𝔐𝔞𝔰𝔱𝔢𝔯𝔰
Music Technology Systems

Talking about the impact of technology on musical experience, Franko said in a 2012 interview: 'It has altered how music is transmitted, preserved, heard, performed and composed. Less and less often do we hear musical sounds that have not at some level been shaped by technology. But artificially reproducing art is not necessarily a good thing.

Franko in his own studio recording and editing music, 2008 (family archive)

Franko in his own studio recording and editing music, 2008 (family archive)

Unfortunately, I couldn't escape this phenomenon. While I prepared musical arrangements for the Festival of Song, technology was introduced to the songs. The sounds produced by instruments, in which periodic vibrations are controlled by the performer, disappeared. An entire orchestral band was condensed into a box with a keyboard! Hopefully, there will still be musicians who prefer the sound of real instruments. I prefer real sound from a real instrument.'[96]

---

96   F. Radi, singer-songwriter, composer, instrumentalist; INTERVIEW: *Radio Kontakt*, 22 June 2012. NEWSPAPER: Vrapi, Julia. 'Electronics has destroyed the music, the editors have replaced the composers, *Sot*, 22 November 2015, 18.

𝔉𝔯𝔞𝔫𝔨𝔬 𝔍𝔫𝔱𝔯𝔬𝔡𝔲𝔠𝔢𝔰
Modern Rhythms to Folk and Urban Music

𝔉rançesk Radi was committed to contemporising pieces from Albanian folk music.

Franko shared in an interview: 'After the nineties, I worked more or less seriously on folk music. My repertoire contained a few songs of folk origin, which I orchestrated so they could be danced to in disco clubs.'[97]

'Through a process of revival, Franko left significant footprints on the interpretative style of contemporised Albanian folk songs. By making them easily digestible for the younger generations, he was quite successful in popularising the traditional and ancestral musical styles and, consequently, in prolonging the lifetime of traditional musical values,' wrote the musician Gjon Shllaku.[98]

'Franko was extremely keen in selecting those folk songs that possessed potential for contemporisation while also preserving their original flavour. He elaborated on songs, such as "You Resemble a Small Ducat," "Two White Flowers" and "Oh Girl," as if it was just like putting the right amount of salt to bring out the flavour of the herbs in a meal,' said Zef Çoba.[99]

Sherif Merdani, a singer of Franko's generation, also said: 'Franko's memory is naturally associated with a call to young composers and singers: You must listen to Franko. You must study his work. Through it you will learn about the

---

97   F. Radi, singer-songwriter, composer, instrumentalist; *F. Radi, Troubled Life* (TVSH, 18 April 2018).

98   Gj. Shllaku, composer; '"Address" and "Bicycles" by F. Radi, hits that time elevates,' *Telegraf*, 11 May 2021, 22.

99   Prof. Z. Çoba, composer; 'F. Radi is the sincere voice of the passionate musician,' *Telegraf*, 8 April 2021, 20.

best modern Albanian light music built on nationwide folk motifs. You will remain astounded by the effective way in which he developed melodies where two or more motifs complement each other. You will be deeply impressed by his astonishing agility to use his musical toolbox, which contained repetitions, sequencing, extensions, truncation, the correct antecedent-consequent phrasing and finally, the craftiest of all the motivic development techniques, the rhythmic displacement.'[100]

Ethnomusicologist Behar Arllati said of Franko's musical interpretations: 'The same goes for Franko's interpretation of romantic serenades, such as "Snow Flower" (composed by Simon Gjoni), the tango song "For the Butterfly" (composed by Baki Kongoli), "At Sunset" (composed by Leonard Deda), the serenade from Korca, "The Loner on the Street of Sorrow," or the pearl from the folk of the Arvanites, "When My Husband Returns from the Sheep Stall" with lyrics further elaborated by the renowned poet Lasgush Poradeci.'[101]

'In the late 1960s, a number of distinct rock music subgenres had emerged. Inheriting the folk tradition of the protest song, rock music became associated with political activism that was aimed at changing social attitudes and expressing youth revolt against adult consumerism and conformity. Rock music was Radi's daily soul food as it was for the youth in America, England, Italy, Germany, Holland, Czechoslovakia, Croatia and so on. He implanted its rhythmic patterns into folk songs that he contemporised, songs that originated from various Albanian territories.'[102]

According to the ethnomusicologist Behar Arllati: 'The process of contemporising traditional folk songs usually begins with a typical Alla Franko introduction before the main parts of the song are introduced: the verses and the refrain. The changes made to the metric and to the rhythm of the music tempo clearly demonstrate that touch of rock music, which characterises the musical profile of Franko.'[103]

'As a virtuoso in playing instruments, songwriting, singing and orchestrating music, Franko graced Albanian light music with a legacy of creativity that significantly added value to the genre,' said Arllati.[104]

---

100   Sh. Merdani, singer; Video Interview, 10 April 2017, Tirana (family archive).

101   Prof. B. Arllati, ethnomusicologist; 'F. Radi, singer with bohemian spirit,' *Nacional*, 15 May 2021, 28.

102   Prof. B. Arllati, ethnomusicologist; 'F. Radi, singer with bohemian spirit,' *Nacional*, 15 May 2021, 28.

103   Prof. B. Arllati, ethnomusicologist; 'F. Radi, singer with bohemian spirit,' *Nacional*, 15 May 2021, 28.

104   Prof. B. Arllati, ethnomusicologist; 'F. Radi, singer with bohemian spirit,' *Nacional*, 15 May 2021, 28.

Franko's Preference
for Live Performance

Radi was not fond of music videos. 'I have only one video song produced after the 1990s—the nicely arranged "Tired Heart." I like it, but the most pleasant thing for me is to perform live on stage,' Franko stated in an interview for Radio Contact in 2012.[105]

Franko left behind hit songs and heart-breaking memories. His last appearance on television, only a month before his passing, took place in the studio of the program 'Hash' conducted by Jonida Vokshi in February of 2017. Recalling the conversation, Vokshi said: 'I asked Franko to perform a song with his guitar, and he, by fatal intuition, chose the song "Vietato Morire" [Forbidden to Die] by the talented Albanian-Italian songwriter, Ermal Meta!'[106]

105   F. Radi, singer-songwriter, composer, instrumentalist; Interview on *Radio Kontakt*, 22 June 2012.

106   J. Vokshi, moderator; Radi, Tefta and Demir Gjergji. *Francesk Radi, A life spent with the guitar.* (Tirana, 2019), 233.

𝔉𝔯𝔞𝔫𝔨𝔬:
Husband and Father

During the same interview, he spoke about his family and described it as a happy one, filled with love and mutual responsibility. 'The family helped motivate me whenever I was running on empty. Sometimes I created music just for the sake of making them happy.'[107]

He was father to a daughter and a son. His daughter, Anjeza, inherited Franko's smile and open-heartedness, as well as a pleasure in wearing trendy clothes. His son, Baltion, studied for electronics but is also a bass guitar player. He has the same good ear for music—he is a case of like father like son.

The amount of love between the family members grew significantly when Franko became a grandparent. He had eternal love for both his family and music.

Excerpt from Franko's memoir: 'Life on the Guitar' (family archive)

'I never spoke to my children with excessive pride about my achievements, like being the first Albanian songwriter and performer with a guitar or the one who made the country's first music video. I just told them that music was my first love and that I strongly committed myself to it. I told them that, through hard work, I managed to be part of the most important orchestras of the time. With a single phrase, I described my time spent in Fushë-Arrëz—I explained to them that after the 11th Festival of Song, the communist regime sent many artists to re-education camps. I did not want to plant the seed of hatred in their pure hearts, which would grow into a vice as harmful as the selfishness itself. I planted only love in their hearts: the best of all human values. As adults now, they are able to realise by themselves the ordeal I had to go through in which I had to leave behind the good name of an artist. They certainly understand the meaning of my expression: "I survived the constant challenge of life."'[108]

Tefta, Baltion, Françesk, Robin Krist (nipi, grandson), Anjeza, Tiranë, 2010 (family archive)

108   F. Radi, singer-songwriter, composer, instrumentalist; Radi, Tefta and Demir Gjergji. *Francesk Radi, A life spent with the guitar*. (Tirana, 2019), 144–146.

𝕱𝖗𝖆𝖓𝖐𝖔 𝕻𝖆𝖘𝖘𝖊𝖘 𝕬𝖜𝖆𝖞
Ahead of His Time

A stroke took Franko's life before his time. On 3 April 2017, Franko passed away at the age of 67 while he was working in the studio. His most fulfilling time of life was brusquely interrupted. Franko was still highly productive, and left behind his mark of excellence on Albanian light music and several uncompleted projects. He also left behind much pain and sadness in his family and friends.

Franko's funeral, 4 April 2017 (family archive)

Franko's funeral, 4 April 2017 (family archive)

Lyrics to the memory of Franko by the columnist Martin Leka (*Albanian Newspaper*, 5 April 2017)

'Dear friend! We all have a share in speeding up the process of your death—some of us because of naivety (like me) and some others because of hypocrisy. We did not commiserate with you on life's problems, we did not hear you, we never knew you inside out, we were not able to read into your silence, we did not succeed in searching for your address, we could not keep pace with your rhythm of pedalling when you rode on a bicycle, we did not make that heartfelt phone call when you needed it most. Now, we are gathered in the darkness to hear your words again: 'Doomed to such fate … you lost the springtime.' You were right, Franko! The challenge is not with those who pass away—it remains with us who are still alive. Many people walk on this soil, but few of them leave their footprints on it. You were one of those few!'[109]

(Martin Leka, publicist.)

'Franko was the one who nourished our dreams of freedom. Franko, an old friend who never aged... a brave man who never feared... The wealthy man who had only one wealth: music... The first muse... Franko, now you are different from us—you are a totem! You left your art down here. Up there you are flying on this sad April day, as described in the old songs of Don Backy… Goodbye, my dear friend! You will make the earth sing as well.'[110]

(Associate Professor Perparim Kabo, researcher)

'I have drawn portraits on canvas a thousand times, but to describe 'through a painting' the portrait of Franko seems very difficult to me. It is probably because that colour which could incarnate his brilliant spirit is not yet created. Therefore, I will be laconic: You were the falling star that, although shining for only a few seconds, remains eternally in our memories. We miss your voice, your funny jokes and your contagious smile.'[111]

(Roland Karanxha, painter)

---

109   M. Leka, columnist; '"Mea culpa", what I could not say yesterday…,' *Albanian Newspaper*, 5 April 2017.

110   A/Prof. P. Kabo, researcher; Radi, Tefta and Demir Gjergji. *Francesk Radi, A life spent with the guitar.* (Tirana, 2019), 198.

111   R. Karanxha, painter; 'I remember the pet awakening of F. Radi between the sounds of "Yesterday" and "Let It Be,"' *Koha Jone*, 4 April 2019, 17.

'Be Silent Tonight

Be silent tonight!...

To hell with the T.V. and the radio

With the cassette player, the car radio!

Be silent tonight!...

To hell with the stolen lyrics, the stolen music!

Be silent tonight!

A star # disappeared from the Galaxy of the immortal songs!

Françesk Radi!'

(Alfred Molloholli, poet)

'It is unusual for a journalist to write like this about her husband. But it is the reason and the heart. Together, Franko and I made the journey of the 'golden generation'. We shared everything between us: our youth, our life, our joys and sorrows, and our professions. My story about Franko is built upon documents and testimonials. Nobody wanted to believe that Franko passed away—he looked healthy and sporty. But life is improvisation: there's no script for it. Life is written during the years we are alive, someone said. Life is a movie and we, the actors, play out the dramas of our lives. Everything comes and goes in life; only time is eternal, flowing towards infinity. Now, I am torn between the past and the present. As Franko put it:

"'People didn't talk nonsense saying that only the past, rich in events and emotions, is worth appreciating. The present is something empty to be filled in.'" [112]

'My past is wonderful because Franko is present there. I often replay the movie of our life in my mind. I see Franko's troubled mind and heart while pursuing his dreams, a life that, although interrupted before its time, will resound loudly throughout Albanian music.'

(Tefta Radi, author, journalist and Franko's spouse)

---

112   F. Radi, singer-songwriter, composer, instrumentalist; *With Mariza* (Scan TV, 30 December 2016).

The monument of Françesk Radi, made by the well-known sculptor Ardian Pepa, is located on the shores of Tirana's Artificial Lake Park in front of the Summer Amphitheatre. This is exactly where the echo of his guitar strings is felt from the beautiful years of his youth and thereafter.

Erion Veliaj, Mayor of Tirana, at the inauguration ceremony of Franko's monument
(photo by Municipality of Tirana)

The statue of Franko is erected within the park that surrounds the artificial lake of Tirana,
3 April 2018 (photo by Municipality of Tirana)

'Françesk Radi has been a source of inspiration for many people. He provided them with a cause to survive difficult circumstances when free speech, free expression of opinions and the freedom to enjoy good music were serious challenges in Albanian society. Our generation must never forget this.'[113]

(**Erion Veliaj, Mayor of Tirana**)

'This young man, Françesk Radi, was welcomed by audiences as the embodiment of the 'singer and guitarist' (like many other contemporary singers all over the world). Singing while playing guitar

---

113   E. Veliaj, Mayor of Tirana; Radi, Tefta and Demir Gjergji. *Francesk Radi, A life spent with the guitar.* (Tirana, 2019), 239.

in alleys, squares and parks, he unveiled the beauties of youth, the tunes of real life, and the voices of young people. Franko paid dearly for representing this image of himself—the image of an independent free voice, which contrasted sharply with the usual musical performances suffocated by official propaganda. The guy playing guitar in bronze now is part of the social landscape he longed for. His life story will certainly impact future generations.'

(Sadik Bejko, poet)

Quotes of Friends and Colleagues

'When we were at school, Professor Tonin Harapi often asked us: 'Listen guys, what do you think—is it better to take steps forward in life or to leave your footprint?' We were quick to answer: 'Of course it is better to take a step, to walk fast, to run!' Then, Professor would smile and continue: 'If you were able to leave footprints, it means you have taken the steps already.' Although we do not have Franko here physically anymore, we still have the footprints he left for us in the world of music with his beautiful voice and beautiful songs.'[114]

(Robert Radoja, pianist)

'For me, Franko always remains a special musician, a special person. I would call him a personality of the light song, which has his indelible traces.'[115]

(Zhani Ciko, orchestra conductor)

---

114   R. Radoja, pianist; *F. Radi, Troubled Life* (TVSH, 18 April 2018).
115   Zh. Ciko, conductor; *F. Radi, Troubled Life* (TVSH, 18 April 2018).

'Franko did not remain within the artistic boundaries of his youth. He kept pace with the times, often announcing in advance the novelties he'd contribute to Albanian music.'[116]

(Mefarete Laze, singer)

'Franko will always be remembered as the first Albanian singer-songwriter. All the songs he performed contain important messages.' [117]

(Luan Zhegu, singer-songwriter)

'Rarely is a musician, a singer-songwriter's talent equal to them as a person. He was a superb guy.'[118]

(Sherif Merdani, singer and diplomat)

'He was unique. A songwriter who was able to make the music fit his beautiful voice.'[119]

(Aurela Gace, singer)

'He did not accept excessive improvisations in his songs. He wanted things well-balanced—a perfectionist.'[120]

(Mariza Ikonomi, singer)

'The songs that young Franko offered to the public are hymns to the beauty of life. His best musical compositions are a testimony of the tremendous effort that a free soul brings in pursuing his ideal artistic path, which naturally would lead him towards eternity.'[121]

(Gjon Shllaku, composer, pianist)

116   M. Laze, singer; *F. Radi, Troubled Life* (TVSH, 18 April 2018).
117   L. Zhegu, singer-songwriter; *F. Radi, Troubled Life* (TVSH, 18 April 2018).
118   Sh. Merdani, singer; *F. Radi, Troubled Life* (TVSH, 18 April 2018).
119   A. Gace, singer; *F. Radi, Troubled Life* (TVSH, 18 April 2018).
120   M. Ikonomi, singer; *F. Radi, Troubled Life* (TVSH, 18 April 2018).
121   Gj. Shllaku, composer; 'It is no coincidence that Françesk Radi's music has always impressed me,' 15 March 2022 (family archive).

'He never compromised his music and his voice even though he had hard times in life.'[122]

(**Kastriot Tusha, tenor**)

'Huge loss for Albanian art, especially considering how complex were his performances and unique his artistry and voice.' [123]

(**Kujtim Aliaj, orchestra director**)

'Franko brought innovations to Albanian music while also maintaining their Albanian branding. He didn't copy-paste any foreign tunes. He just wrote music from his heart.'[124]

(**Enver Shëngjergji, music composer**)

'I felt so bad with the departure of Battisti, Pavarotti, Dalla. Like them, Franko was one of my biggest weaknesses. If I could have attended his funeral, I would have sung "Adresa", gospel version. Surely after this, the thousands of chords from his guitar would take flight once again.'

(**Shpend Sollaku Noé, writer**)

'I was impressed by Franko's ability to put forth his points clearly and succinctly. Through his wonderful music, Franko instilled in the public the human values that he represented. He was a completed artist—very polite and communicative.'[125]

(**Limoz Dizdari, music composer**)

---

122   K. Tusha, tenor; *F. Radi, Troubled Life* (TVSH, 18 April 2018).
123   K. Aliaj, conductor; *F. Radi, Troubled Life* (TVSH, 18 April 2018).
124   E. Shëngjergji, composer; *F. Radi, Troubled Life* (TVSH, 18 April 2018).
125   L. Dizdari, composer; *F. Radi, Troubled Life* (TVSH, 18 April 2018).

'At that time, calling somebody 'a modernist' was equal to calling him 'an enemy of the people.' But Franko managed not only to survive but to also leave his footprint on Albanian music.'[126]

(**Justina Aliaj, actor, singer**)

'Franko, we pay tribute to your musical creativity, to your unique voice, to your contemporary performances, especially during the communist times. You were the light of hope at the end of the tunnel that motivated us to keep going through the darkness of socialist realism.'[127]

(**Mirush Kabashi, actor**)

'Since the very beginning, including the music he made during the last years of his life, Françesk Radi was able to maintain the high profile of an outstanding musician in the Albanian music world.'[128]

(**Sadik Bejko, poet**)

'He was a brilliant musician who was unique in his creative style. Franko's music sounds very much Albanian.'[129]

(**Jetmir Barbullushi, conductor of the Symphonic Orchestra of RTVA**)

'He kept his songs simple, written in everyday language with lines that were easily understood. But they were far from simplistic. Franko's songs had complex beats in perfect synch with each other and his voice. In all of them, instruments have an equal part. They were avant-garde songs with eye-catching titles.'[130]

(**Edison Miso, guitarist**)

---

126   J. Aliaj, actress, singer; *F. Radi, Troubled Life* (TVSH, 18 April 2018).
127   M. Kabashi, actor; 'Hey, Franko! In memory of singer-songwriter Françesk Radi,' (family archive).
128   S. Bejko, poet; Radi, Tefta and Demir Gjergji. *Francesk Radi, A life spent with the guitar.* (Tirana, 2019), 260.
129   J. Barbullushi, conductor; *F. Radi, Troubled Life* (TVSH, 18 April 2018).
130   E. Miso, guitarist; *F. Radi, Troubled Life* (TVSH, 18 April 2018).

'Franko was a talented guitarist, songwriter, music orchestrator, composer and definitely a brilliant singer. He is one of the distinguished figures of Albanian music. His career started simple and ended with frenetic and lengthy bursts of applause.'[131]

(Osman Mula, television show director and musician)

'Probably because of some similarities between their voice timbres, Franko and his role in Albania was compared to Celentano's role in Italy. In my opinion, Franko's role in Albania could be compared to Battisti's role in Italy as artists who marked the era of modern singing in their respective countries. Franko is the irreplaceable singer and songwriter who represented modern Albanian music.'[132]

(Miron Kotani, musician)

'Franko was a creative spirit in constant search of innovation. He left an abundant musical repertory that singles out among the best of the overall repertoires in Albanian pop music.'[133]

(Sokol Marsi, music producer)

'I feel proud to have collaborated with Franko in creating many song festivals. He was the musician who was guaranteed to have success. Despite being a famous musician, Franko maintained cordial relationships with his unsung and his famous collaborators. Politeness and amiability were distinct features of his character.'[134]

(Agim Doçi, poet)

---

131   O. Mula, director, musician; *F. Radi, Troubled Life* (TVSH, 18 April 2018).
132   M. Kotani, musician; Radi, Tefta and Demir Gjergji. *Francesk Radi, A life spent with the guitar.* (Tirana, 2019), 321.
133   S. Marsi, music producer; *F. Radi, Troubled Life* (TVSH, 18 April 2018).
134   A. Doçi, poet; *F. Radi, Troubled Life* (TVSH, 18 April 2018).

'Excellent person. Brilliant guitarist and pianist. God gifted him with so many talents. Every single song from him is unique. None of them resemble the other.'[135]

(Adon Miluka, trumpeter)

'In constant search of innovation, he was always looking for the best of the best.'[136]

(Ylli Pepo, film director and producer)

'The songwriter Radi served as a role model to Albanian culture. He left behind a rich repertoire of music, which touched the hearts of generations. Franko was kind of like Jesus in his heart and in his creativity. He further developed several genres of Albanian music.'[137]

(Mark Luli, music composer)

'We established a special musical relationship with Franko because I always picked his songs to sing. Artists like him are lucky in this aspect because their songs always sound fresh. That is what keeps him and others like him alive. He was a master, and I appreciated that about him. He was also a non-conformist and never cared for politics.'[138]

(Redon Makashi, singer and songwriter)

'Françesk Radi is an artist who suffered a lot but never gave up and never ceased to offer the public the satisfaction of having a Hall of Fame artist with a real free spirit.'[139]

(Julian Deda, actor)

---

135   A. Miluka, trumpeter; *F. Radi, Troubled Life* (TVSH, 18 April 2018).
136   Y. Pepo, director, producer; *F. Radi, Troubled Life* (TVSH, 18 April 2018).
137   M. Luli, composer; *F. Radi, Troubled Life* (TVSH, 18 April 2018).
138   R. Makashi, singer-songwriter; Radi, Tefta and Demir Gjergji. *Francesk Radi, A life spent with the guitar.* (Tirana, 2019), 307.
139   J. Deda, actor; Radi, Tefta and Demir Gjergji. *Francesk Radi, A life spent with the guitar.* (Tirana, 2019), 233.

'Françesk was a unique singer and a unique person. His humanitarian spirit successfully challenged difficulties in life while leaving behind a valuable treasure of songs.'[140]

(Irini Qirjako, singer)

'Franko was a wonderful person, a brilliant artist and a rare talent as a singer and songwriter—totally unique in his style.'[141]

(Bujar Qamili, singer)

'His contemporaries and future generations will remember the unique voice of Franko who, in a time of political austerity, dared to break a taboo by performing Italian songs.'[142]

(Kozeta Mamaqi, journalist)

'Franko remained an idealist even though, in Albania, there was a declared war on idealism.'[143]

(Kujtim Prodani, singer and songwriter)

'Franko was profoundly heavenly in his soul, his music, and his voice. A great singer-songwriter, humble and with the innocence of a child.'[144]

(Gaqo Apostoli, engineer)

---

140   I. Qirjako; ; Radi, Tefta and Demir Gjergji. *Francesk Radi, A life spent with the guitar.* (Tirana, 2019), 233.

141   B. Qamili, singer; Radi, Tefta and Demir Gjergji. *Francesk Radi, A life spent with the guitar.* (Tirana, 2019), 233.

142   K. Mamaqi, journalist; ; Radi, Tefta and Demir Gjergji. *Francesk Radi, A life spent with the guitar.* (Tirana, 2019), 233.

143   K. Prodani, singer-songwriter; ; Radi, Tefta and Demir Gjergji. *Francesk Radi, A life spent with the guitar.* (Tirana, 2019), 231.

144   G. Apostoli; 'Françesk, my Dear friend, I will see you in heaven ...' (family archive).

'In my opinion, Franko is the model Albanian singer and songwriter. He is the first Albanian rocker musician. Franko will be eternally remembered.'[145]

(Elton Deda, singer and songwriter)

---

145   E. Deda, singer-songwriter; *F. Radi, Troubled Life* (TVSH, 18 April 2018).

Passport

Name: Françesk

Surname: Radi

Date of birth: 13 February 1950

Place of birth: Tirana

Died: 3 April 2017

Place of death: Tirana

Civil status: Married

Spouse: Tefta Radi, journalist

Children: Anjeza, Baltion

Parents: Balto and Roza

Brothers: Ferdinad, Alfons

Sisters: Terezina, Imelda

Education: Higher Institute of Arts, double bass music branch, Tirana

Height: 1.80 m

Weight: 75 kg

Eye colour: Dark brown

First musical experiences: Shkodra and Italian folk songs sung in the family.

First public appearance: In 1966, as an instrumentalist, bass guitar, at the Festival of Song on Public Radio Television. In 1968 on the State Stage, as a singer.

First important event for his career: The victory in 1965 of the music high school competition, Jordan Misja Artistic Lyceum, Tirana

First recorded song as a singer-songwriter: 'Adresa,' 1971 by Radio Tirana

Instruments played: Guitar, bass guitar, double bass, piano, and folk instruments

Most successful songs: 'Adresa,' 'Bicycle,' 'Prison Rock,' 'Tired Heart,' 'Lost the Spring,' 'Calling Hearts,' and 'This Fate Fell to Us.'

Favourite music: Rock and roll and classical music

Favourite singers: Ray Charles, The Beatles, Adriano Celentano and Amy Winehouse

Languages: Italian and others in which he sang: English, French, Spanish and Greek

Favourite movie: Movies based on true stories like: *American Gangster*, *Monster* and *Goodfellas*

Favourite dish: Fish and vegetarian dishes

Favourite drink: Wine, always drank a little

Favourite clothing: Sporty, jeans, t-shirts, and shirts

Religion: Catholic

Car: Renault

Preference: Books on the history of music and art, the life of composers, museums, sports, he played football, parallel bar and dumbbell exercises

Handwriting and signature:

Franko's Songs, an Abridged List

Written by Franko

- 'The Address – Adresa'
- 'The Bicycle – Biçikleta'
- 'When We Hear Voices from the World – Kur dëgjojmë zëra nga bota'
- 'Heartfelt Phone Call – Telefonatë zemrash'
- 'Rock of Prison – Rock i burgut'
- 'I Lost My Spring Time – Humba pranverën'
- 'We Were Doomed to a Bad Fate – Ky fat na ra'
- 'Tired Heart – Zemër e lodhur'
- 'All at Sea – Të gjithë në det'
- 'There is a Marriage Party to Attend – Kemi dasëm'o'
- 'How Beautiful You Are – Sa e bukur je'
- 'Sleep My Suffering Nymph – Fli e vuajtura ime'
- 'Life Doesn't Allow You to Remain a Child – Jeta nuk të le fëmijë'
- 'The Pseudo Democrat "Heresy" – Pseudodemokrati, "Herezia"'
- 'Summer Breeze – Erë vere'
- 'We Walked through Life Shoulder to Shoulder – Krah për krah në jetë'
- 'The Most Beautiful Flower – Lulja më e bukur'
- 'Like a Doe – Si drenusha'
- 'Her Eye is Blinding Me – Syri i saj po më verbon'
- 'Frightened Heart – Zemër trembur s'kam jetuar'
- 'A Mother, the Children, Time and Me – Një nënë, fëmijët, koha dhe unë'
- 'We Walk Together – Ecëm të dy tok'
- 'Why Don't You Fall Asleep – Përse nuk fle'
- 'We Knit a Song Together – Thurrëm bashkë një këngë'
- 'I Do Not Know How – S'di se si'

Folk songs orchestrated and sang by Franko

- 'Red Apple – Molla e kuqe'
- 'Snow Flower – Luleborë'
- 'Open Your Heart Full of Memories – Çile zemrën plot kujtime'
- 'I Took the Mandolin – Mora mandolinën'
- 'Lit My Cigarette – Kallma Cigaren'
- 'How Cute You Are Oh Purple Flower – Sa e kandshme vjollcë ti je'
- 'You Look Like a Small Ducat – Si dukat i vogë je'
- 'Spring is Nearing – Pranvera filloj me ardh'
- 'When My Husband Returns from the Sheep Stall – Kur më vjen burri nga stani'
- 'Sunset Over the Mountain Peaks – Kur perëndon dielli majave'
- 'Two White Flowers – Dy lule të bardha'
- 'Your Gills White as Snow – Gushëbardha si dëbora'
- 'O Girl – Oj zogo'
- 'Butterfly – Flutur'
- 'I Walked the Streets Sad – Rrugës i trishtuar'
- Collage of folk songs from Shkodra – Putpuri këngësh shkodrane
- Collage of folk songs from Vlora – Putpuri këngësh vlonjate

Franko's covers and collages of Albanian songs

- 'We Journeyed Together – Udhëtuam së bashku' (Enver Shëngjergji)
- 'Let Them Know – Le ta dinë, Françesk Radi and Ermira Babaliu' (Aleksandër Vezuli)
- 'Forever Young – Të jetosh përherë rininë' (Aleksandër Vezuli)
- 'The Postcard – Kartolina' (Kastriot Gjini)
- 'When the Guitar Sings – Kur këndon kitara' (Kastriot Gjini)
- 'Hand in Hand with My Girlfriend – Mora shoqezën për krah' (Josif Minga)
- 'Seasons of Thoughts – Stinët e mendimeve' (Spartak Tili)
- 'The Nightingale – Bilbili' (Spartak Tili)
- 'Eye – Syri' (Edmond Zhulali)
- 'On the Seashore' – Buzë detit

- 'Three Brothers – Tre vëllezërit' (Aleksandër Vezuli) (performed by Robert Aliaj, Françesk Radi and Gramoz Burba)
- 'There is No Culprit in Love – S'ka fajtor në dashuri' (Klodjan Qafoku) (performed by Françesk Radi with Mefarete Laze)
- 'I'll Be Gone – Këtu s'do të jem' (Ardit Gjebrea)
- 'We Live Under the Same Sky – Nën një qiell ne jetojmë' (Shpëtim Saraçi) (performed by Françesk Radi and Mefarete Laze)
- 'The Room – Dhoma' (Mentor Haziri) (performed by Françesk Radi and Mefarete Laze)
- Collage of songs by Tonin Tërshana (performed at the 54th RTVA Song Festival by Luan Zhegu, Mefarete Laze and Françesk Radi)

Franko's covers of foreign songs

- 'Confessa' (Adriano Celentano)
- 'Pregherò' (Adriano Celentano)
- '24 Mile Baci' (Adriano Celentano)
- 'Per Averti/No Woman No Cry' (Adriano Celentano and Bob Marley)
- 'Amami' (Mina and Adriano Celentano)
-
- 'Tombe La Neige' (Adamo)
- 'You Know I'm No Good' and 'Back To Black' (Amy Winehouse)
- 'Think' and 'Don't Play That Song' (Aretha Franklin)
- 'Emmanuelle' (Pierre Bachelet)
- 'Canzone' (Don Backy)
- 'Io Vivro' (Lucio Battisti)
- 'Girl,' 'Michelle' and 'Yesterday' (The Beatles)
- 'Viva La Mamma' (Edoardo Bennato)
- 'Rock Around The Clock' (Bill Haley and His Comets)
- 'Can't Help Falling In Love,' 'I'll Remember You' and 'Silent Night' (Elvis Presley)
- 'O Sole Mio' (Enrico Caruso)
- 'Strangers In The Night' (Frank Sinatra)
- 'Et Si Tu N'existais Pas' (Joe Dassin)

- 'Imagine' (John Lennon)
- 'Greco Mascara' (Giannis Miliokas)
- 'Zilevo' (Giorgos Mazonakis)
- 'Bamboleo' (Gipsy Kings)
- 'Que Je T'Aime' (Johnny Hallyday)
- 'Feliz Navidad' (Jose Feliciano)
- 'Lambada' (Kaoma)
- 'Frangosiriani' (Markos Vamvakaris)
- 'Where Do You Go' (No Mercy)
- 'Tu Vuo' Fa' L'americano' (Renato Carosone)
- 'Livin' La Vida Loca' (Ricky Martin)
- 'Lunfardia' (Roberto Ferri)
- 'Viva Forever' (Spice Girls)
- 'Shape Of My Heart' (Sting)
- 'Formidable' (Stromae)
- 'Delilah' (Tom Jones)
- 'Lasciatemi Cantare' (Toto Cutugno)
- 'Swing Low, Sweet Chariot' (Wallace Willis)

Significant Names in 1970s Albanian Music

Young Albanian singers of the 70s:

Sherif Merdani, Tonin Tërshana, Françesk Radi, Ilir Dangëllija, Justina Aliaj, Nevruz Yzeiri, Naim Kërçuku, Zija Saraçi, liljana Kondakçi, Luan Zhegu, Lindita Sota, Dorian Nini, Alida Hisku, Leonard Bulku, Ema Qazimi, David Tukiçi, Hilmi Hoxha, Petrit Dobjani, Bashkim Alibali, Vladimir Muzha, Nikoleta Shoshi, Suzana Qatipi, Valentina Gjoni, Elida Koreshi, Rozeta Doraci, Kleopatra Skarço, Kozma Dushi, Pëllumb Elmazi, Violeta Simoni, Vera Dervishi, Nikolin Gjergji, Elida Shehu, Gjergj Suljoti,Violeta Zefi, Shkëlqim Pashollari, Antigoni Gaçe, Kastriot Ago, Eduart Jubani,Dhimitër Disho, Spartak Gramatikoi, Iliriana Çarçani, Fatbardha Hoxha, Adriana Ceko, Lefter Agora...

Young Albanian composers in the 70s:

Kastriot Gjini, Enver Shëngjergji, Aleksandër Lalo, Françesk Radi, Gazmend Mullahi, Josif Minga, Aleksandër Peçi, Gëzim Laro, Lejla Agolli, Hajg Zacharian, Zef Çoba, Sokol Shupo, Spartak Tili, Jetmir Barbullushi, Bajram Lapi, Naim Gjoshi, David Tukiçi...

Young composers of the 70s who joined the constellation of prominent composers of Albanian music, some of whom remain icons:

Tish Daija, Nikolla Zoraqi, Llazar Morcka, Abdulla Grimci, Avni Mula, Tonin Harapi, Pjetër Gaci, Gjon Simoni, Ferdinand Deda, Limoz Dizdari, Flamur Shehu, Abaz Hajro, Simon Gjoni, Baki Kongoli, Mark Kaftalli, Shpëtim Kushta, Kujtim Laro, Feim Ibrahimi, Pjetër Dungu,Tasim Hoshafi, Nexhmedin Doko, Alfons Balliçi, Agim Prodani, Agim Krajka...

References

1. Radi, Tefta, and Gjergji, Demir. *Francesc Radi: A life spent with the guitar.* (ISBN 978-9928-04-511-9). Tirana: EMAL, 2019. S.d.

2. Family archive. Manuscripts by Françesk Radi. Tirana.

3. Stringa, Hamide. *Telegraf newspaper.* Tirana: 8 April 2021.

4. Rexho, Eraldo. Albanian newspapers. Tirana: 29 July 2010.

5. Shllaku, Gjon. *Telegraf newspaper.* Tirana: 11 May 2021.

6. Çoba, Zef. *Telegraf newspaper.* Tirana: 8 April 2021.

7. Anon, *Integration newspaper.* Tirana: 22 March 2010.

8. Hekurani, Arjola. *Republika newspaper.* Tirana: 31 August 2005.

9. Kalemi, Spiro. *Drita newspaper.* National Library. Tirana: 11 February 1973.

10. Milloshi, Hysni. *Voice of Youth newspaper.* National Library. Tirana: 21 January 1973.

11. Bushi, Ilir. *Republika newspaper.* Tirana: 21 October 1999.

12. Arllati, Behar. *Nacional newspaper.* Tirana: 15 May 2021.

13. Kollobani, Lorena. *Standard newspaper.* Tirana: 24 March 2007.

14. Radio-Përhapja No.16 (magazine). Marin Barleti Library. Shkodra: 25 August 1972.

15. Radio-Përhapja No.1 (magazine). Marin Barleti Library. Shkodra: 1 January 1973.

16. Nikolla, Millosh Gjergj (Migjeni). Historical Museum. Shkodra: 13 June 1936.

17. Albanian Television. 'Françesc Radi, Troubled Life' (documentary). Tirana: 18 April 2018.

18. Albanian Television. 'Talk to me' (television show). Tirana: 15 May 2015.

19. Albanian Television. 'Music, emotion, music' (television show). Tirana: 14 December 2001.

20. Top Channel TV. 'Afternoon on Top Channel' (television interview). Tirana: 19 June 2015.

21. Klan TV. 'Albanian Sunday' (television show). Tirana: 28 November 2010.

22. Top Channel TV. 'Top Show Magazine' (television show). Tirana: 18 December 2014.

23. Top Channel TV. 'Top Show Magazine' (television show). Tirana: 21 April 2006.

24. Scan TV. 'With Mariza' (television show). Tirana: 30 December 2016..

25. Radio Kontakt. Interview with singer-songwriter Françesc Radi. Tirana: 22 June 2012.

26. Ciko. Zhani. Discussions for book promotion: *Françesc Radi: A life spent with the guitar*. Academy of Sciences. Tirana: 27 September 2019.

Internet Resources

Mullahi, Gazmend. https://issuu.com›gazetakohajone›docs›koha_jone, 4 April 2019.

Minga, Mikaela. https://peizazhe.com/2021/04/28/francesk-radi/, 28 April 2021.

Noé, Shpend Sollaku. https://shqiptarja.com/lajm/si-reagoi-adriano-celentano-kur-degjoi-francesk-radin-te-kendonte, 27 March 2019.

Jaçe, Skënder. https://gazetavatra.com/kujtime-francesk-radi-koncert-show-ne-qytetin-stalin-kucove-ne-1988/, 2 June 2021.

Naqellari, Edmond. https://www.voal.ch/francesk-radi-dhe-koncert-show-ne-qytetin-stalin-kucova-e-sotme-ne-nentor-te-1988-es/multimedia/people/, 14 May 2021.

Arllati, Behar.https://gazetavatra.com/francesk-radi-kengetari-me-shpirt-bohemi/, 17 May 2021.

Vrapi, Julia. https://sot.com.al/kultura-intervista/fran%C3%A7esk-radi-elektronika-ka-shkat%C3%ABrruar-muzik%C3%ABn-montazhier%C3%ABt-kan%C3%AB-z%C3%ABvend%C3%ABsuar, 29 November 2015.

Leka, Martin. http://shekulli.com.al/martin-leka-leter-prekese-per-francesk-radin-ndjese-per-ato-qe-smunda-te-thosha-dje/, 5 April 2017.

Veliaj, Erion. https://www.youtube.com/watch?v=LzVNMXQD6kk. 3 April 2018.

Every family has a story. This was Franko's, and mine.

Tefta Radi

Françesk Radi.

Der Musiker und die Diktatur

Aus dem Albanischen von Anila Wilms

von Tefta Radi

Vorwort der Autorin

Mein Glück zerbrach ganz plötzlich. Nach zweiundvierzig Jahren der Liebe, Hingabe, Leidenschaft und Aufopferung verlor ich meinen liebsten Menschen, meinen Gefährten, den Musiker Françesk Radi. Er war der Mensch, mit dem ich seit der frühen Jugend alles geteilt hatte, Freud' und Leid, Erfolg und Verlust, durch alle Jahreszeiten des Lebens, mit den Höhen und Tiefen, mit den Segen und den Mühen. Wir pflegten unsere Liebe jenseits der Bühnen, wir lebten das echte Leben, jenseits der Träume und Fantasien. Wir zelebrierten die Einfachheit, bauten darauf unser Zuhause. Liebe und Vergebung blieben unser größter Schatz, den wir niemals gegen etwas anderes zu tauschen bereit waren. Wir waren nicht "sich anziehende Gegensätze". Wir waren ein Herz und eine Seele. Ich wurde eins mit ihm, mit seinem ansteckenden Lächeln, mit seiner Seele, die selbst ihren Peinigern zu vergeben imstande war. Es lag an der Musik, denn sie bedeutete für ihn stets Einigkeit und Freude.

Ihn zu verlieren, in einer Zeit als wir miteinander glücklicher waren denn je, hat mir den Boden unter den Füßen weggerissen. Schmerz und Trauer sind grenzenlos, und sie geben mir das Gefühl, dass das Leben hier endete, und ich atme nur noch. Kinder und Enkelkinder um mich herum, die Frucht unserer Liebe, können ihn nicht ersetzen.

Sein Leben war von einem Drama gezeichnet, von der herzzerreissenden Geschichte des begabten Zwanzigjährigen mit einer Gitarre auf der Schulter, der durch die brutale Diktatur zum Verstummen gebracht wurde. Françesk Radis Bann ist exemplarisch für das Schicksal vieler Künstler während des kommunistischen Regimes in Albanien. Die Verfolgung der Begabten und Kreativen hatte System, wie in allen Diktaturen der Welt üblich. Das Thema bleibt nach wie vor aktuell und universell.

Frankos Vermächtnis bleibt die Liebe, als Mensch, als Gatte, als Vater und als Musiker. Es ist seine Liebe, für mich unauslöschlich, die mir die Kraft gibt, mich über den Schmerz zu erheben, um seine Geschichte zu erzählen, damit sie nicht verloren geht wie so viele andere Geschichten aus Albanien jener harten Tage.

So entschied ich, ein Buch in drei Sprachen zu veröffentlichen, um Franko und seine Zeitgenossen zu Wort kommen zu lassen. Es sind Zeitzeugnisse, die zwar das Übel der Vergangenheit nicht ungeschehen machen, jedoch als Mahnung für die nächsten Generationen dienen können: Das passiert mit einem Menschen, wenn seine Ausdrucksfreiheit beschnitten wird.

Das Buch ist als Sammlung von Zitaten, Schriften und Originaldokumenten konzipiert. Die abgebildeten Fotografien stammen zum größten Teil aus dem Familienarchiv, aber auch aus öffentlichen Quellen; viele davon werden zum ersten Mal dem Publikum präsentiert. Der Text ist chronologisch organisiert und soll einen klaren Eindruck von Françesk Radis Lebensweg als prominenter Singer/Songwriter mit den entscheidenden Stationen vermitteln: Kindheit, Jugend, erste Erfolge, dann die Verbannung durch das Regime, die Wiederauferstehung als Musiker nach dem Fall der Diktatur und die späten Jahre bis zu seinem Tod. Die Veröffentlichung wird flankiert von der Transkription der bekanntesten Lieder von Françesk Radi.

Dieses Buch widme ich unseren gemeinsamen Kindern Anjeza und Baltion und deren Kindern.

Franko, ich lebe für dich. Zusammen für immer.

Tefta Radi

Vorwort

Wir saßen im Proberaum des Radio-TV-Gebäudes. An diesem Nachmittag hatte Françesk Radi - oder Franko, wie ihn seine Freunde nannten und wie er sich mir vorgestellt hatte - mit den jungen Sängern gearbeitet, die drei Wochen später beim Musikfestival 2009 ihr Debüt geben sollten. Mein junger Sänger-Freund war aufgeregt und nervös. All die Lieder, die Aufführungen, das Spektakel, die Komponisten, die Dichter, die Sänger: Bald würde er Teil dieser Erfahrungswelt sein. Franko rief seinen Namen. Er war dran mit der Probe.

Von der letzten Reihe aus beobachtete ich, wie der bekannte Liedermacher den jungen Amateur zu unterweisen begann. Fang' leise an und werde dann allmählich lauter. Hier das letzte Wort aushalten, dort nicht zu sehr eilen. Franko setzte sich ans Klavier und demonstrierte dem jungen Sänger, wie er seinen Vortrag noch kommunikativer, noch kraftvoller gestalten könne. Er erhob sich und klatschte, als der junge Sänger es endlich 'getroffen' hatte. Ich lächelte; Franko schien aufgeregter zu sein als der junge Mann.

Ich war in Tirana, um ein Buch über Unterhaltungsmusik zu schreiben, und Sela Ishmaku vom Redaktionsbüro hatte mich eingeladen, den Vorbereitungen für das Festival beizuwohnen. Bevor ich nach Albanien kam, kannte ich Radi durch seine Musikvideos und Alben - und durch seine Lebensgeschichte, die im Laufe der 1990-er Jahre allen Albanern bekannt wurde. In diesen Jahren hatte der Singer-Songwriter dazu beigetragen, eine wahrhaftige Perspektive auf den kommunistischen Staat zu vermitteln und zu zeigen, wie junge Menschen seiner Generation Zuflucht im Film, in der Mode, in der Kunst und natürlich in der Musik gesucht hatten. Frankos Geschichte wurde zu einem der wichtigsten Wege, um über die Vergangenheit nachzudenken. „Nën ritmin rrok / unë protestoj", sang Franko in seinem Lied Rrok i Burgut, Text von Agim Doçi, „unter dem Rhythmus des Rock / protestiere ich".

Aber Frankos Stimme trug auch dazu bei, eine kraftvolle Erzählung darüber zu vermitteln, wie der Staat seine Macht gegen Künstler und Musiker als Menschen einsetzte. Leider ist dies eine Erfahrung, die zu viele albanische Familien bereits gemacht haben. Als ich Franko für mein Buch interviewte, erzählte er mir seine Lebensgeschichte, die er schon viele Male erzählt hatte. Seine Popularität als junger Liedermacher, das Elfte Musikfestival, die öffentliche Verurteilung, die Jahre des Exils. Für mich waren die eindrucksvollsten Elemente in Frankos Biografie diejenigen, in denen gezeigt wurde, dass „der Staat" nicht als eine anonyme Instanz funktionierte, sondern als eine Reihe von Individuen. Gewisse Personen trafen die Entscheidung, ihn zu denunzieren und in öffentlichen Foren gegen ihn zu sprechen. Andere entschieden, es nicht zu tun.

Wenn dieser Teil der Geschichte von Radi eine positive Seite hat, dann ist es die, dass einige Personen die Entscheidung getroffen haben, Mut zu zeigen. Sie reichten ihm auf der Straße die Hand, wandten ihren Blick nicht ab, wenn sie an ihm vorbeigingen. Sie weigerten sich, ihn wegen des Makels in seiner Biografie als Unperson zu behandeln. Und es gibt noch ein weiteres Element in dieser Geschichte: Radis beständiger Sinn für Schönheit und Fairness, der sich in seinem Leben und seiner Kunst widerspiegelt.

Aber was ist mit der Geschichte, die unterbrochen wurde? Eine Geschichte, die Radi mit seiner Gitarre in Tirana all die Jahre zuvor begonnen hatte, auf Partys mit anderen jungen Leuten, bei der Musikalischen Enquete im Radio und beim Elften Musikfestival im Fernsehen? Die Geschichte eines jungen Mannes, der in seinen Liedern die Lebendigkeit seiner Generation von jungen Tiranern zum Ausdruck bringt. Ein Vertreter dieser städtischen Jugend, die sich eine Zukunft voller Freude, Liebe und Optimismus, Musik und Kunst vorstellt. „Die Abenddämmerung fand uns", sang der junge Mann in „Das Fahrrad", „und welch' Freude, als unsere Augen vom Neonlicht erhellt wurden!" Wenn diese Freude nur nicht als Bedrohung für die politische Ordnung empfunden worden wäre. Warum musste diese Geschichte unterbrochen werden?

Zurück beim Radio-TV, ist die Probe beendet. Ich fragte meinen jungen Freund, ob er Françesk Radi jemals live habe singen hören. Nein? Ich drehte mich um, und natürlich hatte sich Franko bereits ans Klavier gesetzt. Bald darauf erklangen die wogenden Akkorde, die „Fools Rush In" einleiten, und Frankos Stimme, die den Raum mit den Worten von Elvis Presleys berühmtem Liebeslied erfüllte.

Alle hielten inne und versammelten sich um das Klavier, um zuzuhören. Franko kam zum Schluss des Liedes, und der junge Sänger fragte ihn, was die Worte bedeuten. Franko hob eine Augenbraue, als er mich ansah - und begann erneut mit dem Lied, wobei er den Text freudig ins Albanische übersetzte, während er sang.

So viele Künstler, Musiker und Intellektuelle haben in den letzten Jahrzehnten ihre Memoiren veröffentlicht; so viele Biografien wurden über bedeutende Persönlichkeiten geschrieben. Aber die Geschichte der albanischen Unterhaltungsmusik kann nicht erzählt werden, ohne Frankos Geschichte einzubeziehen.

Nicholas Tochka, Universität von Melbourne
Melbourne, Victoria, Australien
12. Oktober 2022

Françesk Radi in Tiranë, 1972

Françesk Radi in Fushë-Arrëz, 1973

KAPITEL II

𝔓ortät

𝔉rançesk (Franko) Radi (13. Februar 1950 – 3. April 2017) gilt als erster Singer/Songwriter der albanischen Popmusik. Er absolvierte sein Kontrabass-Studium an der Hochschule der Künste in Tiranë im Jahr 1974. Er beherrschte mehrere Instrumente wie Gitarre, Bassgitarre, Kontrabass, Klavier, Mandoline sowie Volksinstrumente wie Çifteli, Sharki und andere temperierte Instrumente, die er zum festen Bestandteil seines musikalischen Schaffens machte.

Françesk Radi war ein Erneuerer der albanischen Popmusik. Mit seinem Schaffen bereicherte er das Genre mit Rockeinflüssen angelsächsischer Prägung. Mit seiner Bühnenperformance drückte er das Freiheitsbestreben seiner Generation aus.

Er wurde vom Regime wegen ‚fremdländischer Erscheinungen' verurteilt und zur ‚Umerziehung' aus der Hauptstadt verbannt. Für circa zwei Jahrzehnte war er vom größten musikalischen Event des Landes, dem Musikfestival der RTSH (Radiotelevision Albaniens), ausgeschlossen. Er kehrte erst nach dem Fall des Regimes 1990 auf die Bühne zurück.

Er gilt als der produktivste unter den albanischen Musikkünstlern und hat einen reichen Fundus an Liedern hinterlassen: Popsongs und Volkslieder, die er schrieb bzw. verarbeitete und sang. Seine Interpretationen sind in die ‚Goldenen Stimmen' der albanischen Musik eingegangen.

Kindheit und Jugend

Françesk Radi war das vierte von fünf Kindern von Balto und Roza Radi. Er wurde am 13. Februar 1950 in Tiranë geboren. Zu dieser Zeit lebten seine Eltern in der albanischen Hauptstadt.

Die Familie Radi stammt jedoch aus Prizren im heutigen Kosova und hatte sich im Jahre 1929 im albanischen Shkodër niedergelassen.

Françesk verbrachte seine frühe Kindheit in Shkodër, bei seiner geliebten Großmutter, deren Haus im Zentrum der Stadt stand, neben der berühmten Großen Kirche.

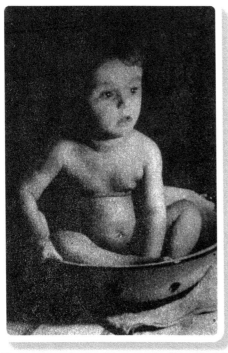

Françesk, sechzehn Monate alt, Shkodër, 1951

Françesk, dreijährig, Shkodër, 1953

Françesk, dreijährig, auf dem Schoß von Mutter Roza, oben mitte-rechts, neben Großmutter Luçie (mit Kopftuch)

Françesk in der dritten Reihe von unten, der zweite von rechts (in Streifen). Im Hintergrund die Schule in der Franziskaner Kirche, Shkodër, 1960

Erst nach der dritten Schulklasse kehrte er zu seinen Eltern in Tiranë zurück.

Shkodër, Wiege der albanischen Kultur, Heimat der großen Komponisten wie Palok Kurti, Martin Gjoka, Prenk Jakova, Simon Gjoni, Çesk Zadeja, Tish Daija, Tonin Harapi, Gjon Simoni; die Stadt der wundervollen ‚Jare', gesungen von den großen Stimmen wie Marie Kraja, Ibrahim Tukiçi, Bik Ndoja, Luçije Miloti, Shyqyri Alushi, nährte ihn mit der Liebe zur Musik. Er träumte von der Gitarre, während er an der Spinngabel der Großmutter ‚Musik spielte'. Als Kind stand er still neben der Bühnen der Parklokale, wo (der später berühmte Sänger) Tonin Tërshana, ein Nachbar von ihm, sang. Tonin war nicht viel älter, aber er hatte früh angefangen zu singen. "Ich war fasziniert von Tonins Gesang. Ich sagte mir, eines Tages werde ich wie er", schreibt Françesk.[1]

Die Kindheit in Shkodër würde Franko, wie Françesk liebevoll von seinen Freunden genannt wird, für immer prägen. Die Stadt wurde für ihn zum Sehnsuchtsort, zum Mythos der unendlichen Liebe.

Anfangs begleitete er sich selbst mit der Mandoline, bis er im Alter von zwölf Jahren seine erste Gitarre bekam. Von diesem Moment an war die Gitarre nicht mehr von ihm wegzudenken, sie wurde wie ein Körperteil.

Diese kindliche Leidenschaft blieb nicht bloß ein schöner Kindheitstraum. Seine Bindung zur Musik war angeboren, sie hatte nichts Zufälliges. Schon früh bereitete er sich auf den vorbestimmten Weg vor. Er begann bei verschiedenen Anlässen zu singen. Er suchte Anerkennung für seine Kunst und erhielt sie. Das wiederum motivierte ihn zu weiterem Fortschritt.

Die Radis sind eine künstlerische Familie, die der albanischen Kultur mehrere große Namen geschenkt haben. Françesks großer Bruder, Ferdinand, war Schauspieler, Dramatiker und Dichter.

Gebrüder Ferdinand und Françesk Radi in ihrem Haus, 1993

---

1   F. Radi in E diela shqiptare (Der albanische Sonntag), Klan TV, 28. November 2010. Radi, T., Gjergji, D. : Françesk Radi. Një jetë në kitarë (Ein Leben mit der Gitarre), Tiranë, 2019, S. 35.

Dadurch war Franko mit der gesamten Künstlerszene Albaniens bekannt und befreundet. Etwa mit Bujar Kapexhiu, dem berühmten Regisseur der Staatskomödie. Dieser hatte Franko im Freundeskreis singen hören und wünschte sich, dass er in seinem Programm auftritt.

"Klar, du bist deiner Zeit zu weit voraus, aber ich tue mein Bestes. Ich hoffe, die Parteileute hören dich. Wenn sie dich durchwinken, stehst du in meiner nächsten Premiere. Ich helfe dir, weil ich Sympathien für dich hege", sagte Bujar Kapexhiu damals zu ihm.[2]

Das gelang, und Franko sang in besagter Premiere *Udhëtuam së bashku*, ein jugendliches Aktionslied. Das moderne, rhythmische Lied des Komponisten Enver Shëngjergji wurde vom Publikum sehr warm empfangen. Es war 1968.

Françesk bei seiner ersten Bühnenerscheinung in der Staatskomödie, Tiranë, 1968

Zum ersten Mal in der albanischen Nachkriegsgeschichte erschien ein Sänger mit Gitarre auf der Bühne. Es war ein großes Wagnis, denn es hätte vom diktatorischen Regime als ‚ausländischer Einfluss' aufgefasst werden können.

So nahm der Bühnenerfolg seinen Lauf. Françesk: „Hier habe ich zum ersten Mal dieses überwältigende Gefühl erlebt, das der Applaus auslöst. Ich merkte, dass ich Bühnentalent besaß."

2   Radi, F.: Scan TV, Me Marizën (Mit Mariza), 30. Dezember 2016.

"Fortan war Françesk Radi bei den großen Konzerten, wie jene im Sportpalast, sehr gefragt. Als Konzerteröffner schaffte er im Handumdrehen jene enthusiastische Stimmung und den Applaus, die einen ganzen Abend tragen können", so Bujar Kapexhiu.[3]

Der bekannte Regisseur, Schauspieler und Produzent Bujar Kapexhiu. Auf dem Bildschirm Françesk im Sportpalast "Partizani" (heute "Asllan Rusi"), Tiranë, 1971

Die Konzerte im Sportpalast Partizani, die Kapexhiu unter dem Namen ,4000-facher Applaus' (nach der Zahl der Zuschauersitze im Saal) organisierte, galten als die größten und attraktivsten Veranstaltungen ihrer Zeit.

Françesk 1971 im Sportpalast Partizani (heute Asllan Rusi)

Seinen ersten Bühnenauftritt hatte Franko noch als Lyzeumschüler absolviert. Das Lyzeum der Künste Jordan Misja von Tiranë war die renommierteste Schule ihrer Art in Albanien. Die talentiertesten Jugendlichen aus bekannten Künstlerfamilien lernten dort, aber auch viele aus einfachen Verhältnissen, mit Begabung und Leidenschaft für die Malerei, den Tanz, Musikinstrument oder Gesang. Es war die Zeit der Jugendaktionen und der rauschenden Feierabende, in denen nach der harten Arbeit gesungen und getanzt wurde. Begabte und ehrgeizige, strahlende junge Frauen und Männer träumten die schönsten Liebesträume, genauso wie ihre Altersgenossen der Hippiebewegung in der westlichen Welt, mit ihren Gruppenerlebnissen, Musik und Spaß, dem Drang nach individueller Befreiung und dem Streben nach freier Liebe.

In den Worten des Komponisten Gazmend Mullahi, eines ehemaligen Mitschülers, fiel Françesk mit besonderen Eigenschaften auf, die ihn unter den Jugendlichen sehr beliebt machten. "Franko hatte das Privileg einer distinguierten Erscheinung und einer sportlichen Figur, er trug geschmackvolle Kleidung und die Haare lang, er ging zur begehrtesten Schule der Zeit, spielte Gitarre, sang mit schöner Stimme die neuesten, italienischen Hits. Und dazu hatte seine Stimme unverkennbare Ähnlichkeit mit der Stimme von Adriano Celentano. Das alles machte ihn zum Star seiner Generation."[4]

Der Musikkritiker Fatmir Hysi, damaliger Mitschüler, erinnert sich: „Ungeachtet der ideologischen Vorgaben kamen wir auf den Geschmack der ‚bürgerlichen und revisionistischen Überbleibsel'. Diese zogen uns so sehr an, dass der ganze Lebenstraum auf ein einziges Lied der Beatles oder eine einfache Jeanshose projiziert wurde. Es ist heute durch einfache Beschreibungen nicht mehr nachvollziehbar. Diese Musikband in unseren Tanzabenden, die Hingabe und Leidenschaft eines Blerim Reçi, Don Miluka, Nard Topi und vor allem der Celentano-Gestus eines Françesk Radi waren alles, wovon wir imstande waren zu träumen, sie waren unser ganzer Horizont, der Höhepunkt der Freude und des Stolzes. Wie fühlten uns wie Kinder, die vor neuem, aufregendem Spielzeug standen."[5]

Der bekannte Maler Roland Karanxha schreibt: "Zu versuchen, Frankos Persönlichkeit zu erfassen, bedeutet für mich, auf einen Weg zurückzuschauen, der mit der Leidenschaft einer einzigartigen Jugendfreundschaft gepflastert ist. Ich habe Franko im Herbst 1967 kennengelernt, im Lyzeum der Künste Jordan Misja, wo ich Malerei und er Kontrabass lernten. Wir entwickelten eine wundervolle Freundschaft, untermalt durch seine geniale Musik. Ich erinnere mich an diese öden Morgen der Aktionstage, jener absurden Zwangspraktik

4   Radi, T., Gjergji, D. : Françesk Radi. Një jetë në kitarë (Ein Leben mit der Gitarre), Tiranë 2019, S. 346. Mullahi, Gazmend: Françesk Radi, ai që mbeti në muzikë, në zemra e në bronz (F. Radi, sein Weiterleben in der Musik, in den Herzen und in Bronze), Koha jonë (Zeitung), 4. April 2019. Gazmend Mullahi, im Interview über Françesk Radi, San Diego, California, 20. September 2020, Audio im Familienbesitz.

5   Minga, M: https://peizazhe.com/2021/04/28/francesk-radi/

der Zeit, die uns durch die magischen Klänge von Yesterday oder Let it be aus Frankos Gitarre versüßt wurden."[6]

Françesk, der Dritte von links, Aktion zum Eisenbahnbau, Xibrakë, Elbasan, 1969

Der Oboist Ilir Mërtiri, Frankos Mitschüler im Lyzeum und Kommilitone in der Hochschule der Künste, erinnert sich: „Von uns allen war Franko der beste Musiker. Sein Musiktalent war unbestreitbar. Aber ich möchte betonen, dass er sich auch mit seinem sportlichen Talent unter seinen Mitschülern hervortat. Er war athletisch, und er spielte sehr schönen Fußball. Er betrieb auch Kraftsport und Gewichtheben zum Muskelaufbau. Er hatte eine sportliche, elegante Figur, ein Vorbild für uns alle. Ich erinnere mich an die Militärübungen, an denen wir während der Schule teilnahmen. In unserer Militäreinheit übten wir unter anderem den Hindernisparcours, den es innerhalb einer bestimmten, mit der Stoppuhr gemessenen Zeit zu absolvieren galt. Es war ein verdammt hartes Rennen, aber Franko schaffte es in Blitzgeschwindigkeit. Er brach den Rekord der Militärschule von Zall-Herr. Das machte Eindruck im gesamten militärischen Kommando. Er war ein athletischer, eleganter Typ. Ein besonderer junger Mann." [7]

Die Jahre des Lyzeums waren für den späteren Liedermacher Françesk Radi eine intensive Lernzeit. In seinen Worten: „… alles drehte sich um Musik und um Noten. Schon mit sechzehn Jahren nahm ich als Bassgitarrist am Orchester der RTSH (Radiotelevision Albaniens) teil. Ich studierte Klavier, Gitarre und Kontrabass gleichzeitig. Hier erwarb ich meine musikalische Bildung."[8]

6   Radi, T., Gjergji, D. : Françesk Radi. Një jetë në kitarë (Ein Leben mit der Gitarre), Tiranë 2019, S. 324. Karanxha, R. : Erinnerung an das süße Erwecken durch F. Radis Klänge von "Yesterday" und "Let it be", Koha jonë (Zeitung), 4. April 2019.

7   Mërtiri. I. D. : Vitet `70, muzika e lehtë, Diktatura, (Die 70er, Unterhaltungsmusik, Diktatur. Françesk Radi), TV1-Sender, Shkodër, Oktober 2022, RTK1, Pristina, Kosovo, 04. Dezember 2022

8   F. Radi in Pasdite (Nachmittags), Top Channel TV, 19. Juni 2015. F. Radi in Jetë e trazuar (Turbulentes Leben), Dokumentarfilm, TVSH, 18. April 2018.

Franko, (first left, leaning against the column), at the artificial lake of Tirana, 1967 (family archive)

Françesk in der Big Band von Gaspër Çurçia. An der Bassgitarre, obere Reihe, Mitte. Das 7. Musikfestival von RTSH, 1968

Françesk an der Bassgitarre, der zweite von links, in der Musikgruppe von Robert Radoja. Bildaufnahme aus den Proben für das 9. Musikfestival von RTSH, 1970. Aus dem Magazin "Rundfunk" der RTSH, 12. Januar 1971

Gazmend Mullahi erinnert sich, wie er sich mit Franko mehrmals am Tag ans Klavier setzte und wie dieser die neuesten Lieder aus den westlichen Hitparaden sang. "Franko besaß die unerhörte Fähigkeit, sich die drei Hauptelemente eines Liedes bei nur einmaligem Hören zu merken: Melodie, Harmonie und Text. Wir hatten ja keine Magnetophone, wir mussten alles live erfassen. Mit seiner Gabe verblüffte Franko uns alle."[9]

Die Begabung und die solide musikalische Bildung zogen die Aufmerksamkeit der etablierten Musiker der Zeit auf sich. Gaspër Çurçia, bekannt als der ‚albanische Louis Armstrong', nahm den sechzehnjährigen Françesk Radi als Bassist in seiner berühmten Big Band auf.

Die Brüder Nush, Ndoc und Vinçenc Prennushi mit ihrer Mutter Roza. Foto von Marubbi, 1917. Die Brüder Nush (links) und Ndoc in Militäruniformen als Rekruten der österreichisch-ungarischen Armee im Regiment von Shkodër

Monseigneur Vinçenc Prennushi. Foto Marubbi, 1943

9   Mullahi, Gazmend (Komponist): Françesk Radi, ai që mbeti në muzikë, në zemra e në bronz (F. Radi, sein Weiterleben in der Musik, in den Herzen und in Bronze), Koha jonë (Zeitung), 4. April 2019. Radi, T., Gjergji, D. : Françesk Radi. Një jetë në kitarë (Ein Leben mit der Gitarre), Tiranë 2019, S. 346. Gazmend Mullahi im Interview über Françesk Radi, San Diego, California, 20. September 2020, Audio im Familienbesitz.

Ebenfalls als Bassist wurde Françesk Mitglied der Musikgruppe des berühmten Pianisten Robert Radoja. Schließlich spielte er mit dem Symphonischen Orchester der RTSH unter Ferdinand Deda, dem großen albanischen Maestro mit dem absoluten Gehör.

Mittlerweile hatte Françesk sich einen Studienplatz im Fach Kontrabass an der Hochschule der Künste gesichert. In einem offenen Wettbewerb (mit Gjon Simoni als Juryvorsitzenden) präsentierte er das Lied *Kërkoj dritaren* (Musik von Tonin Harapi) und gewann.

Das war alles andere als selbstverständlich, denn er kam aus einer ‚deklassierten‘, vom kommunistischen Regime geächteten Familie.

Mütterlicherseits war er der Großneffe von Monseigneur Vinçenc Prennushi. Dieser war ein prominenter Vertreter der Katholischen Kirche Albaniens, der Nationalen Wiedergeburt und der albanischen Kultur, ein Vorkämpfer für Demokratie in der ersten Hälfte des 20. Jahrhunderts. Er starb im März 1949 in den Armen seines Mitkämpfers Arshi Pipa im Gefängnis von Durrës infolge von Folter durch das kommunistische Regime.

Väterlicherseits war er der Neffe von Lazër Radi. Lazër Radi, ein hochgebildeter Mann, besaß ein Juradiplom von der römischen Universiätt La Sapienza und war mit vielen Persönlichkeiten der Zeit wie Musine Kokalari, Migjeni und Ernest Koliqi eng befreundet. Lazër Radi wurde am 14. April 1945 vom Regime wegen seiner Überzeugungen verurteilt, als Teil der ‚Gruppe der 61 Intellektuellen‘. Er verbrachte mehrere Jahrzehnte in Gefängnissen und Lagern bis zum Sturz der Diktatur 1990.

Lazër Radi (Erster von links), Migjeni (Mitte) und Hajdar Delvina. Pukë, 1936

Musine Kokalari, Lazër Radi (Erster von rechts). Auf einem Schiff, April 1939

Dass Françesk 1970 das Studium aufnehmen durfte, war auch Fadil Paçrami zu verdanken, der in dieser Zeit die Funktion des Sekretärs für Ideologie beim Zentralkomitee der Partei innehatte. Paçrami war ein Mitschüler von Lazër Radi im Gymnasium von Shkodër in den Jahren 1935-1938 gewesen. Im Namen von Lazër bat die Familie Radi Fadil Paçrami um Unterstützung. Dieser erwies sich als guter Freund und räumte die Hindernisse aus dem Weg. So durfte der junge Françesk an der Hochschule der Künste Kontrabass studieren. Doch das Stigma der ‚Deklassierten' würde die Familie bis zum Fall des Regimes nicht loswerden können.

(Ironie der Geschichte: Fadil Paçrami fiel einige Jahre später selbst in Ungnade und verbrachte die Jahre 1975-1991 in den Gefängnissen der Diktatur, der er so treu gedient hatte.)

Der Erfolg

Françesk begann das Studium im akademischen Jahr 1970/71.

Françesk 1971

Der Musiker Zef Çoba, ein Kommilitone, erinnert sich: „Françesk war ein fleißiger Student, der stundenlang konzentriert und hartnäckig am Kontrabass übte. Dabei hatte er seine Neigungen zur Popmusik durch seinen Gesang und die Teilnahme an einschlägigen Musikgruppen mit der Gitarre und der Bassgitarre schon erkennen lassen. Trotz der Erfolge in der Popmusik hat er während des Studiums den Kontrabass niemals vernachlässigt, auch nicht seine musikalische Gesamtbildung."[10]

Diese breite Bildung trug bald Früchte. Im Jahr 1971 schrieb er das Lied Adresa (Die Adresse)[11], sein erstes, das gleich ein Erfolg wurde. Das Hauptmotiv ist an ein Volkslied angelehnt. Damals schon zeigte Françesk Interesse und Wertschätzung für die albanische Folklore. In diesem Fall ging es um das südalbanische Volkslied Lule Sofo, lule djalë. Das eingängige Motiv ist kunstvoll in das moderne Lied eingearbeitet. Den Text schrieb ein Freund, Kastriot Gjini: Ein junger Mann liebt ein junges Mädchen und sucht nach ihrer Adresse. „Es war ein brillanter Einfall von ihm", schreibt Françesk.[12]

Das Debüt von Françesk als Liedermacher mit dem Lied Adresa im Zweiten Studentenfestival, März 1972

10   Çoba, Zef: Telegraf (Zeitung), 8. April 2021. Zef Çoba im Interview, Shkodër, 31. Januar 2021, Video im Familienbesitz, D. : Vitet `70, muzika e lehtë, Diktatura, (Die 70er, Unterhaltungsmusik, Diktatur. Françesk Radi), TV1-Sender, Shkodër, Oktober 2022, RTK, Pristina, Kosovo, 27. November 2022

11   Es werden nur die Titel der Lieder ins Deutsche übersetzt, die in der beiliegenden CD enthalten sind.

12   Radi, F.: Interview, TVSH, 1971. Radi, F.: Pasdite (Nachmittags), Top Channel TV, 19. Juni 2015. Radi, F.: Fol me mua (Sprich mit mir), TVSH, 15. Mai 2015. Vrapi, Julia: Elektronika ka shkatërruar muzikën, montazhierët kanë zëvendësuar kompozitorët (Die Elektronik hat die Musik zerstört, Cutters haben die Komponisten ersetzt), in Sot (Zeitung), 29. November 2015. Radi, F: https://albdreams.wordpress.com/2012/04/03/francesk-radi-e-verteta-e-kenges-time-me-tekst-politik-dhe-muzike-moderne-ne-festivalin-e-vitit-1972/ Radi, T., Gjergji, D. : Françesk Radi. Një jetë në kitarë (Ein Leben mit der Gitarre), Tiranë 2019, S. 187.)

Mit dem Lied Adresa konkurrierte er im Zweiten Studentenfestival der Hochschule der Künste. Es war März 1972. Der Andrang der jungen Leute war enorm, die Saaltüren wurden eingerannt. Das Lied erhielt den zweiten Preis – für den Neuling Françesk Radi eine große Bestätigung.

Françesk Radi äußert sich zu Adresa: „Dieses Lied trägt den Stempel der Zeit, einer unschuldigen Zeit. Wir lebten in einem anderen System als heute, alles war damals schwieriger, aber wir konnten immer die Fenster finden, um die Seele der Jugend zum Ausdruck zu bringen. Kein Regime in der Welt kann all die Türen und Fenster schließen."[13]

Der große Komponist Aleksandër Lalo schreibt: „Das Lied Adresa wurde im Theatersaal der Hochschule der Künste gespielt, mit einem sehr guten symphonischen Jazzorchester und hatte einen unglaublichen Erfolg."[14]

Hamide Stringa, Frankos Dozentin der Musikwissenschaft an der Hochschule der Künste, selbst diplomiert im Moskauer Konservatorium Tschaikowski, zeigte sich begeistert von Françesks musikalischem Bekenntnis zu jener Konzert - und Popkultur, die gerade im Entstehen war.

"Ich hörte Franko seine eigene Komposition singen und mochte sowohl das Lied als auch die Interpretation. Schönes Timbre, Baritonfärbung. Ich fand, das Lied war solide geschrieben, ich fand die Interpretation warm und angenehm unaufgeregt. Er war nicht nur ein herausragender Gitarrist, sondern er besaß auch gute Manieren, kultivierte Ausdrucksweise und eine schöne Sprechstimme. Und er sah verdammt gut aus."[15]

Hamide Stringa, Professorin der Musikwissenschaft an der Hochschule der Künste, 1972

13   F. Radi in: Fol me mua (Sprich mit mir), TVSH, 15. Mai 2015. (Radi, F: Scan TV, Me Marizën (Mit Radi, T., Gjergji, D. : Françesk Radi. Një jetë në kitarë (Ein Leben mit der Gitarre), Tiranë 2019, S. 60. F. Radi in Jetë e trazuar (Turbulentes Leben), Dokumentarfilm, TVSH, 18. April 2018. Rexho, Eraldo: Kitara dhe kënga në plazh shërbenin si " karremi" për të afruar vajzat (Die Gitarre und der Gesang am Strand dienten als Köder für die Mädchen), Gazeta Shqiptare (Zeitung), 29. Juli 2010.

14   A. Lalo in Muzikë, emocion, muzikë, TVSH, 14. Dezember 2001, D. : Vitet `70, muzika e lehtë, Diktatura, (Die 70er, Unterhaltungsmusik, Diktatur. Françesk Radi), TV1-Sender, Shkodër, Oktober 2022, RTK1, Pristina, Kosovo, 04. Dezember 2022

15   Stringa, H.: Frankua në festivalin e 11-të të këngës solli frymë të re (Franko brachte frischen Wind ins 11. Musikfestival), Telegraf (Zeitung), 8. April 2021. Hamide Stringa im Interview, Tiranë, 6. Juli 2020, Video im Familienbesitz, D. : Vitet `70, muzika e lehtë, Diktatura, (Die 70er, Unterhaltungsmusik, Diktatur. Françesk Radi), TV1-Sender, Shkodër, Oktober 2022, RTK1, Pristina, Kosovo, 04. Dezember 2022

Der Musiker Zef Çoba schreibt: „Er passte nicht in die Klischees der Zeit. Er war zurückhaltend, ernsthaft, eigenwillig, mit einem durchdringenden Blick. Sein Inneres schien mit seiner äußeren Erscheinung, den Bewegungen, dem Gang und dem Kommunikationsstil im Einklang zu stehen. Sein musikalischer Charakter passte viel mehr zur Gitarre als zum Kontrabass."[16]

Im Jahr 1972 komponierte der Student Françesk Radi sein zweites Lied: Biçikleta (Das Fahrrad) – wieder ein Hit der Musikalischen Enquete von Radio Tirana und Gewinner der Sendung Beste der Besten. Es hat bis heute nichts von seiner Frische verloren. Den Text hatte er selbst geschrieben.

Françesk äußert sich dazu: „Es war die Romantik der Zeit, der Alltag der Jugend. Ein junger Mann, der wartet. Immer warteten die jungen Männer irgendwo an Brücken oder Straßenecken darauf, dass die Mädchen vorbeigingen. Der Junge im Lied wartet auf seine Angebetete, die Fahrrad fährt. Vielleicht geht ja ihr Fahrrad kaputt, und so kann er ihr seine Hilfe anbieten. Eine einfache Fabel, die aber im kommunistischen Albanien gewagt war."[17]

Zhani Ciko, Dirigent: „Die frühen Siebziger waren in Albanien Jahre des Aufbruchs, es wehten die Winde der Liberalisierung. Die westliche Mode war in Tiranë angekommen, jene typische Kleidung und die Frisuren der Zeit. Der große Druck des Regimes und die kulturelle Isolation des Landes ließen nach. Plötzlich lebten Hoffnungen auf, auf eine Öffnung, auf eine Annäherung an Europa. Françesk war einer der Ersten, die diese Transformation verkörperten, in seinen Kreationen und in seinen Auftritten. Die modernen Einflüsse begründeten seine Künstlerpersönlichkeit. Françesk fand schnell sein Profil in der neuen Strömung: Lieder über Gefühle, über lebensfrohe Momente jugendlichen Lebens. Für mich ist er der erste Singer/Songwriter der albanischen Popmusik, mit einem ganz eigenen Auftrittsstil. Ohne zum bloßen Nachahmer zu werden, ließ er sich vom Musikgeschehen in der Welt inspirieren. Trotz des eingeschränkten Zugangs fand er genug Vorbilder, nach denen er seinen eigenen Gesangsstil formte, der ihn von allen anderen unterschied."[18]

Trotz der spürbaren Liberalisierung im kommunistisch isolierten Albanien war die

Unterhaltungsmusik bis zum Anfang der siebziger Jahre anachronistisch geblieben. Das Regime und die Partei kontrollierten und zensierten sämtliche kreative Tätigkeit. Es gab keine Bands und keine Räume zur kreativen Entfaltung, es

---

16   Çoba, Z.: F. Radi është zëri i sinqertë i muzikantit pasionant (F. Radi, ehrliche Stimme eines leidenschaftlichen Musikers), Telegraf (Zeitung), 8. April 2021, D. : Vitet `70, muzika e lehtë, Diktatura, (Die 70er, Unterhaltungsmusik, Diktatur. Françesk Radi), TV1-Sender, Shkodër, Oktober 2022, RTK1, Pristina, Kosovo, 04. Dezember 2022

17   Radi, F.: Pasdite (Nachmittags), Top Channel TV, 19. Juni 2015. D. : Vitet `70, muzika e lehtë, Diktatura, (Die 70er, Unterhaltungsmusik, Diktatur. Françesk Radi), TV1-Sender, Shkodër, Oktober 2022, RTK1, Pristina, Kosovo, 04. Dezember 2022

18   Zhani Ciko in Jetë e trazuar (Turbulentes Leben), Dokumentarfilm, TVSH, 18. April 2018.bnRadi, T., Gjergji, D. : Françesk Radi. Një jetë në kitarë (Ein Leben mit der Gitarre), Tiranë 2019, S. 247.

gab keine privat organisierten Konzerte in Stadien und Hallen wie im Rest der Welt. Zef Çoba: „Sein musikalisches Schaffen hatte etwas Besonderes. Er brachte dem Publikum etwas, das es vermisste: neue Inhalte in der Musik, neue Sujets und neuartige Texte. Er war eine aufrichtige, leidenschaftliche Stimme, hocherfolgreich in seiner Vielseitigkeit als Sänger, Komponist und Instrumentalist."[19]

Gjon Shllaku, Pianist: „Die neue amerikanische und britische Musik, die Beatles und Rolling Stones, die modernen musikalischen Strömungen aus aller Welt, die überraschenderweise auch von Radio Tirana und später im Fernsehen ausgestrahlt wurden, färbten auf die albanische Musik ab, was uns begeisterte − vor allem die Musikalische Enquete, in der im Jahre 1972 der junge Singer/Songwriter Françesk Radi mit seinem Adresa triumphierte. Wir hörten ihn gerne, ich und meine Altersgenossen. Etwas an seiner nasalen Stimme faszinierte uns, vielleicht die Ähnlichkeit mit Celentano, aber auch der Rhythmus, die einfachen, authentischen Texte. Aber vor allem ließ er uns von einer Musik ohne Einschränkungen träumen, mit freiem Ausdruck künstlerischer Impulse und Lebensgefühle."[20]

Waren die Jahre davor von den großen Namen Vaçe Zela, Anita Take, Pavlina Nikaj, Qemal Kërtusha, Rudolf Stamolla geprägt, betrat Anfang der siebziger Jahre eine neue Generation von kraftvollen Interpreten die Bühne. Diese hießen Sherif Merdani, Tonin Tërshana, Ilir Dangëllija, Leonard Bulku, Nevruz Yzeiri, Vladimir Muzha, Nikoleta Shoshi, Elida Koreshi, Naim Kërçuku, Zija Saraçi, Justina Aliaj, Lindita Sota, Ema Qazimi, Bashkim Alibali, Dorian Nini, Alida Hisku, Rozeta Doraci, Liljana Kondakçi, Luan Zhegu, Kleopatra Skarço, Pëllumb Elmazi, Violeta Simoni, Vera Dervishi, Nikolin Gjergji, Elida Shehu, Gjergj Suljoti, Kastriot Ago, Fatbardha Hoxha, Eduart Jubani, Adriana Ceko, Antigoni Goxhi und gaben der albanischen Musikszene neuen Schwung, der das ganze musikalische Jahrzehnt prägen sollte.

Bujar Kapexhiu: „Zu dieser neuen Generation gehörte Françesk Radi − eine ungewöhnlich elegante Erscheinung, lange Haare, geschmackvolle Kleidung, nie ohne seine Gitarre. Er sah so raffiniert, so westeuropäisch aus."[21]

Laut dem Dichter Sadik Bejko „besaß (Franko) einen Nimbus, den kein anderer Musiker besaß. Auch nicht etablierte Sänger wie Sherif Merdani oder Tonin Tërshana. Er gehörte zu einer anderen Sorte, zu den Singer/

---

19   Çoba, Z.: F. Radi është zëri i sinqertë i muzikantit pasionant (F. Radi, ehrliche Stimme eines leidenschaftlichen Musikers), Telegraf (Zeitung), 8. April 2021, D. : Vitet `70, muzika e lehtë, Diktatura, (Die 70er, Unterhaltungsmusik, Diktatur. Françesk Radi), TV1-Sender, Shkodër, Oktober 2022, RTK1, Pristina, Kosovo, 04. Dezember 2022

20   Shllaku, Gjon: Adresa dhe Biçikleta të F. Radit, hite që koha i lartëson (Adresa und Biçikleta von F. Radi, Hits, die die Zeit überdauern), Telegraf (Zeitung), 11. Mai 2021, D. : Vitet `70, muzika e lehtë, Diktatura, (Die 70er, Unterhaltungsmusik, Diktatur. Françesk Radi), TV1-Sender, Shkodër, Oktober 2022, RTK1, Pristina, Kosovo, 04. Dezember 2022

21   Bujar Kapexhiu in Jetë e trazuar (Turbulentes Leben), Dokumentarfilm, TVSH, 18. April 2018.) Radi, T., Gjergji, D. : Françesk Radi. Një jetë në kitarë (Ein Leben mit der Gitarre), Tiranë 2019, S. 278.

Songwritern, die damals in Amerika hervortraten. Ein völlig neuer Typus, mit Individualität, mit einer Gitarre auf der Schulter, mit eigener Stimme, mit einer Botschaft, die Botschaft seiner Generation. Er war ein Original."[22]

Zef Çoba: „Franko wurde eine Berühmtheit schon im Studentenalter, vor allem unter den jungen Leuten. Er hatte die Gabe, mit dem Publikum in innige Kommunikation zu treten. Trotzdem blieb er liebenswürdig und bescheiden, und er war froh, den Menschen mit seiner Musik einfach eine Freude zu bereiten."[23]

Shpend Sollaku Noe', Schriftsteller: "Françesk Radi ist einer jener Menschen, die zur Welt gekommen sind, um anders als die anderen zu sein. Er war ein natürlicher Feind der Monotonie, die das Leben der Sterblichen tyrannisiert. Seine humane Extravaganz war angeboren. Er fiel stets aus dem Rahmen, mit seiner Erscheinung, mit seiner Stimme, mit seinem musikalischen Charakter. Man kann ihn getrost als seltenes Geschenk des Himmels bezeichnen."[24]

Ende der Sechziger und Anfang der Siebziger, als der Liedermacher Françesk Radi zusammen mit anderen Vertretern seiner Generation wie Enver Shëngjergji, Kastriot Gjini, Aleksandër Lalo, Gazmend Mullahi, Josif Minga, Bajram Lapi, Aleksandër Peçi, Lejla Agolli, Selim Ishmaku, Jetmir Barbullushi, Hajg Zacharian, Zef Çoba, Sokol Shupo, Naim Gjoshi, David Tukiçi, als Bote einer neuen Ära die Bühne betrat, gab es bereits ein Fundament der albanischen Musik, das von den Vertretern der vorigen Generation gelegt worden war. Es waren Leute wie Muharrem Xhediku, Abdulla Grimci, Tish Daija, Simon Gjoni, Nikolla Zoraqi, Llazar Morcka, Avni Mula, Tonin Harapi, Pjetër Gaci, Mark Kaftalli, Ferdinand Deda, Limoz Dizdari, Abaz Hajro, Baki Kongoli, Shpëtim Kushta, Gjon Simoni, Kujtim Laro, Feim Ibrahimi, Tasim Hoshafi, Flamur Shehu, Alfons Balliçi, Agim Prodani, Agim Krajka.

Die Musikwissenschaftlerin Hamide Stringa zum Songwriting von Françesk Radi: „Zum einen geht er systematisch heran, im Stile eines Agim Krajka. Zum anderen bleibt er spontan und melodisch, wie es für die Italiener typisch ist. Diese Mischung fand ich sehr gelungen. Und ich dachte: So muss das sein, so macht man ein Lied eingängig und zugänglich."[25]

---

22   Sadik Bejko in Jetë e trazuar (Turbulentes Leben), Dokumentarfilm, TVSH, 18. April 2018.) Radi, T., Gjergji, D. : Françesk Radi. Një jetë në kitarë (Ein Leben mit der Gitarre), Tiranë 2019, S. 259.

23   Çoba, Z.: F. Radi është zëri i sinqertë i muzikantit pasionant (F. Radi, ehrliche Stimme eines leidenschaftlichen Musikers), Telegraf (Zeitung), 8. April 2021, D. : Vitet `70, muzika e lehtë, Diktatura, (Die 70er, Unterhaltungsmusik, Diktatur. Françesk Radi), TV1-Sender, Shkodër, Oktober 2022, RTK1, Pristina, Kosovo, 04. Dezember 2022

24   Sollaku Noe', Sh: F. Radi e kreu revolucionin e tij (F. Radi schaffte seine eigene Revolution), Shqiptarja.com, 27 Mars 2019, D. : Vitet `70, muzika e lehtë, Diktatura, (Die 70er, Unterhaltungsmusik, Diktatur. Françesk Radi), TV1-Sender, Shkodër, Oktober 2022, RTK1, Pristina, Kosovo, 04. Dezember 2022

25   Stringa, H.: Frankua në festivalin e 11-të të këngës solli frymë të re (Franko brachte frischen Wind ins 11. Musikfestival), Telegraf (Zeitung), 8. April 2021, D. : Vitet `70, muzika e lehtë, Diktatura, (Die 70er, Unterhaltungsmusik, Diktatur. Françesk Radi), TV1-Sender, Shkodër, Oktober 2022, RTK1, Pristina, Kosovo, 04. Dezember 2022 Hamide Stringa im Interview, Tiranë, 6. Juli 2020, Video im Familienbesitz, D. : Vitet `70, muzika e lehtë, Diktatura, (Die 70er, Unterhaltungsmusik, Diktatur. Françesk Radi), TV1-Sender, Shkodër, Oktober 2022, RTK1, Pristina, Kosovo, 04. Dezember 2022

Françesk am Strand von Durrës, 1974

Françesk Radi äußert sich: „In jener Zeit wurde von den jungen Menschen viel Musik gehört und gesungen, einheimische wie ausländische. Selbst nachdem das kommunistische System diese Musik als dekadenten Einfluss des Westens verboten hat, sang die junge Sängergeneration diese Lieder heimlich weiter, an den Stränden, im Park und privat am späten Abend. Damit lockten wir die Mädchen."26

Sein Musikergefährte Gazmend Mullahi erinnert sich: „Am Strand von Durrës war Franko der König, wenn auch nicht auf einem Thron sitzend, sondern auf dem Sand, irgendwo in der Nähe vom notorischen Hotel Turizmi. Sofort scharten sich Menschen um ihn, und er spielte los, wie im Rausch."27

In Tiranë wurde der Park am See seine Bühne. Da spielten Leute wie Leonard Bulku, Arben Duro oder die Gruppe Abi '72. Hier trainierte Franko Schwimmen und spielte Musik, oft in Begleitung seines Dozenten und guten Freundes Asllan Rusi, der prominente Volleyballer, der Celentano liebte. Gerne sang Franko Celentano-Lieder für seinen Freund.

26   Rexho, Eraldo: Kitara dhe kënga në plazh shërbenin si " karremi" për të afruar vajzat (Die Gitarre und der Gesang am Strand dienten als Köder für die Mädchen), Gazeta Shqiptare (Zeitung), 29. Juli 2010. Radi, T., Gjergji, D. : Françesk Radi. Një jetë në kitarë (Ein Leben mit der Gitarre), Tiranë 2019, S. 75.

27   Gazmend Mullahi im Interview über Françesk Radi, San Diego, California, 20. September 2020, Audio im Familienbesitz, D. : Vitet `70, muzika e lehtë, Diktatura, (Die 70er, Unterhaltungsmusik, Diktatur. Françesk Radi), TV1-Sender, Shkodër, Oktober 2022, RTK1, Pristina, Kosovo, 04. Dezember 2022

Françesk (rechts, stehend), Asllan Rusi (stehend hinter dem Boot), Tiranë, am See, 1970

Françesk schreibt: „Wir machten den Park am See zur Bühne, weil wir verbotene Lieder sangen. Es gab mehrere Gruppen. Aus Tiranë Neustadt war ich, auch mit ausländischem Repertoire. Aus dem Viertel Vasil Shanto waren Demokrat Shahini und Don Miluka; die beiden sangen sehr schön im Duett. Kujtim Shehu sang mit einer anderen Gruppe. Dann gab es auch Nasi. Die Gruppen konkurrierten miteinander. Es war die Zeit von Elvis Presley in Amerika, Beatles in England, Johnny Hallyday in Frankreich und Celentano, der die angelsächsischen Einflüsse in die italienische Musik brachte. Das war die Musik, die mich geprägt hat. Später integrierte ich die albanische Tradition in jene modernen Musikformen. Die albanischen Motive blieben immer mein Fundament."[28]

Die Lieder Adresa und Biçikleta wurden 1972 für zwei Videoclips ausgewählt, die RTSH produzieren sollte. Es sollten die ersten Videoclips werden, die RTSH, damals die einzige Fernsehanstalt des Landes, produziert hat. Die beiden Lieder besaßen eine Fabel, die sie für eine Verfilmung besonders geeignet machte.

Der Regisseur und Produzent Ylli Pepo: „Franko revolutionierte die albanische Musik durch einen völlig neuen, individuellen Stil. Frei von Ideologie, Pathos, Schablonen besang er Gefühle, Liebe, Freiheit, die Sinnessuche des Menschen."[29]

---

28   F. Radi in E diela shqiptare (Der albanische Sonntag), Klan TV, 28. November 2010. F. Radi in Muzikë, emocion, muzikë, TVSH, 14. Dezember 2001.Rexho, Eraldo: Kitara dhe kënga në plazh shërbenin si " karremi" për të afruar vajzat (Die Gitarre und der Gesang am Strand dienten als Köder für die Mädchen), Gazeta Shqiptare (Zeitung), 29. Juli 2010.

29   Ylli Pepo in Jetë e trazuar (Turbulentes Leben), Dokumentarfilm, TVSH, 18. April 2018.) Radi, T., Gjergji, D. : Françesk Radi. Një jetë në kitarë (Ein Leben mit der Gitarre), Tiranë 2019, S 274.

Zef Çoba: „Was die Texte betraf, war Franko sehr sorgfältig. Es gibt in seinen Texten kein einziges Wort, keine Zeile oder keine Metapher, die nicht ausschließlich der poetischen und musikalischen Logik dienen. Das war etwas Unerhörtes zu einer Zeit, als der Staat vom Künstler nachdrücklich an erster Stelle die erwünschte ideologische Botschaft verlangte. Adresa und Biçikleta entziehen sich dem; sie verkörpern stattdessen die Grundmerkmale der modernen westlichen Musik der damaligen Zeit.“[30]

Shpend Sollaku Noé: "Seine Kompositionen waren die modernsten jener Zeit in Albanien. Neuer Aufbau und neue Interpretation, eine echte Revolution. Sie ließen uns erkennen, dass auch das Albanische jene Möglichkeiten des Ausdrucks in der Musik besaß, die den westlichen Sprachen eigen waren. Adresa und Biçikleta ließen uns euphorisch werden. Sie wurden zum Soundtrack unserer unschuldigen Hoffnung, dass auch wir bessere Tage vor uns haben könnten. Wir hörten nicht auf, sie zu singen, selbst als deren Autor gezwungen wurde, Lieder für Sägewerksarbeiter zu schreiben."[31]

Der Rock'n'Roll hatte die Welt verändert und war dabei, auch Albanien zu verändern.

Françesk Radi: „Ich war gerade einmal sechzehn Jahre alt, als ich auf die Bühne des großen Musikfestivals von RTSH gestiegen bin. Damals fehlten die elektrischen Instrumente ganz. Es gab nur wenige Musiker, die welche entworfen und hergestellt haben. Ein solcher war Pirro Miso, der selbst eine elektrische Bassgitarre gebaut hatte. Ich hatte das Glück, dieses Instrument in den zwei Jahren danach mitnutzen zu dürfen. Es war diese Gitarre, die die Aufmerksamkeit des Meisters Gaspër Çurçia auf sich zog, weshalb er mich in seine Band aufnahm. Dieser Moment markiert den Anfang meiner Karriere als Bassgitarrist.“[32]

Musikwissenschaftlerin Mikaela Minga: "Solche Berichte regen an, über den Künstler mehr zu erfahren, über sein Verhältnis zu den reellen Gegebenheiten, über die musikalische Epoche, um die es geht: Ende der sechziger und Anfang der siebziger Jahre. Diese Epoche, mit ihm (F. Radi) als Hauptprotagonisten, markiert eine besondere Phase in der albanischen Musikgeschichte, die nicht zufällig zum Startschuss seiner musikalische Karriere wurde. Im Westen der zweiten Hälfte der sechziger Jahre, mit dem Rock'n'Roll auf dem Siegesmarsch, erlebte die elektrische Bassgitarre ihre Apotheose. Heute liegt sie fast jedem Genre zu Grunde: Rock, Pop, Jazz, Blues, Hip-Hop.

---

30   Çoba, Z.: F. Radi është zëri i sinqertë i muzikantit pasionant (F. Radi, ehrliche Stimme eines leidenschaftlichen Musikers), Telegraf (Zeitung), 8. April 2021, D. : Vitet `70, muzika e lehtë, Diktatura, (Die 70er, Unterhaltungsmusik, Diktatur. Françesk Radi), TV1-Sender, Shkodër, Oktober 2022, RTK1, Pristina, Kosovo, 04. Dezember 2022

31   Sollaku Noe', Sh: F. Radi e kreu revolucionin e tij (F. Radi schaffte seine eigene Revolution), Shqiptarja.com, 27 Mars 2019, D. : Vitet `70, muzika e lehtë, Diktatura, (Die 70er, Unterhaltungsmusik, Diktatur. Françesk Radi), TV1-Sender, Shkodër, Oktober 2022, RTK1, Pristina, Kosovo, 04. Dezember 2022 Radi, T., Gjergji, D. : Françesk Radi. Një jetë në kitarë (Ein Leben mit der Gitarre), Tiranë 2019, S 339.

32   F. Radi in Jetë e trazuar (Turbulentes Leben), Dokumentarfilm, TVSH, 18. April 2018.) Radi, T., Gjergji, D. : Françesk Radi. Një jetë në kitarë (Ein Leben mit der Gitarre), Tiranë 2019, S 15.

Die eigentliche Siegerin war dagegen die elektrische Gitarre. Sie gestaltete die verschiedenen Klänge und Stile in der britisch-amerikanischen Musik der zweiten Hälfte des zwanzigsten Jahrhunderts mit, als Gefährtin einer steigenden Zahl von Musikkünstlern, die sich mit ihr identifizierten. Dieses außerordentlich vitale Modell der Kreativität und Interpretation breitete sich auch jenseits der angelsächsischen Welt aus. Auch im Albanien der Diktatur wurden diese bahnbrechenden Entwicklungen der elektrischen Klangverstärkung aufmerksam verfolgt und von einigen wenigen Musikern aufgenommen, zumindest solange sie unter dem Radar der Behörden standen. Françesk Radi war einer von ihnen. Er nutzte die Gelegenheit, mit einem elektrischen Klang zu experimentieren und sich somit deutlich von den traditionellen symphonischen Klängen abzuheben. Mit diesem Klang stieg er auf die Bühne des Musikfestivals. Dieser Klang ist in der Introduktion von Adresa, seinem ersten kreativen Versuch, zu finden. Das Lied gewann auch die Musikalische Enquete und wurde zum populären Erfolg.

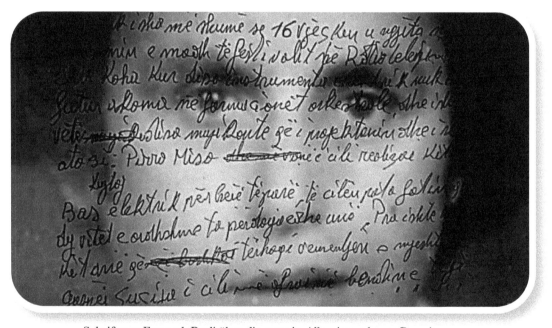

Schrift von Françesk Radi über die erste in Albanien gebaute Bassgitarre

Abgesehen vom modernen Klang der elektrischen Gitarre, der wie eine Art Ostinato-Pedal dem Lied den pulsierenden Rhythmus gibt, weist Adresa auch einige andere interessante Merkmale auf. Der Aufbau, das Arrangement und die 'Erzählung' haben eindeutig ein angelsächsisches Vorbild. Dazu kommt die originelle vokale Interpretation von F. Radi, weitab der gewohnten lyrischen Kantilene, die Selbstbegleitung mit der Gitarre und natürlich die Tatsache, dass er selbst der Autor des Liedes ist."[33]

33   Minga, Mikaela: https://peizazhe.com/2021/04/28/francesk-radi/, D. : Vitet `70, muzika e lehtë, Diktatura, (Die 70er, Unterhaltungsmusik, Diktatur. Françesk Radi), TV1-Sender, Shkodër, Oktober 2022, RTK1, Pristina, Kosovo, 04 Dezember 2022

Françesk in einem TV-Interview: „Die moderne italienische, englische, amerikanische Musik beeinflussten uns stark; vor allem diejenigen von uns, die das Glück hatten, in der Hauptstadt zu leben, in einem der besten Viertel von Tiranë, in Neustadt. Asllan Rusi, der Volleyballspieler, führte den Kassettenrecorder ein. So konnten wir Ray Charles hören, The Beatles, The Rolling Stones. Die Jugend der siebziger Jahre schwänzte die letzten Unterrichtsstunden am Samstag, um der italienischen Hitparade zu lauschen."[34]

Die italienische Musik Ende der sechziger und Anfang der siebziger Jahre entwickelte sich rund um zwei große Institutionen: dem jährlichen Musikfestival von Sanremo und der wöchentlichen Varieté-Show Canzonissima.

Gazmend Mullahi, Frankos Mitschüler, erinnert sich: „Am nächsten Morgen hatte Franko die Lieder fertig, mit all den Elementen, was für uns andere undenkbar wäre. Innerhalb einer Woche war er in der Lage, sämtliche Sanremo-Lieder zu spielen. Ich wunderte mich, denn während der Ausstrahlung der Lieder saß er eigentlich mit mir auf der Schulbank. Dann verriet er mir endlich, dass er, durch die Freunde seines älteren Bruders Ferdinand, Zugang zu einem Magnetophon hatte, womit er die Programme aufnahm. Dann zwei, drei Mal das Lied hören, und das war's. Dadurch lernte er hervorragend Italienisch."[35]

Françesk dazu: „Das Musikfestival von Sanremo bleibt bis heute die größte Tribüne der italienischen und eine der größten für die internationale Musik. Der Einfluss dieses Festivals auf die albanische Musik war enorm. Elf Jahre nach dessen erster Auflage (1951) wurde dieses Festival zum Modell für das Erste Musikfestival von Radio Tirana 1962. (Die RTSH, die Radiotelevision Albaniens, war noch nicht gegründet worden.) Die Initiatoren waren der Komponist Abdulla Grimci, zu jener Zeit Hauptredakteur der Musikabteilung bei Radio Tirana, und Vath Çangu, Redakteur und Liederkomponist. Das Erste Musikfestival wurde am 21.-23. und 26. Dezember 1962 von Radio Tirana ausgestrahlt. Wie beim Vorbild Sanremo wurden die Lieder in Gruppen von drei oder vier präsentiert, danach wurden sie durch einen zweiten Sänger interpretiert. Die Moderatoren waren zwei große Namen der albanischen Kultur der damaligen Zeit: die Schauspieler Margarita Xhepa und Luigj Gurakuqi. "Den Menschen, die dieses Festival gegründet haben, sollten wir dankbar sein, denn es bot die Bühne für eine ganze Reihe herausragender Musikkünstler – Sänger, Komponisten, Liedtextautoren", bemerkt Françesk Radi.[36]

---

34   F. Radi in Top Show Magazin, Top Channel TV, 18. Dezember 2014. Radi, F: Die Musik, meine erste Liebe, in: Integrimi (Zeitung), 22. März 2010.

35   Gazmend Mullahi, im Interview über Françesk Radi, San Diego, California, 20. September 2020, Audio im Familienbesitz, D. : Vitet `70, muzika e lehtë, Diktatura, (Die 70er, Unterhaltungsmusik, Diktatur. Françesk Radi), TV1-Sender, Shkodër, Oktober 2022, RTK1, Pristina, Kosovo, 04. Dezember 2022

36   F. Radi in Thurje (Geflechte), Digitalb, 25. Februar 2017, Radis letzter TV-Auftritt.

Mit seinen ersten zwei Liedern sprengte der Student Françesk Radi das Korsett der Zeit und brachte den frischen Wind von Rock'n'Roll in die albanische Musik, den Stil, den die Jugend hörte und liebte. Nicht nur, weil er mit einer Gitarre auf der Bühne erschien, sondern auch durch seine Kreationen und seine Interpretationen.

Er erinnert sich: „Ich leitete die neue Strömung ein. Deshalb wurden auch diese Lieder als Videoclips produziert. Es waren die allerersten Videoclips in Albanien, und es ist sehr bedauerlich, dass sie verloren gegangen sind. Sie sind im Archiv von RTSH nicht mehr auffindbar. Schade um ihren historischen Wert. Die beiden Macher, Ylli Pepo und Albert Minga, zwei große Talente, haben großartige Arbeit geleistet."[37]

Die Lyzeumschülerin Anila Kati, die weibliche Protagonistin des Videoclips Adresa und damals eine der schönsten Frauen von Tiranë: „Ich erinnere mich an das Kleid aus weißen Leinen mit einem blauen Streifen um den Hals, im Kontrast zu den langen, kastanienbraunen Haaren. Ich sollte losrennen. Hinter der Kamera stand Gazmir Shtino. (Françesk und) ich wurden separat aufgenommen. Ich stand alleine vor der Kamera, nur ich und die Natur, und fühlte mich frei in meinen Bewegungen. Françesk auf der anderen Seite auch.

Lyzeumschülerin Anila Kati, 1972

---

37   F. Radi in Pasdite (Nachmittags), Top Channel TV, 19. Juni 2015. Vrapi, J.: Elektronika ka shkatërruar muzikën, montazhierët kanë zëvendësuar kompozitorët (Die Elektronik hat die Musik zerstört, Cutters haben die Komponisten ersetzt), in Sot (Zeitung), 29. November 2015. Radi, T., Gjergji, D. : Françesk Radi. Një jetë në kitarë (Ein Leben mit der Gitarre), Tiranë 2019, S. 66.

Wir kannten den Liedtext bis ins Detail und konnten unsere Bewegungen danach richten. Dann, in der Endszene, kommen wir zusammen… Der Videoclip hatte einen großen Erfolg. Ich lief auf der Straße, und die jungen Leute sangen mir nach: Wo wohnst du, o Mädchen…. Bilder aus dem Videoclip wurden in den Zeitungen veröffentlicht, in Schwarzweiß, es war 1972. Viele Jungs hatten das Bild herausgeschnitten und trugen es bei sich. Ich muss lachen, wenn ich daran denke. Es waren schöne Jahre, mit einer neuen Freiheit, die leider schnell wieder vorbei war.“[38]

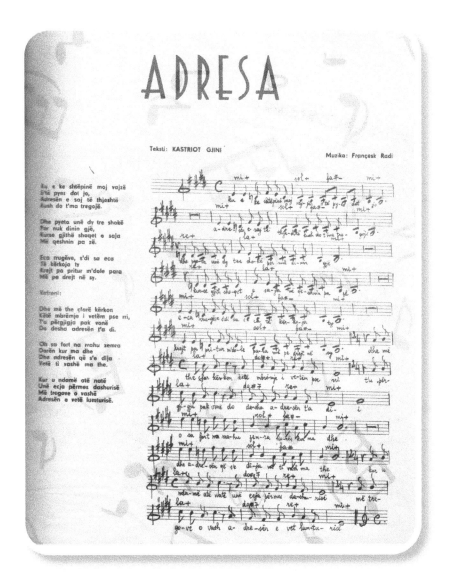

Die Originalpartitur von Adresa auf dem Magazin Radiopërhapja (Rundfunk) der RTSH, 25. August 1972, zu Beginn der Dreharbeiten für den Videoclip (Bibliothek Marin Barleti, Shkodër)

---

38   Radi, T., Gjergji, D. : Françesk Radi. Një jetë në kitarë (Ein Leben mit der Gitarre), Tiranë 2019, S. 277. Anila Kati im Interview über Françesk Radi, Tiranë, 10. Juli 2020 (Video im Familienbesitz), D. : Vitet `70, muzika e lehtë, Diktatura, (Die 70er, Unterhaltungsmusik, Diktatur. Françesk Radi), TV1-Sender, Shkodër, Oktober 2022, RTK1, Pristina, Kosovo, 04. Dezember 2022

Die Erinnerungen aus den siebziger Jahren waren für Françesk Radi die schönsten seines Lebens. Er erlebte seine Jugend in einer einmaligen Zeit, als eine Generation es wagte, eigene Träume zu träumen, den Blick gen Westen zu richten. Seiner Meinung nach bringt jede Zeit eigene Themen mit. Der Auftrag eines jeden Künstlers bestehe darin, diese aufzugreifen, um die Legitimität für seine Kunstform ständig zu erneuern. "Dieser Wind des Liberalismus erfasste uns alle. Auf den offenen Lastwagen, auf denen wir saßen, auf dem Weg zu Aktionen, sangen wir im Chor Yellow Submarine. Ich war eine Galionsfigur für die Jugend von Tiranë, ich sprengte den Rahmen, ich vertrat das Neue."[39]

---

39   Bushi, Ilir: F. Radi. Lidhja ime me muzikën është e përjetshme (Meine Bindung zur Musik ist ewig), Republika (Zeitung), 21. Oktober 1999. F. Radi in Fol me mua (Sprich mit mir), TVSH, 15. Mai 2015. F. Radi in Jetë e trazuar (Turbulentes Leben), Dokumentarfilm, TVSH, 18. April 2018. Radi, T., Gjergji, D. : Françesk Radi. Një jetë në kitarë (Ein Leben mit der Gitarre), Tiranë 2019, S. 180.

Das 11. Musikfestival

Die Videoclips, die große Neuigkeit der Zeit, wurden mehrmals am Tag im TV ausgestrahlt und wurden sehr populär. Doch nur vier, fünf Monate danach verschwanden sie von den Bildschirmen.[40]

Etwas war passiert: Das 11. Musikfestival von RTSH, 1972.

Këngëtari Françesk Radi në këngën «Kur dëgjojmë zëra nga bota», kompozuar nga Françesk Radi, me tekst të Sadik Bejkos.

Françesk im 11. Musikfestival der RTSH, Magazin Radiopërhapja, Dezember 1972

40   Hekurani, Arjola: F. Radi, krijimtaria artistike dhe pengjet e një artisti (F. Radi. Das Schaffen und die Wehmut des Künstlers), Republika (Zeitung), 31. August 2005.

Françesk Radi, damals noch Student, betrat zusammen mit anderen jungen Musikern wie Josif Minga, Aleksandër Peçi, Enver Shëngjergji, Gëzim Laro zum ersten Mal diese Bühne. Franko trat als Singer/Songwriter auf, mit einem Protestlied, Kur dëgjojmë zëra nga bota (Die Stimmen der Welt), über den Krieg in Vietnam – ganz nach dem Vorbild der Antikriegsproteste in der ganzen Welt.

Françesk erinnert sich: „Ich dachte, das passte, ein Protestlied zu diesem Thema für das Musikfestival. Die Inspiration nahm ich von einem Lied von Gianni Morandi: C'era un ragazzo che come me… Ich meinte, ich läge politisch richtig, denn Albanien hatte sich auf die Seite von Vietnam und gegen die Amerikaner gestellt. Sadik Bejko schrieb einen einfachen Text: Eine Gruppe junger Leute singen mit der Gitarre im Park und drücken ihren Protest gegen den Krieg aus."[41]

Originalpartitur von Kur dëgjojmë zëra nga bota (Die Stimmen der Welt), 11. Musikfestival der RTSH, 1972

41   F. Radi in Fol me mua (Sprich mit mir), TVSH, 15. Mai 2015. F. Radi in Pasdite (Nachmittags), Top Channel TV, 19. Juni 2015. F. Radi in Jetë e trazuar (Turbulentes Leben), Dokumentarfilm, TVSH, 18. April 2018. Radi, T., Gjergji, D. : Françesk Radi. Një jetë në kitarë (Ein Leben mit der Gitarre), Tiranë 2019, S. 83. D. : Vitet `70, muzika e lehtë, Diktatura, (Die 70er, Unterhaltungsmusik, Diktatur. Françesk Radi), TV1-Sender, Shkodër, Oktober 2022, RTK1, Pristina, Kosovo, 04. Dezember 2022

Françesk im Orchester, untere Reihe, Mitte von rechts

Françesk Radi war mit der Bassgitarre auch am Orchester des Festivals beteiligt.

Dirigent Zhani Ciko: „Der damalige Musikdirektor des Festivals, Nikolla Zoraqi, nahm Franko ins Programm, mit dem Vietnam-Lied, das später legendär wurde. Nur Franko, mit seine

lässigen Art und seiner souveränen Stimme, konnte das damals: ein hochpolitisches Thema über einen bewaffneten Konflikt in großartige Musik verwandeln. Es passte zum Weltgeist in den Siebzigern."[42]

Die Musikströmungen der Zeit waren in der albanischen Musik manifest geworden. Für die Musikwissenschaftlerin Hamide Stringa wurde das „im 11. Festival offensichtlich. Es war ein Schlüsselmoment, als die Jugend auf die Bühne drängte, mit dem tiefen Wunsch, das Neue auszuprobieren und zu inszenieren."[43]

---

42   Zhani Ciko in Jetë e trazuar (Turbulentes Leben), Dokumentarfilm, TVSH, 18. April 2018. Radi, T., Gjergji, D. : Françesk Radi. Një jetë në kitarë (Ein Leben mit der Gitarre), Tiranë 2019, S. 248.

43   Stringa, H.: Frankua në festivalin e 11-të të këngës solli frymë të re (Franko brachte frischen Wind ins 11. Musikfestival), Telegraf (Zeitung), 8. April 2021. D. : Vitet `70, muzika e lehtë, Diktatura, (Die 70er, Unterhaltungsmusik, Diktatur. Françesk Radi), TV1-Sender, Shkodër, Oktober 2022, RTK1, Pristina, Kosovo, 04. Dezember 2022 Hamide Stringa im Interview, Tiranë, 6. Juli 2020, Video im Familienbesitz, D. : Vitet `70, muzika e lehtë, Diktatura, (Die 70er, Unterhaltungsmusik, Diktatur. Françesk Radi), TV1-Sender, Shkodër, Oktober 2022, RTK1, Pristina, Kosovo, 04. Dezember 2022

Artikel in Drita (Zeitung), 11. Februar 1973 (Nationalbibliothek Tiranë)

Artikel in Drita (Zeitung), 11. Februar 1973 (Nationalbibliothek Tiranë)

Das Festival wies moderne Elemente auf allen Ebenen auf. Die Performance der Moderatoren (Schauspielerin Edi Luarasi und Multitalent Bujar Kapexhiu), der Kleidungsstil, die Haltung auf der Bühne, das Begleitorchester und vor allem die Musik selbst waren verblüffend neu für das Publikum. Dieser liberale Wind wurde als die Zukunft Albaniens empfunden.

Doch es war alles nur eine kurze Illusion. Vom kommunistischen Regime wurde dieses Festival als elementare Bedrohung empfunden.

Es begann mit einem kritischen Artikel in der Zeitung Drita vom 11. Februar 1973 mit der Überschrift: ‚Unser Liedgut muss den Bedürfnissen der Massen entsprechen‘. Der Autor war Spiro Kalemi, einer von Françesks Dozenten an der Hochschule der Künste.

„Der Einfluss des ausländischen Musikgeschmacks schafft eine fremdartige Atmosphäre im Lied Kur dëgjojmë zëra nga bota. Die Begrenztheit des Motivs, die Entwicklung desselben, die Interpretation und die Instrumentierung ähneln sehr einigen ausländischen Liedern dieser Art."[44]

Während der Debatte um dieses Festival bei der Liga der Schriftsteller und Künstler im März 1973 erhob Spiro Kalemi wieder die Stimme gegen das Lied.

Françesk Radi: „Das Lied wurde harsch kritisiert, vor allem wegen meines Stimmtimbres. Sie verglichen meine Interpretation mit Liedern von Celentano direkt am Magnetophon und sagten, es wären dieselben Stimmfarben! Aber mein Lied war wirklich unschuldig… "[45]

Zhani Ciko, Zeuge jener Debatte: „Ein Kollege von uns, vielleicht ohne wirklich zu wissen, was er tat, tat etwas Schwerwiegendes: Er verglich die Aufnahmen von Franko mit denen von Celentano am Magnetophon. Und das vor den Parteigranden! Als Vortragender des Hauptberichts über das Festival hatte ich das Lied nicht kritisiert, mit Ausnahme einiger Bemerkungen technischer Natur. Ich ging zum Kollegen und klopfte ihm auf den Kopf: Lieber Kollege, mit deinem Beitrag hast du gerade die albanische Musik um zehn Jahre zurückgeworfen. Später bat ich ihn um Entschuldigung: Nicht um zehn, sondern um fünfzehn Jahre."[46]

Der Komponist Enver Shëngjergji über Françesk Radi: „Er war mit einem Timbre begnadet, das zufälligerweise dem von Adriano Celentano ähnelte. Aber es war keine Nachahmung, es war ganz natürlich. Er war auch ein ausgezeichneter Gitarrist, was ihn wieder in die Nähe von Celentano rückte, dem Idol unserer Generation. Seine Verdrängung von der Bühne begann damit, dass die Bonzen ihm vorwarfen, Celentano zu imitieren, dessen Gesang, dessen Gitarrenspiel, die langen Haare."[47]

---

44   Kalemi, Spiro: Kënga jonë duhet t'i përgjigjet kërkesave të masave (Unser Liedgut muss den Bedürfnissen der Massen entsprechen), Drita (Zeitung), 11. Februar 1973.

45   F. Radi in Pasdite (Nachmittags), Top Channel TV, 19. Juni 2015.

46   Zhani Ciko, Rede bei der Buchvorstellung von Një jetë në kitarë (Ein Leben mit der Gitarre), Tiranë, 27. September 2019. D. : Vitet `70, muzika e lehtë, Diktatura, (Die 70er, Unterhaltungsmusik, Diktatur. Françesk Radi), TV1-Sender, Shkodër, Oktober 2022, RTK1, Pristina, Kosovo, 04. Dezember 2022 Zhani Ciko in der Jubiläumsshow für das 11. Musikfestival, Tiranë, 10. Dezember 2020, D. : Vitet `70, muzika e lehtë, Diktatura, (Die 70er, Unterhaltungsmusik, Diktatur. Françesk Radi), TV1-Sender, Shkodër, Oktober 2022, RTK1, Pristina, Kosovo, 04. Dezember 2022

47   Enver Shëngjergji in Jetë e trazuar (Turbulentes Leben), Dokumentarfilm, TVSH, 18. April 2018. Radi, T., Gjergji, D. : Françesk Radi. Një jetë në kitarë (Ein Leben mit der Gitarre), Tiranë 2019, S. 255. D. : Vitet `70, muzika e lehtë, Diktatura, (Die 70er, Unterhaltungsmusik, Diktatur. Françesk Radi), TV1-Sender, Shkodër, Oktober 2022, RTK, Pristina, Kosovo, 04. Dezember 2022

Artikel in Zëri i Rinisë (Zeitung), 21. Januar 1973 (Nationalbibliothek, Tiranë)

Auch Hysni Milloshi, seines Zeichens Dichter, kritisierte Françesk in seinem Artikel ‚Zwei Worte über die Liedtexte' in der Zeitung Zëri i rinisë, 21. Januar 1973.

Die Kritik war so harsch und bedrohlich, dass selbst große Namen der albanischen Musik, wie Tonin Harapi und Çesk Zadeja, ein Mea Culpa leisten mussten. In der Zeitung Drita vom 11.

Artikel in Drita (Zeitung), 11. Februar 1973 (Nationalbibliothek Tiranë)

Februar 1973 schreibt Tonin Harapi: „In diesem Festival wurden alte Normen herausgefordert, im Namen des Neuen und Modernen. Welche diese sein sollen und wer sie vertritt, habe ich bis heute nicht verstanden."[48]

---

48   Harapi, Tonin: Për një fizionomi të qartë kombëtare të këngës sonë (Für eine klare nationale Physiognomie unseres Liedguts), Drita (Zeitung), 11. Februar 1973.

Tish Daija schreibt in seinem Artikel ‚Gegen die sogenannten modernen Festivals‘: „Wir sollten aus dem 11. Festival Lehren ziehen für ein ideologisch gesundes, national inspiriertes, musikalisch niveauvolleres nächstes Musikfestival.“[49]

Ein anderer Komponist, Agim Prodani, schreibt in seinem Artikel „Wir werden bessere Festivals machen“: „Das 11. Festival brachte leichte, rhythmische Poplieder in unsere Musik. Soll das unser neuer Weg sein? Soll das unsere Zukunft sein? Und was ist mit dem städtischen Lied, mit dem Lied für die Massen, mit dem sozialrevolutionären Lied? Müssen wir jetzt drei, vier Festivals veranstalten? Ich meine nicht…. „[50]

Vielleicht war das Vietnamlied von Françesk, wie er sich selbst später geäußert hat, „ seiner Zeit voraus. Viel zu sehr im amerikanischen Stil, klang nach Rolling Stones und Beatles. Das Regime konnte das nicht zulassen, obwohl es um Vietnam ging.“[51]

Das 11. Festival markiert für die Autoren Françesk Radi und Sadik Bejko sowie für viele andere einen fatalen Moment in ihren Karrieren. Niemand hatte damit gerechnet, dass dieses Festival auf diese Weise von der kommunistischen Führung attackiert werden würde.

„Ehrlich, wir haben uns blenden lassen, von der sich abzeichnenden Öffnung“, sagt Françesk Radi. „Plötzlich war die neue Mode da, die Miniröcke, die Topffrisuren, die Jeans, die Schlaghosen auf den Straßen. Alles aus dem Ausland. Auch die Musik. Das Radio spielte von morgens bis abends Tom Jones, Celentano und Beatles. Wir glaubten, die Winde der Demokratie wehen jetzt auch zu uns rüber. Die Kunst und die Musik vorne dabei. Dann kam das 11. Festival. Und wir begriffen, es gibt kein Vorwärts. Im Gegenteil, es geht wieder rückwärts.“[52]

Mikaela Minga: „Ab diesem Moment war das Schicksal des Musikers besiegelt. Doch, aus heutiger Sicht, gewinnt dieses Festival eine neue Bedeutung. Es steht für den ernsthaften Versuch, die betretenen Pfade der Popmusik zu verlassen, um sie mit Einflüssen anderer Musikströmungen zu bereichern. Wäre das geglückt, würde es den Startschuss zu einem Wettbewerb bedeuten, der zu neuer Reife auf der Festivalszene hätte führen können. Françesk Radi

---

49   Daija, Tish: Kundër të ashtuquajtura festivale "moderne" (Gegen die sogenannten modernen Festivals), Drita (Zeitung), 11. Februar 1973.

50   Prodani, Agim: Ne do të bëjmë festivale më të mira (Wir werden bessere Festivals machen), Drita (Zeitung), 11. Februar 1973.

51   F. Radi in Fol me mua (Sprich mit mir), TVSH, 15. Mai 2015. F. Radi in Pasdite (Nachmittags), Top Channel TV, 19. Juni 2015. Hekurani, Arjola: F. Radi, krijimtaria artistike dhe pengjet e një artisti (F. Radi. Das Schaffen und die Wehmut des Künstlers), Republika (Zeitung), 31. August 2005. Radi, F: E vërteta e këngës sime me tekst politik dhe muzikë moderne në festivalin e vitit 1972 (Die Wahrheit über mein Lied mit politischem Text und moderner Musik im Festival des Jahres 1972), in: https://albdreams.wordpress.com/2012/04/03/francesk-radi-e-verteta-e-kenges-time-me-tekst-politik-dhe-muzike-moderne-ne-festivalin-e-vitit-1972/

52   F. Radi in Pasdite (Nachmittags), Top Channel TV, 19. Juni 2015. F. Radi in Jetë e trazuar (Turbulentes Leben), Dokumentarfilm, TVSH, 18. April 2018. Radi, T., Gjergji, D. : Françesk Radi. Një jetë në kitarë (Ein Leben mit der Gitarre), Tiranë 2019, S. 62.)

war einer der Protagonisten dieser Entwicklung. Er verkörperte, wenn auch nur in ersten Ansätzen, die neue Rock'n'Roll-Ästhetik.“[53]

So wurde der junge Erfolg von Françesk Radi durch das Regime im Keim erstickt.

Sadik Bejko, der Mitautor des Vietnamlieds: „Wir haben nicht geahnt, dass dieses Lied über Bomben wie eine Bombe auf die eigenen Macher herunterfallen würde. Ich schrieb die Worte, Françesk sang sie. Danach sollte er für fünfzehn oder sechzehn Jahren nicht mehr singen dürfen.“[54]

Der Komponist Aleksandër Lalo: „Françesk Radi hatte das große Pech, für lange Zeit danach seinen Beruf nicht mehr ausüben zu dürfen.“[55]

Der Pianist Gjon Shllaku: „Das Lied Adresa wurde trotz der charakteristischen Pentatonharmonie der südalbanischen Folklore als ‚modernistisch‘ verdammt, aufgrund von Rhythmus, Arrangement, Interpretation. Dass es ein wertvolles, meisterhaft geschriebenes Stück Musik war, das ging völlig unter. Rein ideologisch war der Autor ein ‚Feind des Volksgeschmacks‘, ein Saboteur dieses Geschmacks. Das andere Lied, Biçikleta, ein unschuldiges, eingängiges Liebeslied, wurde sowohl wegen der Musik als auch wegen des Textes ans Kreuz genagelt, was dem Singer/Songwriter Françesk Radi zum doppelten Verhängnis wurde.“[56]

Und trotzdem war Françesk Radi überzeugt, dass „die Liedermacher der Siebziger mit ihren Kreationen auf der Höhe der Zeit waren, konkurrenzfähig in der Welt. Wir konnten nicht anders als unsere Musik in diese Richtung zu steuern. Und ich glaube, dass uns das gelungen ist, denn die Musik der Jahre 1970 und 1972 ist wirklich gute Musik. Die Lieder waren kreativ, sie erzählten eine Geschichte, sie waren modern. Es waren Liebeslieder, aber sie besangen auch die großen Themen der Zeit. Sie werden bis heute von Musikliebhabern gehört und gesungen. Sie sind der Beweis, dass wahre Kunst selbst unter schwierigen Bedingungen überlebt.“[57]

Das 11. Festival gab Anlass für den härtesten Schlag, den die albanische Kultur in den Jahren der Diktatur einstecken musste. Die Kampagne gegen die Musik-, Kunst- und Literaturszene dauerte vom Januar bis Juni 1973. Sie kulminierte in dem berüchtigten 4. Plenum des Zentralkomitees der

---

53 Minga, Mikaela: https://peizazhe.com/2021/04/28/francesk-radi/.

54 Sadik Bejko in Jetë e trazuar (Turbulentes Leben), Dokumentarfilm, TVSH, 18. April 2018. Radi, T., Gjergji, D.: Françesk Radi. Një jetë në kitarë (Ein Leben mit der Gitarre), Tiranë 2019, S. 260.

55 A. Lalo in Muzikë, emocion, muzikë, TVSH, 14. Dezember 2001, D.: Vitet `70, muzika e lehtë, Diktatura, (Die 70er, Unterhaltungsmusik, Diktatur. Françesk Radi), TV1-Sender, Shkodër, Oktober 2022, RTK1, Pristina, Kosovo, 04. Dezember 2022

56 Shllaku, Gjon: Adresa dhe Biçikleta të F. Radit, hite që koha i lartëson (Adresa und Biçikleta von F. Radi, Hits, die die Zeit überdauern), Telegraf (Zeitung), 11. Mai 2021, D.: Vitet `70, muzika e lehtë, Diktatura, (Die 70er, Unterhaltungsmusik, Diktatur. Françesk Radi), TV1-Sender, Shkodër, Oktober 2022, RTK1, Pristina, Kosovo, 04. Dezember 2022

57 F. Radi in Fol me mua (Sprich mit mir), TVSH, 15. Mai 2015. F. Radi in Jetë e trazuar (Turbulentes Leben), Dokumentarfilm, TVSH, 18. April 2018. Radi, T., Gjergji, D.: Françesk Radi. Një jetë në kitarë (Ein Leben mit der Gitarre), Tiranë 2019, S. 181.) Bushi, Ilir: F. Radi. Lidhja ime me muzikën është e përjetshme (Meine Bindung zur Musik ist ewig), Republika (Zeitung), 21. Oktober 1999.

Arbeitspartei Albaniens mit dem Thema ‚Vertiefung des ideologischen Krieges gegen fremdländische Einflüsse‘. Eine Reihe von Künstlern und Funktionären in den Bildungs- und Propagandainstitutionen wurde zu Gefängnisstrafen und Verbannungen verurteilt.

Françesk, unten, der Dritte von links, mit seinen Kommilitonen der Hochschule der Künste, Tiranë, 1971

Zum Glück fand das 4. Plenum erst im Juni statt. Françesks letztes akademisches Jahr war zu dieser Zeit abgeschlossen, und er besaß bereits sein Diplom.

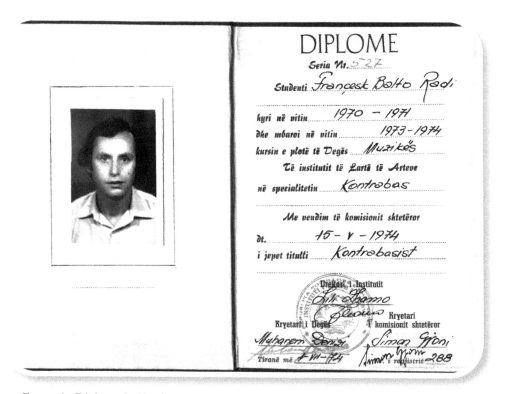

Françesks Diplom als Absolvent der Hochschule der Künste in Tiranë, 1. Juli 1974

Der Angriff gegen Françesk Radi wurde von seinen Kollegen, Studenten und Dozenten der Hochschule der Künste initiiert. Aus einem internen Bericht vom 5. Februar 1973: „Er hat sich in den ideologischen Fächern kaum um Fortschritt bemüht, er hat sich kaum in sozialen Themen engagiert, seine Lieder weisen Fremderscheinungen auf…"

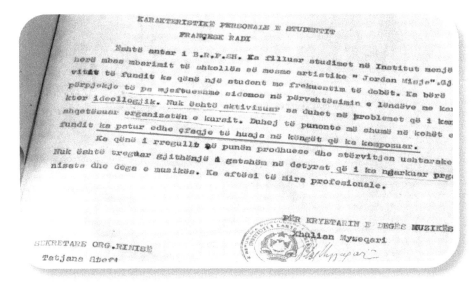

Führungszeugnis aus Françesks geheimer Personalakte bei der Hochschule der Künste, 5. Februar 1973

Françesk: „Das reichte für die Verurteilung durch die Partei. So funktionierte das System."

So wurde der von allen verehrte, aufstrebende Star, der feine, musikverliebte junge Mann aus Tiranë verbannt. Er wurde zur ‚Umerziehung' nach Fushë-Arrëz bei Pukë beordert, in die nordalbanischen Berge. Er verlor das Recht auf kreative Arbeit und Bühnenauftritt. Das Symphonische Orchester von RTSH zog den Antrag auf seine Einstellung zurück.

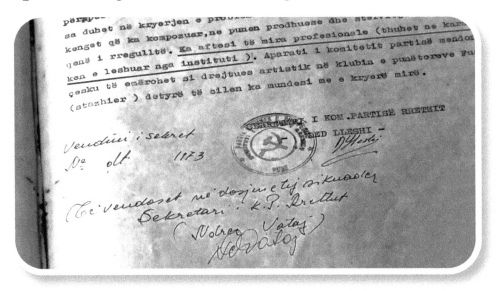

Führungszeugnis über Françesk, bestimmt für das Parteikomitee des Kreises Pukë, 1973

Die Verbannung

Ich ließ die schönen Träume zurück, die Hochschule der Künste, die Stelle als Bassgitarrist im Orchester der RTSH, die Big Band von Gaspër Çurçia… Dreiundzwanzigjährig machte ich mich auf den Weg nach Norden, mit der Hoffnung, auch dort meinen Weg zu finden. Aber nicht ohne Schmerzen…"58

Ferdinand Radi, Schauspieler, Regisseur und Poet, würde später seine Trauer um den abgebrochenen schönen Traum seines geliebten Bruders mit folgenden Worten ausdrücken:

Françesk am Fluss Fan, Fushë-Arrëz, 1973

58   F. Radi in E diela shqiptare (Der albanische Sonntag), Klan TV, 28. November 2010. Radi, T., Gjergji, D. : Françesk Radi. Një jetë në kitarë (Ein Leben mit der Gitarre), Tiranë 2019, S. 92. D. : Vitet `70, muzika e lehtë, Diktatura, (Die 70er, Unterhaltungsmusik, Diktatur. Françesk Radi), TV1-Sender, Shkodër, Oktober 2022, RTK1, Pristina, Kosovo, 04. Dezember 2022

Auf den Saiten deiner Gitarre/ Eine Melodie schnürten die Klänge/ Sie führten den Frühling heran/ Für alle verliebten Seelen/ Das Schallloch deiner Gitarre/ Wurde zum Nest für die Liebe/ Celentano nannten wir dich/ Dann kamen die Schergen und zerrissen sie/ Den Traum, die Melodie/ Dann schmissen sie die Gitarre hin/ In die Kälte, in den Norden/ Wo selbst die Hochspannungsleitungen/ Im Schnee erfroren.

Wie das Leben das so will, war Françesk nicht der erste in seiner Familie, der eine Geschichte mit Pukë hatte. Im Jahr 1936 war seine Tante, Julia Radi, Lehrerin in Pukë. Der Dichter Migjeni, Oberlehrer der Schule, war ihr Vorgesetzter.

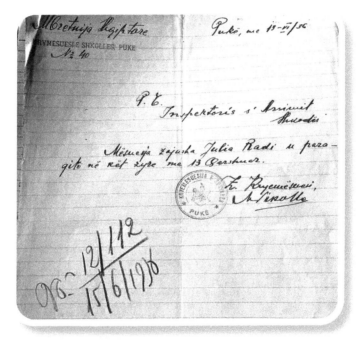

Julias Einstellungsschreiben mit der Unterschrift von Migjeni (Historisches Museum, Shkodër)

Durch sie lernte auch ihr Bruder, Lazër Radi, den großen Migjeni kennen.

Julia Radi (links) mit Migjenis Schwester Cvetka auf dem Schulhof, Pukë 1936 Das Foto stammt von Lazër Radi.

Ende des 19./Anfang des 20. Jahrhunderts betrieb Françesks Großvater, Prend Radi, einen Handel mit Steinkohle zwischen Prizren, dem Familienwohnsitz, und Shkodër im Norden Albaniens. In Pukë, das auf dieser Strecke liegt, trug er im Gasthaus Gomsiqe, zusammen mit Pukës bekanntem Rhapsoden, Prendush Gega, Epen mit der Laute vor.

Prend Radi, Françesks Großvater, Prizren 1922

Françesk (Erster von Links) und die von ihm gegründete Çifteli-Gruppe von Fushë-Arrëz, 1974

Françesk arbeitete nun als Musiker im Kulturhaus von Fushë-Arrëz, einer Minen- und Sägewerksiedlung.

Der Musikkritiker Prof. Dr. Josif Papagjoni: „Franko war eine Berühmtheit in Fushë-Arrëz, aber auch ein Ausgeschlossener. Ihm erlaubte man keine Bühnenauftritte, er war ein Bestrafter, ein Verbannter wegen ideologischer Fehltritte wie Liberalismus in der Musik."[59]

Trotzdem wurden sein Talent und seine Fähigkeiten auch dort anerkannt.[60]

Françesk trug erheblich zur Verbesserung der Musikgruppen bei, zur musikalischen Erziehung der Jugend und zum Aufbau des Stadtorchesters mit sowohl klassischen- als auch Volksinstrumenten.

Aber er wurde von der Polizei beobachtet. „Ich hatte große Probleme, weil ich auf Schritt und Tritt von der Polizei verfolgt wurde. Leute erzählten mir, dass die Spitzel unter meinem Fenster lauschten, ob ich Unerwünschtes spielte", erzählt Radi in einem TV-Interview.[61]

Unterstützung erhielt er durch den Kulturhausdirektor Josif Papagjoni. Dieser war, wie Françesk, ein Verbannter. Seine Dozentur an der Hochschule der Künste hatte er aufgeben müssen, als Folge der Säuberungen in der Kunstszene, die im 4. Plenum beschlossen wurden.

Durch dessen Hilfe und durch harte und hingebungsvolle Arbeit schaffte es Françesk, eine Çifteli-Musikgruppe zu gründen, mit der er auch selbst auf der Bühne auftreten durfte: mit Liedern aus der Region, die er selbst verarbeitete und interpretierte.

Er gab Pukë viel, aber er erfuhr auch Wertschätzung und Loyalität von den Menschen dort.

„Sie hätten mich denunzieren, mir das Leben zur Hölle machen können…. Aber dort fand ich Freunde. Manchmal hatte ich auch Zweifel an deren Treue, aber diese haben sich nicht bewahrheitet. Das schätze ich sehr an ihnen."[62]

Durch die Nähe zu den großen Çifteli-Meistern wie Ndue Shyti und Frrok Haxhia lernte Françesk Çifteli und andere Volksinstrumente zu spielen. Die langen Jahre in Pukë prägten sein musikalisches Gewissen. Diese Schätze würde er später in seine kreative Arbeit integrieren, indem er etwa Rocksongs für Çifteli schrieb.

Josif Papagjoni: „Dieser sanfte Mensch trug sein Schicksal mit einer fast sokratischen Geduld. Er hat sich niemals beschwert, er blieb da und arbeitete. Er nahm die Musiktradition von Pukë sehr ernst, er machte sie sich zu eigen.

59 Josif Papagjoni in Jetë e trazuar (Turbulentes Leben), Dokumentarfilm, TVSH, 18. April 2018.Radi, T., Gjergji, D. : Françesk Radi. Një jetë në kitarë (Ein Leben mit der Gitarre), Tiranë 2019, S. 253, D. : Vitet `70, muzika e lehtë, Diktatura, (Die 70er, Unterhaltungsmusik, Diktatur. Françesk Radi), TV1-Sender, Shkodër, Oktober 2022, RTK1, Pristina, Kosovo, 04. Dezember 2022

60 Aus einem Geheimdokument des Parteikomitees von Pukë, 1973.

61 F. Radi in E diela shqiptare (Der albanische Sonntag), Klan TV, 28. November 2010. F. Radi in Jetë e trazuar (Turbulentes Leben), Dokumentarfilm, TVSH, 18. April 2018. Radi, T., Gjergji, D. : Françesk Radi. Një jetë në kitarë (Ein Leben mit der Gitarre), Tiranë 2019, S. 107.

62 F. Radi in E diela shqiptare (Der albanische Sonntag), Klan TV, 28. November 2010.

Er hat diese Motive dann in seinem musikalischen Schaffen verarbeitet, darin ist er unerreicht. Er überführte die Pukë-Folklore in die kultivierte, städtische Musik."[63]

Mitte der siebziger Jahre hielt sich eine Gruppe von Dozenten der Hochschule der Künste, darunter Hamide Stringa, für mehrere Wochen in Fushë-Arrëz auf. Der Anlass: die während der Diktatur obligatorische ‚physische Arbeit'. Dort traf sie auf ihren ehemaligen Studenten Françesk Radi. Hamide sollte Interviews mit ihren früheren Schülern führen, und es gehörte zu ihren Pflichten, auf die ideologische Korrektheit der jungen Leute zu achten.

Hamide erinnert sich: „Franko hatte diese jugendliche Frisur, und ich – damals noch ideologisch verblendet – forderte ihn auf, sich erst einmal richtig zu kämmen. Es war von oben herab, und das schüchterte ihn ein."[64]

Françesk vor den Baracken von Fushë-Arrëz, 1973

Françesk in Fushë-Arrëz, 1974

63   Josif Papagjoni in Jetë e trazuar (Turbulentes Leben), Dokumentarfilm, TVSH, 18. April 2018. Radi, T., Gjergji, D. : Françesk Radi. Një jetë në kitarë (Ein Leben mit der Gitarre), Tiranë 2019, S. 253.

64   Stringa, H.: Frankua në festivalin e 11-të të këngës solli frymë të re (Franko brachte frischen Wind ins 11. Musikfestival), Telegraf (Zeitung), 8. April 2021, D. : Vitet `70, muzika e lehtë, Diktatura, (Die 70er, Unterhaltungsmusik, Diktatur. Françesk Radi), TV1-Sender, Shkodër, Oktober 2022, RTK1, Pristina, Kosovo, 04. Dezember 2022, Hamide Stringa im Interview, Tiranë, 6. Juli 2020, Video im Familienbesitz.

Doch Frankos Charme gewann jeden für sich. Zum Abschied der Künstler aus Tiranë gab es ein Konzert für das Publikum von Fushë-Arrëz, das allen Beteiligten Genugtuung bereitete. Hamide Stringa höchstpersönlich sang in diesem Konzert, unter anderem auch ein russisches Lied.

In ihren Worten: „Zur musikalischen Begleitung wählten wir Franko. Dieser legte seine Gitarre niemals ab. Ich mochte ihn, und ich mochte mich dabei selbst, wie ich die ‚offizielle Linie' beiseiteschob und diese Jugend, die einfach frei zu fliegen versuchte, nicht daran hinderte."[65]

Françesk: "Die Zeit in Fushë-Arrëz, jene Jahre der Unterbrechung ganz am Anfang meiner Karriere, gehören nicht zu den angenehmsten, und doch fand ich dort Tefta, meine Partnerin fürs Leben. Es fühlte sich wie eine rechtzeitige Entlohnung für all die Aufopferung und die Mühen an. Tefta war Literaturlehrerin und Moderatorin. Das Kulturhaus, in dem ich arbeitete, war auf die Schüler und die Lehrer der Oberschule angewiesen. Tefta zog meine Aufmerksamkeit auf sich, und ich engagierte sie sofort im Kulturhaus. Zu Beginn führten wir eine rein berufliche, korrekte Beziehung. Denn es gab einen großen Unterschied zwischen uns: Sie war dort ernannt, ich war ein Bestrafter in Verbindung mit dem berüchtigten 11. Festival von RTSH. Ernannte und

Françesk, Tefta, Lezhë, 1975

65   Stringa, H.: Frankua në festivalin e 11-të të këngës solli frymë të re (Franko brachte frischen Wind ins 11. Musikfestival), Telegraf (Zeitung), 8. April 2021, D. : Vitet `70, muzika e lehtë, Diktatura, (Die 70er, Unterhaltungsmusik, Diktatur. Françesk Radi), TV1-Sender, Shkodër, Oktober 2022, RTK1, Pristina, Kosovo, 04. Dezember 2022 Hamide Stringa im Interview, Tiranë, 6. Juli 2020, Video im Familienbesitz, D. : Vitet `70, muzika e lehtë, Diktatura, (Die 70er, Unterhaltungsmusik, Diktatur. Françesk Radi), TV1-Sender, Shkodër, Oktober 2022, RTK1, Pristina, Kosovo, 04. Dezember 2022.

Françesk, Tefta, Tiranë, 2015

Bestrafte lebten unter den gleichen Bedingungen, wir schliefen in denselben Häusern und aßen in derselben Arbeitermensa und denselben Lokalen. Der Unterschied bestand darin, dass ich unter ständiger Beobachtung stand und für jede Kleinigkeit bei der Polizei denunziert wurde. Es war ohnehin eine schwierige Zeit für Liebesbeziehungen, zumal in der Provinz. Wenn die Autoritäten davon erfuhren, wurde man zum Heiraten gezwungen, und das würde bedeuten, dass wir mit unserer jungen Familie für immer dort hätten bleiben müssen. Aber ich könnte niemals Tiranë den Rücken kehren, und so blieb unsere Liebe geheim, und entfaltete sich in ihrer Vollständigkeit erst, als wir in Tiranë zurück waren" [66]

66   Radi, F. : Si e gjeta Teftën (Wie ich Tefta traf), Shekulli (Zeitung), 18. März 2001.

Zurück in Tiranë

Im Jahr 1981 schafft es Françesk Radi nach Tiranë zurückzukehren. Es halfen ihm dabei der erste Parteisekretär von Pukë, Thoma Dine, und ein Politbüromitglied, Pali Miska (früherer Leiter des Sägewerks in Pukë). Beide kannten Franko persönlich und waren ihm wohlgesinnt. Doch den Beschluss unterschrieb Ramiz Alia höchstselbst. Ramiz, eine mächtige Figur der Partei und späterer Nachfolger Enver Hoxhas, hatte damals die Funktion des Generalsekretär des Zentralkomitees der Arbeitspartei Albaniens inne, zuständig für die Bereiche Ideologie, Propaganda und Bildung.

Françesk Radi: „Diese lange Unterbrechung meiner Bühnenkarriere hat tiefe Spuren bei mir hinterlassen. Schrecklich, einen Musiker von der Ausübung seines Berufs abzuhalten.“

Zwei Jahre lang konnte er keine Arbeit finden. Alle Türen waren zu, auch bei RTSH, bei deren Symphonischen Orchester er bis 1973 als Bassgitarrist eingestellt war.[67]

Endlich, 1983, begann er als Sologitarrist beim Zirkusorchester von Tiranë. Einige Jahre später wechselte er zur Staatskomödie als Bassgitarrist. Er komponierte für Shows, er schrieb und instrumentierte Lieder für andere Sänger, denn selbst durfte er nicht auftreten.

Der Komponist Aleksandër Lalo:„Ich habe mit Françesk beim Varieté-Theater zusammengearbeitet, er war Bassgitarrist. Wir haben sehr gekämpft, damit er endlich auf die Bühne kommt.“[68]

---

67   Radi, F: Scan TV, Me Marizën (Mit Mariza), 30. Dezember 2016. F. Radi im Interview bei Radio Kontakt, 22. Juni 2012.

68   A. Lalo in Muzikë, emocion, muzikë, TVSH, 14. Dezember 2001.) Radi, T., Gjergji, D. : Françesk Radi. Një jetë në kitarë (Ein Leben mit der Gitarre), Tiranë 2019, S. 257.

Aus dieser Zeit stammen Lieder wie Sharraxhiu, Ecëm për krah të dy tokë (Gewinner der Musikalischen Enquete von Radio Tirana, in einer unvergesslichen Interpretation von Luan Zhegu), Rrugë dhe vite, Krah për krah në jetë (ein Duett von Françesk Radi mit der bekannten Sängerin Elida Shehu, ebenfalls Gewinner der Musikalischen Enquete) und viele andere. Bis heute klingen diese Lieder frisch.

Françesk Radi: „Ich schrieb ein paar normkonforme Sachen, nichts Originelles. Diese Musik war Spiegel ihrer Zeit, ich ging einfach mit der Zeit."[69]

Der Komponist Gjon Shllaku nennt drei Phasen im Schaffen von Françesk Radi, abhängig vom jeweiligen politischen Rahmen:

Die erste Phase stellt der Anfang der 1970-er Jahre dar, mit den drei Hits Adresa, Biçikleta und Kur dëgjojmë zëra nga bota.

Die zweite Phase umschließt die 1980-er Jahre mit den Liedern: Krah për krah në jetë, Ecëm përkrah në jetë, Lulja më e bukur, Troket lehtë mëngjesi und anderen.

Die dritte Phase beginnt nach dem Fall der Diktatur 1990.

In der zweiten Phase, als Françesk ein Verbannter war, besteht seine Kunst in der ‚kontrollierten Inspiration' innerhalb des vorgegebenen ideologischen Rahmens. Die ideologisch korrekten Texte versah er mit hochwertigen, authentischen Melodien. Ein Beispiel davon ist das Lied Krah për krah në jetë. Ein anderes Beispiel ist das Lied Ecëm përkrah në jetë, das auf Folkloremotiven beruht, ohne in die Falle der Vulgarität zu tappen, die so oft in dieser Zeit zu beobachten war.[70]

In der zweiten Hälfte der achtziger Jahre versucht Françesk, wieder am Musikfestival von RTSH teilzunehmen, der Traum aller Musiker. Gëzim Gjata, ein Beteiligter: „Er wollte zum Musikfestival, aber man ließ ihn nicht, in den Jahren 1987, 1988… Ich hatte damals eine Stellung, die mir erlaubte, ihm zu helfen. Er schrieb einen Brief und bat mich, diesen den Verantwortlichen in der Musikabteilung zu überbringen. Der Chef sagte dann, warum nicht, soll Françesk doch singen. Aber die RTSH-Leute hatten Angst. Alle hatten große Angst. Dabei war das Lied sehr schön, mit einem Text von Naim Frashëri, wirklich nichts Dekadentes. Als er vorsang, meinte der Verantwortliche, kannst du es nicht ein wenig schlechter singen? Offenbar klang es ihm zu sehr nach Celentano."

---

69   F. Radi in Pasdite (Nachmittags), Top Channel TV, 19. Juni 2015. F. Radi in Fol me mua (Sprich mit mir), TVSH, 15. Mai 2015. F. Radi in Jetë e trazuar (Turbulentes Leben), Dokumentarfilm, TVSH, 18. April 2018.

70   Shllaku, Gjon: Adresa dhe Biçikleta të F. Radit, hite që koha i lartëson (Adresa und Biçikleta von F. Radi, Hits, die die Zeit überdauern), Telegraf (Zeitung), 11. Mai 2021, D. : Vitet `70, muzika e lehtë, Diktatura, (Die 70er, Unterhaltungsmusik, Diktatur. Françesk Radi), TV1-Sender, Shkodër, Oktober 2022, RTK, Pristina, Kosovo, 27. November 2022

Françesk: „Ja, der Techniker sagte in der Tat, sing doch ein bisschen schlechter, Franko, denn sonst kommst du damit nicht durch. Und das Lied kam auch nicht durch."[71]

Es ging um das Lied Lulja më e bukur. Es wurde nicht im Musikfestival vorgetragen, dafür aber in der Musikalischen Enquete ausgestrahlt. Es war die höchste Auszeichnung, die Franko in dieser Zeit erreichen konnte. Mehrere seiner Kreationen und Kooperationen gewannen in der zweiten Hälfte der achtziger Jahre Preise in der Enquete.

Er sang bei der Staatskomödie auch ausländische Lieder, Hits der Zeit, meist aus Lateinamerika. Endlich kostete er wieder etwas vom Bühnenglück, von dem er sich 1973 verabschieden musste. Er konnte wieder sich als Liedermacher, Sänger und Instrumentalist etablieren. Es folgten Einladungen aus anderen Städten, etwa aus Kuçovë im November 1988.

Der Leiter des Kulturhauses, der Kineast Skënder Jaçe: „Françesk stand auf dem Höhepunkt seiner Strahlkraft. Im Saal saßen dreihundert Zuschauer, draußen standen zwei-, dreitausend. Ich gab die Anweisung, zwei Lautsprecher nach draußen zu bringen. Es war sehr kalt, aber die Menschen blieben stehen und hörten der reizenden Stimme dieses Künstlers zu, dieses großartigen Menschen, dem die albanischen Musik so viel zu verdanken hat."[72]

Der Schlagzeuger der Amateurgruppe Edmond Naqellari erinnert sich: „Am Ende des Konzerts sang Franko Bamboleo von den Gipsy Kings. Der Saal tobte, das Lied wurde drei Mal wiederholt und von den Zuschauern mitgesungen, drinnen wie draußen. Franko ist ein wunderbarer, unikaler albanischer Musiker."[73]

Skënder Jaçe: „Es war kurz vor dem Mauerfall, und die Angst hatte die Menschen noch fest im Griff. Aber in jener Nacht verdrängte Franko die Angst. Ich bin sicher, dass niemand in diesem Saal diesen Abend je vergessen hat, dieses Erlebnis, diese schöne Stimme. Das Publikum war an jenem magischen Abend hingerissen."[74]

---

71   Gëzim Gjata und Françesk Radi in E diela shqiptare (Der albanische Sonntag), Klan TV, 28. November 2010, D. : Vitet `70, muzika e lehtë, Diktatura, (Die 70er, Unterhaltungsmusik, Diktatur. Françesk Radi), TV1- Sender, Shkodër, Oktober 2022, RTK, Pristina, Kosovo, 27. November 2022

72   Françesk Radi, koncert-show në Qytetin Stalin-Kuçove më 1988 (F. Radi, Konzert in der Stalin-Stadt (Kuçovë) 1988), Vatra (Zeitung), 2. Juni 2021. Françesk Radi dhe koncert " show në qytetin Stalin (Kuçova e sotme) në Nëntor të 1988 " ës (F. Radi und das Konzert in der Stalin-Stadt (heute Kuçovë), 14. Mai 2021.S. Jaçe im Interview, Tiranë, 23. Oktober 2020, Video im Familienbesitz.

73   Françesk Radi, koncert-show në Qytetin Stalin-Kuçove më 1988 (F. Radi, Konzert in der Stalin-Stadt (Kuçovë) 1988), Vatra (Zeitung), 2. Juni 2021, D. : Vitet `70, muzika e lehtë, Diktatura, (Die 70er, Unterhaltungsmusik, Diktatur. Françesk Radi), TV1-Sender, Shkodër, Oktober 2022, RTK1 Pristina, Kosovo, 04. Dezember 2022 Françesk Radi dhe koncert „ show në qytetin Stalin (Kuçova e sotme) në Nëntor të 1988 „ ës (F. Radi und das Konzert in der Stalin-Stadt (heute Kuçovë), 14. Mai 2021. Interview mit E. Naqellari, Kuçovë, 18. September 2020, Video im Familienbesitz, D. : Vitet `70, muzika e lehtë, Diktatura, (Die 70er, Unterhaltungsmusik, Diktatur. Françesk Radi), TV1-Sender, Shkodër, Oktober 2022, RTK, Pristina, Kosovo, 27. November 2022

74   Françesk Radi, koncert-show në Qytetin Stalin-Kuçove më 1988 (F. Radi, Konzert in der Stalin-Stadt (Kuçovë) 1988), Vatra (Zeitung), 2. Juni 2021, D. : Vitet `70, muzika e lehtë, Diktatura, (Die 70er, Unterhaltungsmusik, Diktatur. Françesk Radi), TV1-Sender, Shkodër, Oktober 2022, RTK1, Pristina, Kosovo, 04. Dezember 2022, Françesk Radi dhe koncert show në qytetin Stalin (Kuçova e sotme) në Nëntor të 1988 ☐ ës (F. Radi und das Konzert in der Stalin-Stadt (heute Kuçovë), 14. Mai 2021. S. Jaçe im Interview, Tiranë, 23. Oktober 2020, Video im Familienbesitz.

Françesk mit der Amateurgruppe von Kuçovë, November 1988

Françesk wurde von einer Amateurgruppe junger, talentierter Musiker begleitet. Zwei Tage intensive Arbeit mit den Noten wurden mit Erfolg belohnt. Skënder Jaçe: „Nach dem Konzert warteten die Zuschauer auf Franko, für ein Autogramm oder Foto. Wir hatten einen Fotografen vom Kino, damals gab es keine Mobiltelefone. Sie rissen sich darum, um diese Fotos. Aber es war unmöglich, alle zu befriedigen."[75]

---

75   . Ebenda.

Nach der Wende

it der Hilfe des Dirigenten Zhani Ciko kehrte Françesk 1995 zum Symphonischen Orchester von RTSH zurück, zur Grundformation, neben Edison Misso, Edmond Xhani, Genc Dashi, Shpëtim Saraçi. Diese Truppe galt als die Creme de la Creme der albanischen Musik.

Françesk als Bassist im Symphonischen Orchester von RTSH, 1996

1993, zwanzig Jahre nach seiner Verbannung, kehrte Françesk auf die Bühne des Musikfestivals mit großer kreativer Kraft zurück. Die Lieder aus dieser Zeit tragen Botschaften, Finesse, Protest, Melodie, Struktur in sich. Im 32. Musikfestival von RTSH präsentierte sich Françesk mit dem Lied Një nënë, fëmijët, koha dhe unë. Es ist ein sozial sensibles Lied; der Text stammt von der amerikanisch-italienischen Sängerin Romina Power.

Françesk: „Es war ein schwieriger Moment. Ich spürte die große Verantwortung, meinem Namen aus den Siebzigern gerecht zu werden. Ich musste es mir sehr genau überlegen."[76]

Zhani Ciko: „Es war ein würdiger Auftritt. Er blieb dem Image seiner Jugend treu. Seine Seele, seine Konzepte und seine Überzeugungen hatten die Zeit überstanden. Für mich ist er ein ganz besonderer Musiker, eine Ikone des Popsongs, würde ich sagen, der tiefe Spuren hinterlassen hat."[77]

Aleksandër Lalo: „Françesk war einer der wenigen Musiker, die sich selbst treu blieben. Er verriet weder sich selbst, noch seine Freunde oder seine Bewunderer. Ich sehe eine ansteigende Kurve in seiner kreativen Entwicklung. Nach 1990 bewahrte er seinen Stil, die Harmonien, die Verwendung der Volksmotive in der Popmusik und blieb somit einer der wenigen kreativen Köpfe, die in dieser turbulenten Zeit Wachstum aufwiesen."[78]

1990 war Françesk endlich wieder in seinem Element. „Er schrieb und interpretierte in dieser produktiven Zeit einen schönen Song nach dem anderen. Die ideologischen Themenlieder ließ er zurück, denn sie waren niemals seine Welt gewesen, sie hatten niemals zu ihm gepasst, zum jungen, modernen Mann mit der Woodstock-Prägung", so die Meinung seines frühen und treuen Gefährten, Gazmend Mullahi.[79]

Gjon Shllaku: "Nach 1991 fand Françesk seine alte Inspiration wieder. Er führte die magischen Momente seiner Jugend in die neue Zeit ein, in einer bemerkenswerten stilistischen Kontinuität, und bewies, dass seine Kunst, so wie die von Celentano, zeitlos ist. In dieser Phase erreichte er seinen stilistischen Höhepunkt, da er, endlich frei von allen geistigen und künstlerischen Einschränkungen, in seinen kreativen Entscheidungen allein seinem musikalischen Gewissen verpflichtet war. Diese Schaffensphase bedeutet einen enormen Fortschritt in allen Elementen: in der Auswahl der sozial sensiblen Themen, in den hochwertigen Texten, Melodien, Rhythmen, Harmonien und in dem um die neuen elektronischen Möglichkeiten bereicherten Sound. Er stärkte unentwegt seine kreative Identität, während er seiner eigenen Tradition und dem persönlichen Geschmack treu blieb. Auch der Songaufbau folgt dem bewährten Modell – zu beobachten in den Introduktionen und dem Einsatz

---

76   F. Radi in Pasdite (Nachmittags), Top Channel TV, 19. Juni 2015. Radi, T., Gjergji, D. : Françesk Radi. Një jetë në kitarë (Ein Leben mit der Gitarre), Tiranë 2019, S. 172.

77   Zhani Ciko in Jetë e trazuar (Turbulentes Leben), Dokumentarfilm, TVSH, 18. April 2018, D. : Vitet `70, muzika e lehtë, Diktatura, (Die 70er, Unterhaltungsmusik, Diktatur. Françesk Radi), TV1-Sender, Shkodër, Oktober 2022, RTK1, Pristina, Kosovo, 04. Dezember 2022. Radi, T., Gjergji, D. : Françesk Radi. Një jetë në kitarë (Ein Leben mit der Gitarre), Tiranë 2019, S. 249.

78   Aleksandër Lalo in Jetë e trazuar (Turbulentes Leben), Dokumentarfilm, TVSH, 18. April 2018. Radi, T., Gjergji, D. : Françesk Radi. Një jetë në kitarë (Ein Leben mit der Gitarre), Tiranë 2019, S. 258.

79   Gazmend Mullahi, im Interview über Françesk Radi, San Diego, California, 20. September 2020, Audio im Familienbesitz, D. : Vitet `70, muzika e lehtë, Diktatura, (Die 70er, Unterhaltungsmusik, Diktatur. Françesk Radi), TV1-Sender, Shkodër, Oktober 2022, RTK1, Pristina, Kosovo, 04. Dezember 2022.

der verschiedenen Instrumente. Die zentrale Rolle in seinem Schaffen spielte natürlich die Gitarre."[80]

„Nach 1990 öffneten sich neue Fenster für meine Musik. Angesichts der harten albanischen Realität wurden meine Lieder zum Spiegel der Zeit", schreibt Françesk in seinen Memoiren.

Ein solches Protestlied ist Herezia (Die Häresie). Es ist ein autobiographisch inspirierter Text (von Alqi Boshnjaku) über das Leiden der Künstler unter der Diktatur (1944-1990) und über die erstaunlichen politischen ‚Wendehälse' danach. Rock i burgut (Knastrock) ist allen gefangenen und verbannten Künstlern aus jener Zeit gewidmet. „Ich fühlte tief mit all diesen Menschen, deshalb schrieb ich dieses Lied im Jahr 1996", sagt Françesk Radi dazu.[81]

Mikaela Minga: „Seine Rückkehr auf die Festivalbühne nach dem Fall der Diktatur fühlt sich an wie die Wiederaufnahme von Etwas, das gewaltsam unterbrochen worden war. Sein Anspruch ist der soziale Protest und das Bürgerengagement. Während der Pausenzeit scheint dieser Musiker mit dem Gestus eines Celentano, aufgrund seiner Erfahrungen im Leben und in der Musik, eher die Botschaft von Let it be verinnerlicht zu haben. Für uns heute ist er ein Beispiel des allzu Menschlichen in der Popmusik, mit dieser als einem Verhandlungsraum, als einer Bühne des Dialogs des Musikers mit seinem Publikum, den Kollegen, den Institutionen, der Politik, dem Staat und dem ESC."[82]

Françesks letzter TV-Auftritt im Februar 2017, einen Monat vor seinem Tod, fand in der Sendung Thurje von Digitalb statt. Das Thema des Abends: Das Musikfestival von RTSH und das Festival von Sanremo. Er wurde gebeten, ein Lied mit der Gitarre zu interpretieren. Er wählte Vietato morire vom albanisch-italienischen Liedermacher Ermal Meta, den er als tiefen Kenner der italienischen Musikseele schätzte.

Am 27. März 2017 erlitt Françesk Radi einen fatalen Schlaganfall. Am 3. April, gegen 16 Uhr hörte sein Herz auf zu schlagen.

---

80   Shllaku, Gjon: Adresa dhe Biçikleta të F. Radit, hite që koha i lartëson (Adresa und Biçikleta von F. Radi, Hits, die die Zeit überdauern), Telegraf (Zeitung), 11. Mai 2021, D. : Vitet `70, muzika e lehtë, Diktatura, (Die 70er, Unterhaltungsmusik, Diktatur. Françesk Radi), TV1-Sender, Shkodër, Oktober 2022, RTK1, Pristina, Kosovo, 04. Dezember 2022

81   F. Radi in Fol me mua (Sprich mit mir), TVSH, 15. Mai 2015. F. Radi in Jetë e trazuar (Turbulentes Leben), Dokumentarfilm, TVSH, 18. April 2018. Radi, T., Gjergji, D. : Françesk Radi. Një jetë në kitarë (Ein Leben mit der Gitarre), Tiranë 2019, S. 172.

82   Minga, Mikaela: https://peizazhe.com/2021/04/28/francesk-radi/. D. : Vitet `70, muzika e lehtë, Diktatura, (Die 70er, Unterhaltungsmusik, Diktatur. Françesk Radi), TV1-Sender, Shkodër, Oktober 2022, RTK1, Pristina, Kosovo, 04. Dezember 2022

Einflüsse, Grundsätze, Rezeption, Vermächtnis

Prof. Dr. Behar Arllati, Musikkritiker aus Kosova: „Durch seine ganze Karriere hindurch scheint Françesk Radi einen eigenen, geheimen Code von musikalischen Zeichen und Elementen verwendet zu haben, die ihn zum einmaligen Singer/Songwriter machen. Dieser Code macht ihn auch zu einem außerordentlichen Interpreten von jeder Musikart, ob albanischen oder ausländischen Ursprungs, die er kunstvoll in diversen Stilrichtungen (Rock, Rock'n'Roll) arrangierte. Den albanischen ‚städtischen Liedern' gab er mit seinen Interpretationen stets ein neues Gesicht. Bei seinen Neuarrangements beweist er die Fähigkeit, den Song in die gewünschte Richtung zu lenken, ohne den ursprünglichen Charakter zu verfälschen. Er hat die Fähigkeit, ein altes Gerüst in ein frisches Lied zu verwandeln."[83]

Françesk war sich der Wichtigkeit eines guten Liedtextes stets bewusst. Er legte großen Wert darauf, immer mit den besten Textautoren und Poeten zusammenzuarbeiten, mit Namen wie Dritëro Agolli, Kastriot Gjini, Agim Doçi, Vangjel Kozma, Alqi Boshnjaku, Demir Gjergji und anderen. Einige Liedtexte schrieb er selbst: Biçikleta, Paganini, Krishtlindjet (Weihnachten).

Françesk Radi zum Inhalt seiner Lieder: „Es war mir wichtig, nicht nur die Liebe zu besingen, sondern auch die anderen Seiten des Lebens. Meine Inspiration fand ich immer in meiner albanischen Umgebung. Ich will nicht nur Interpret sein, ich habe auch etwas zu sagen."

83   Arllati, Behar: F. Radi, këngëtari me shpirt bohemi (F. Radi, der Sänger mit der Bohémien-Seele), Nacional (Zeitung), 15. Mai 2021, D. : Vitet `70, muzika e lehtë, Diktatura, (Die 70er, Unterhaltungsmusik, Diktatur. Françesk Radi), TV1-Sender, Shkodër, Oktober 2022, RTK1, Pristina, Kosovo, 04. Dezember 2022 Behar Arllati im Interview, Gjakovë, 18. August 2020, Video im Familienbesitz.

Die Geschichte, die ein Lied erzählt, war für Françesk essenziell. „Das Lied ist nicht nur Musik. Ein gutes Lied muss alle Elemente harmonisch in sich vereinen. Das Wort ist zentral und muss sehr klar ausgesprochen werden. Ein gutes Lied hat immer eine Botschaft", sagt Françesk.[84]

Aber sein Element bleibt die Liebe. Romantische Gefühle und irdische, sinnliche Noten gehen Hand in Hand. Durch die Texte der großen Dichter wie Dritëro Agolli, Agim Doçi, Demir Gjergji und Kastriot Gjini erscheint die Liebe wie die schönste Sache des Lebens. Zu ihr gehören aber auch die überraschenden Wendungen, Kummer und Sehnsucht. Liebeslider aus dieser Phase sind: Fli c vuajtura (Schlaf meine Liebe), Sa e bukur je (Wie schön du bist), Mos thuaj jo, Erë vere (Sommerwind), Adresa (Die Adresse), Syri i saj po më verbon.

Gjon Shllaku: "Françesk ging sehr systematisch an die kreative Arbeit heran. Er holte seine musikalische Inspiration aus Gedichten seiner beliebten Autoren. Er scheint mit dem poetischen Vers und seinen Details sehr vertraut gewesen zu sein, was sich in der perfekten melodischen und harmonischen Silbengliederung widerspiegelt. Das Ergebnis leuchtet dann in spektralen Farben und schönen Kontrasten. Entsprechend unterscheiden sich die Lieder voneinander. Paganini (Funk-Hip-Hop) ist ganz anders als Një nënë, fëmijët, koha dhe unë (getragene Ballade mit dem Text von Romina Power). Einen eigenen Reiz besitzt das Lied Herezia (Die Häresie) (energische Italo-Disko). Dagegen hat Zemër e lodhur (Müdes Herz) einen einfachen, und doch meisterhaften Aufbau, getragen von romantischer Sehnsucht, typisch für den Autor. Dem Rock i burgut (Knastrock) stehen die Zartheit und kindliche Ehrlichkeit von Telefonatë zemrash (Telefongespräch) gegenüber. Jeta s'të le fëmijë ist wiederum eine realistische Ballade erfahrener Eltern. Im Lied Humba pranverën (Verpasster Frühling) beklagt er sein Los mit der ganzen Strahlkraft seiner Seele. Pessimistisch und zugleich lebensbejahend durch den rockigen Rhythmus präsentiert sich Ky Fat na ra (Ein tolles Los) (House-Disko). Im Lied Fli e vuajtura ime (Schlaf meine Liebe) wird eine langjährige, liebevolle Ehe besungen. Të gjithë në det ist eine Hymne für die sommerliche Leichtigkeit im exotischen Reggae-Stil."[85]

Behar Arllati: „Der Auftritt von Françesk Radi ist für mich eins der wichtigsten Elemente. Als Interpret passte er sich dem Charakter des Konzerts an und bereicherte dieses um sein eigenes scharfes Profil. In den Musikfestivals brachte er eigene Kreationen auf die Bühne, dazu den ganz eigenen Gesang und die originelle, lockere Haltung mit Gitarre. Seit seiner Jugend präsentierte

---

84   Radi, F: Scan TV, Me Marizën (Mit Mariza), 30. Dezember 2016. F. Radi in Fol me mua (Sprich mit mir), TVSH, 15. Mai 2015. F. Radi in Jetë e trazuar (Turbulentes Leben), Dokumentarfilm, TVSH, 18. April 2018. Radi, T., Gjergji, D. : Françesk Radi. Një jetë në kitarë (Ein Leben mit der Gitarre), Tiranë 2019, S. 189.

85   Shllaku, Gjon: Adresa dhe Biçikleta të F. Radit, hite që koha i lartëson (Adresa und Biçikleta von F. Radi, Hits, die die Zeit überdauern), Telegraf (Zeitung), 11. Mai 2021, D. : Vitet `70, muzika e lehtë, Diktatura, (Die 70er, Unterhaltungsmusik, Diktatur. Françesk Radi), TV1-Sender, Shkodër, Oktober 2022, RTK1, Pristina, Kosovo, 04. Dezember 2022.

er auch seinen individuellen Kleidungsstil – eine Mischung von klassisch und modern-sportlich. Auch in Musikgruppen stach er hervor. Er widmete all diesen Bereichen viel Aufmerksamkeit, so dass er immer zur Bühne passte, und die Bühne zu ihm.‟[86]

Den größten Einfluss auf seinen musikalischen Geschmack hatte zweifelsohne die italienische Musik geübt. Françesks Vater, Balto Radi, war Instrumentalist und Sänger am Stadtorchester von Prizren. Françesk über seinen Vater: „Er spielte Gitarre und Kontrabass und sang Opernarien von Verdi, Puccini…, Mascagni… und Rossini. Er sang diese in albanischer Sprache. Offenbar kannte er sie aus seiner Jugend in Kosova. Oft sangen wir zusammen. Am liebsten sang er Weihnachtslieder, Natë e qetë, natë e bardhë (Stille Nacht).‟[87]

Das Orchester der Stadt Prizren. Françesks Vater, Balto Radi (Mitte) mit Kontrabass, 1923

Weihnachten wurde bei den Radis immer gefeiert. Die fromme, traditionsreiche katholische Familie feierte trotz Verbots und unter Androhung schwerer Strafen durch das Regime, das 1967 sämtliche Gotteshäuser und den Klerus aller Konfessionen zerstörte.

„Meine Familie hat immer gefeiert, auch unter der Diktatur. Wir versammelten uns in Privatwohnungen, mit Freunden, Bekannten, Familie,

---

86   Arllati, Behar: F. Radi, këngëtari me shpirt bohemi (F. Radi, der Sänger mit der Bohemien-Seele), Nacional (Zeitung), 15. Mai 2021, D. : Vitet `70, muzika e lehtë, Diktatura, (Die 70er, Unterhaltungsmusik, Diktatur. Françesk Radi), TV1-Sender, Shkodër, Oktober 2022, RTK1, Pristina, Kosovo, 04. Dezember 2022. Behar Arllati im Interview, Gjakovë, 18. August 2020, Video im Familienbesitz.

87   Radi, F: Scan TV, Me Marizën (Mit Mariza), 30. Dezember 2016. Françesk Radi in E diela shqiptare (Der albanische Sonntag), Klan TV, 28. November 2010.) Radi, T., Gjergji, D. : Françesk Radi. Një jetë në kitarë (Ein Leben mit der Gitarre), Tiranë 2019, S. 29.

und feierten durch die Nacht, sangen, frohlockten, tanzten. Heiligabend war das Symbol schlechthin, für die Nacht und das Licht des Lebens", sagt Françesk.[88]

Das Vorbild Adriano Celentano spielte ebenfalls eine wesentliche Rolle im Schaffen von Françesk Radi. Seit seiner Kindheit vergötterte er den großen Celentano, kannte und sang sein gesamtes Repertoire.

„Ich sang Celentano auch, weil meine Stimme seiner Stimme so sehr ähnelte. Es fühlte sich so an, als wären diese Lieder für mich geschrieben, so leicht fiel es mir, sie zu singen. Aber es ist keine Nachahmung. Ich singe als Franko, immer mit meiner Stimme."[89]

Sherif Merdani, Sänger: „Mein Idol war Tom Jones. Das Idol von Franko, meinem wunderbaren Liedermacher-Freund, war Celentano, dessen Stil er in die albanische Musik einführte, so schön und originell. Franko vergötterte Celentano, dessen Gitarrenspiel, dessen Stimme, die Texte, die Melodien, den Interpretationsstil. Es gab keine Party, auf der Franko nicht

Celentano spielte. Er brauchte nur die Gitarre, denn die Texte kannte er alle auswendig, und los ging's mit diesen unvergleichlichen Unterhaltungsstunden."[90]

Josif Papagjoni, der Freund, mit dem Françesk die Nächte in der schrecklichen Holzbaracke von Fushë-Arrëz überstand: „Ich habe seine Stimme im Ohr, wie er da Celentanos Lieder sang, die ihm so sehr lagen. Durch seine Gitarre, durch seine Musik, durch Celentano und die anderen großen Italiener rettete Franko sich selbst, mich, uns alle."[91]

Die Liebe zu Celentano erlosch nie in seinem Herzen. Er war sein Alter Ego, er war sein Zeitgenosse. Seit 24 mila baci und bis zum Ende seines Lebens bewunderte er Celentano. "Er war ein Vorreiter, immer seiner Zeit voraus. Bis heute macht er unbestechlich schöne Musik, inspiriert und professionell", sagt Françesk.[92]

In seinen Schriften wird sein Dilemma erkennbar, ob er eine Begegnung mit seinem Idol anstreben sollte. "Was wäre, wenn alle Fans Celentano treffen wollten?", meinte er. Er schrieb einen Brief, verschickte ihn aber niemals.

---

88   F. Radi in Top Show Magazin, Top Channel TV, 18. Dezember 2014.

89   F. Radi in Fol me mua (Sprich mit mir), TVSH, 15. Mai 2015. F. Radi in Pasdite (Nachmittags), Top Channel TV, 19. Juni 2015. F. Radi in Jetë e trazuar (Turbulentes Leben), Dokumentarfilm, TVSH, 18. April 2018. Radi, T., Gjergji, D. : Françesk Radi. Një jetë në kitarë (Ein Leben mit der Gitarre), Tiranë 2019, S. 155.) Rexho, Eraldo: Kitara dhe kënga në plazh shërbenin si " karremi" për të afruar vajzat (Die Gitarre und der Gesang am Strand dienten als Köder für die Mädchen), Gazeta Shqiptare (Zeitung), 29. Juli 2010.

90   Sherif Merdani in Jetë e trazuar (Turbulentes Leben), Dokumentarfilm, TVSH, 18. April 2018. Radi, T., Gjergji, D. : Françesk Radi. Një jetë në kitarë (Ein Leben mit der Gitarre), Tiranë 2019, S. 272.

91   Josif Papagjoni in Jetë e trazuar (Turbulentes Leben), Dokumentarfilm, TVSH, 18. April 2018. Radi, T., Gjergji, D. : Françesk Radi. Një jetë në kitarë (Ein Leben mit der Gitarre), Tiranë 2019, S. 253.

92   F. Radi in Top Show Magazin, Top Channel TV, 18. Dezember 2014.

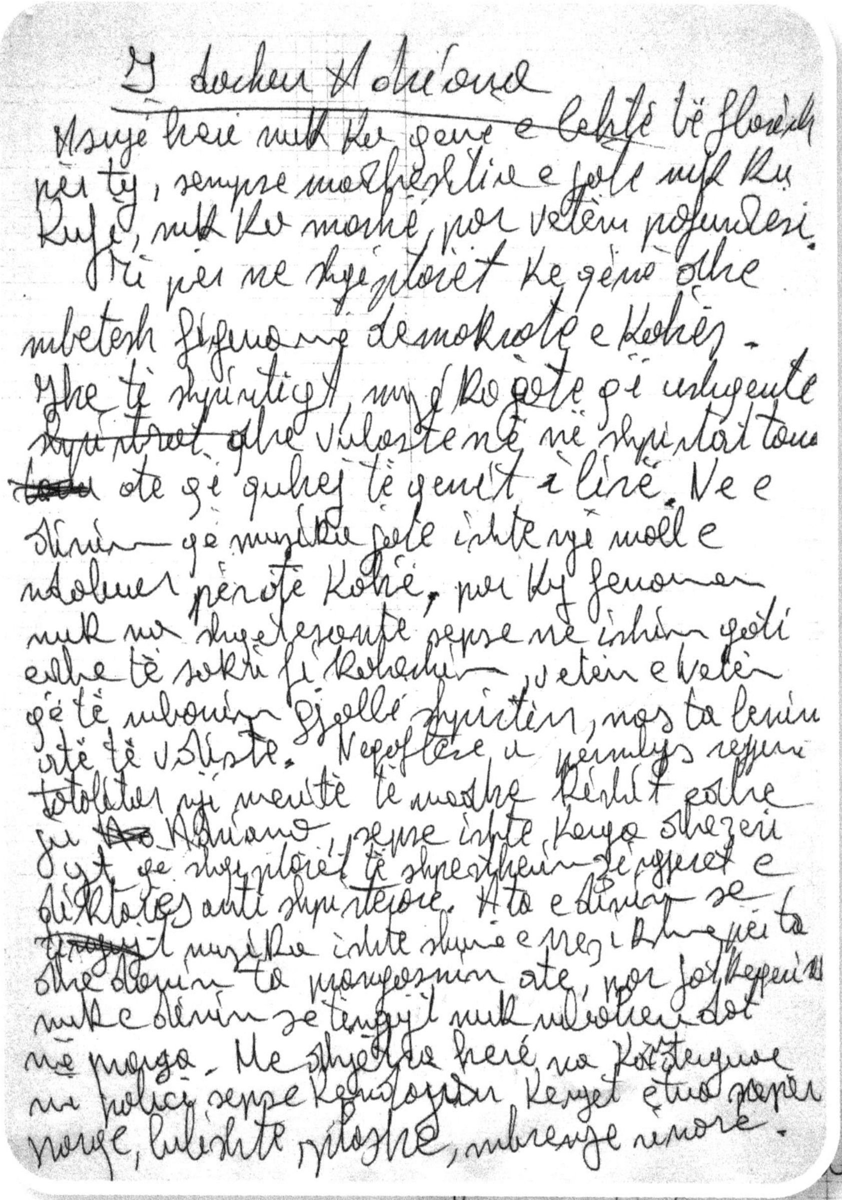

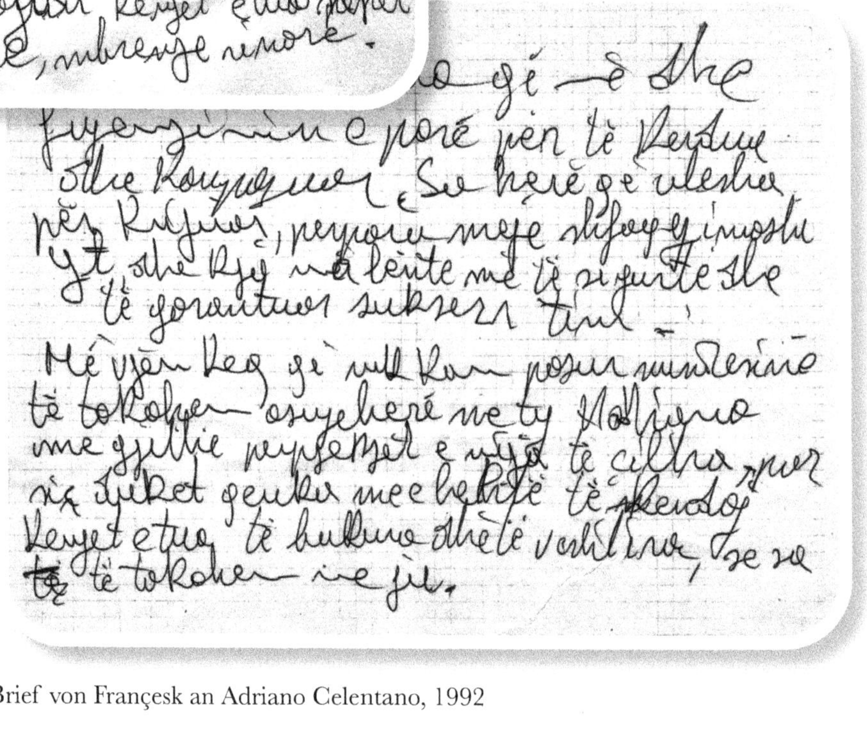

Der Brief von Françesk an Adriano Celentano, 1992

Zitat aus dem Brief:

>   Lieber Adriano!
>
> „ Du, deine Seele und deine Lieder waren es, die in unseren Seelen
> das Bedürfnis nach Freiheit stillten. Deine Musik war für uns ein
> verbotener Apfel, aber wir ignorierten das Verbot. Wir waren bereit,
> den Preis zu zahlen, denn es ging um unser seelisches Überleben.
> Sie (die Diktatur) wusste um die große Gefahr, die ihr in der Musik
> erwuchs, wollte diese in Ketten legen. Was sie nicht begriff, war, dass
> man Klänge nicht anketten kann. Wie oft wurden wir von der Polizei
> festgenommen, weil wir deine Lieder in Parks, an Stränden und auf
> Tanzabenden sangen. Du, Adriano, gabst mir den ersten Funken der
> Inspiration zum Singen und Komponieren. Jedes Mal, dass ich mich
> zum Komponieren hinsetzte, sah ich dein Bild vor mir, und das gab
> mir große Kraft. Ich bedauere, dass ich niemals die Chance hatte,
> dir zu begegnen, Adriano. Deine schönen und komplexen Lieder zu
> singen, war für mich offenbar einfacher, als dich persönlich zu treffen.'

Der Schriftsteller Shpend Sollaku Noé: 'Ende der neunziger Jahre hatte ich
die Gelegenheit, Adriano Celentano zu treffen. Ich zeigte ihm den Françesko-
Cover von Susanna, seines eigenen Lieds. Sein Kommentar auf seine typische
Art: 'Aber das bin doch ich, bzw. es könnte nur ich sein, bzw. das bin ich
offensichtlich nicht, aber es ist jemand, der es noch besser kann als ich.'Ich
erzählte ihm von Françesk Radi, einem berühmten albanischen Musiker und
Liedermacher, der von der Diktatur wegen seiner Musik verfolgt worden war.
Ich versprach ihm eine CD von Françesk, so ich denn eine finden sollte'[93]
Françesk sang über achtzig Lieder in anderen Sprachen. Er sang Welthits
von älteren und jüngeren Musikern, einige davon in albanischer Übersetzung.
Die Liste ist lang: Amy Winehouse, Stromae, Sting, La Bouche, Bob Marley,
Aretha Franklin, Adamo, The Beatles, Giorgos Mazonakis, Elvis Presley, John
Lennon, Joe Dassin, Frank Sinatra, Ricky Martin, Toto Cutugno, Roberto
Ferri, Edoardo Bennato und viele andere. Der König der Weltmusik war für
Françesk Radi Ray Charles. Und doch, waren es niemals Nachahmungen,
sondern originelle Neuinterpretationen.

---

93   Sollaku Noè, Sh: F. Radi e kreu revolucionin e tij (F. Radi schaffte seine eigene Revolution), Shqiptarja.com, 27 Mars 2019, D. : Vitet `70, muzika e lehtë, Diktatura, (Die 70er, Unterhaltungsmusik, Diktatur. Françesk Radi), TV1-Sender, Shkodër, Oktober 2022, RTK1, Pristina, Kosovo, 04. Dezember 2022. Radi, T., Gjergji, D. : Françesk Radi. Një jetë në kitarë (Ein Leben mit der Gitarre), Tiranë 2019, S 339.

Zef Çoba: „Als Interpret folgte er seinem inneren Drang, Brücken zur zeitgenössischen Musik zu bauen. Er suchte sich ein feines Repertoire aus, mit den bekanntesten Namen von den sechziger Jahren bis in den heutigen Tag. Er sang auf Italienisch, Englisch, Französisch, Griechisch, Spanisch, und so weiter. Natürlich erst nach dem Fall der Diktatur 1990. Aber auch davor, heimlich und im Privaten, wurde die ‚verbotene Musik' gesungen."[94]

Françesk schätzte und sang auch schöne Lieder seiner Musikerkollegen, bereicherte diese mit seinen inspirierten Interpretationen. Er sang Lieder von Autoren wie Kastriot Gjini, Aleksandër Vezuli, Josif Minga, Spartak Tili, Ardit Gjebrea, Roland Qafoku, Mentor Haziri und so weiter.

RTSH, die Institution, in der er seine Karriere begann und beendete, blieb für immer sein ‚Zuhause'. Françesk: „Ich liebe es, dass meine Karriere in dieser schönen Institution stattfand. Mein Erfolg, mein Schmerz, das Festival, die Enquete und alles Schöne, das ich geschaffen habe, sind mit ihr verbunden."[95]

In seiner kreativen Arbeit ging er niemals Kompromisse ein. Er machte ausschließlich gute Musik, arbeitete hart und gab alles. Es ging ihm darum, dem Publikum aller Generationen Werte zu vermitteln und Vergnügen zu bereiten. Er sträubte sich gegen den Kitsch in der Musik, gegen den ideologischen Missbrauch, Verzerrung und Banalisierung, gegen die lebensfremde Musik, die nicht das Gute, Wahre und Schöne zum Gegenstand hatte. Er missbilligte die kommerzielle, kurzlebige Musik.

„Die Musikkritik gibt es offenbar nicht mehr, denn sonst würde nicht ständig schlechte Musik für gute Musik gehalten werden. Ich fürchte, der Musikgeschmack könnte Schaden nehmen; dabei haben die Albaner, selbst unter der Diktatur und trotz des staatlich verordneten Programms, immer gute Musik gehört. Sie hörten westliche Musik, alle Richtungen, obwohl diese verboten waren. Mir tut es weh, das mit anzusehen, deshalb empfinde ich es als Aufgabe, auch für die Jugend, bedingungslos gute Musik zu machen. Schöne Musik vergeht nicht, und sei es, dass ihr erst später die gebührende Anerkennung zuteilwird… Ich hoffe, dass wir den Tiefpunkt des schlechten Geschmacks schon erreicht haben. Ab jetzt kann es nur besser werden, hoffentlich kommt bald ein Wiederaufleben der wahren Werte. Ich habe immer an die Güte und Vitalität des Volkes geglaubt."[96]

---

94 Çoba, Z.: F. Radi është zëri i sinqertë i muzikantit pasionant (F. Radi, ehrliche Stimme eines leidenschaftlichen Musikers), Telegraf (Zeitung), 8. April 2021, D. : Vitet `70, muzika e lehtë, Diktatura, (Die 70er, Unterhaltungsmusik, Diktatur. Françesk Radi), TV1-Sender, Shkodër, Oktober 2022, RTK1, Pristina, Kosovo, 04. Dezember 2022 Zef Çoba im Interview, Shkodër, 31. Januar 2021, Video im Familienbesitz.

95 Radi, F: Scan TV, Me Marizën (Mit Mariza), 30. Dezember 2016. F. Radi in Jetë e trazuar (Turbulentes Leben), Dokumentarfilm, TVSH, 18. April 2018.Radi, T., Gjergji, D. : Françesk Radi. Një jetë në kitarë (Ein Leben mit der Gitarre), Tiranë 2019, S 170.

96 Kollobani, Lorena: F. Radi, kantautori që i bën të gjitha (F. Radi, der Kantautor, der alles selbst macht), Standard (Zeitung), 24. März 2007. Radi, F: Scan TV, Me Marizën (Mit Mariza), 30. Dezember 2016. Radi, T., Gjergji, D. : Françesk Radi. Një jetë në kitarë (Ein Leben mit der Gitarre), Tiranë 2019, S 183.

FAQE 14
E MËRKURË
31 GUSHT 2005

INTERVISTE

REPUBLIKA

Françesk Radi rrëfen mangësitë e këngës shqipe. Nuk ekziston kritika muzikore!

Krijimtaria artistike dhe pengjet e një artisti

"Xhanbazët e muzikës po e çojnë këngën shqipe drejt shkatërrimit"

ARJOLA HEKURANI

Si ka qenë kjo verë, për-sa i përket aktiviteteve kulturore për ju?

Ka qenë një verë e nxakët, pa asnjë aktivitet kulturor, edhe pse duhej të ndodhte e kundërta, për fat të keq. Me të vërtetë, që ka shumë pak aktivitete. Njerëzit rendin vetëm pas fitimeve të tyre dhe nuk mendojnë që një koncert pranë pushueve do të ishte një mjet mjaft i mirë për të kaluar verën ata dhe ne. Unë, personalisht, të them të drejtën nuk kam bërë pushime; as këtë vit, por edhe vitet e tjera. Profesioni juaj i gazetarisë na ka marrë peng edhe ne (qesh dhe i referohet të shoqes, gazetares Tefta Radi).

I përkisni atij brezi të vjetër këngëtarësh, që kanë dhënë kontributin e tyre në muzikë, para dhe pas '90-ës, cili do të ishte mendimi juaj për këngëtarët e rinj të skenës shqiptare? Përparësitë dhe mangësitë, krahasuar me brezin tuaj.

Kryesorja është të thu-het se çfarë përfaqësojnë në vetvete këta këngëtarë të rinj. Kur them se çfarë përfaqësojnë ata në vetve-te, flas nga ana profesionale çfarë përfaqësojnë. Ata lënë shumë për të dëshiru-ar nga kjo anë. Muzika mbe-tet muzikë, sepse ka ndjen-jën brenda, ka profesionali-tetin, ka shumë gjëra që e bëjnë atë të pavdekshme. Megjithatë, unë jam pro përpjekjeve të mëtejshme të tyre që këto këngë të mos mbeten thjesht një rrep, hip hop, etj. Megjithatë, vitet e muzikës para dhe pas viteve '90 janë paksa të vështira për t'u krahasuar. Por, mund të them që muzi-ka para viteve '90, pavarë-sisht censurimit, pavarë-sisht korinzës nga e cila nuk duhej të dilte, kishte profesionalizëm. Me muzi-kën në atë kohë merreshin emra të mëdhenj si Çesk Zadeja, Tish Daija, Ferdi-nand Deda, Robert Radoja

e shumë emra të tjerë. Ndër-sa, pas '90-ës pati një lloj çlirimi nga ana emocionale, por sërish është e vështirë të bësh këngë dhe muzikë sot. Pasi, arti është i vësh-tirë në vetvete dhe kërkon shumë përgatitje. Ndodh që muzikantët e rinj kompo-zojnë, por që as vete nuk dinë se ç'kompozojnë. Të rinjtë, vërtet mund të kenë mbaruar një shkollë muzike, por nuk studiojnë, nuk janë të preokupuar për profesio-nin e tyre. Dhe kjo është vërtet shqetësuese, sepse diçka e tillë pasqyrohet më pas edhe në nivelin e artit shqiptar.

Sipas jush, a ekziston një kritikë e mirëfilltë për muzikën, këngën në Sh-qipëri?

Tek ne? Nuk ekziston fare një kritikë. Nuk flas për këngëtarët dhe muzikën që fola më sipër. Problemi qën-dron tek aktivitetet e mëdha muzikore, për kompeticio-net serioze. Këtu tek ne, kri-tikët mbajnë vetëm titujt se gjë tjetër nuk arrijnë dot të bëjnë. Për shembull, marrim rastin e Festivalit Evropi-an. Nuk u bë asnjë emision, nuk u thirr asnjë muzikant e asnjë ekspert që të dis-kutohej mbi këngën tonë që shkoi. Nuk pati asnjë analizë në lidhje me humbjen e këngës shqiptare në këtë festival. Pse ndodh kjo? Sepse, këtu tek ne, nuk të lënë të ecësh para, ata që quhen xhanbazat e muzikës, të cilët vendosin këngët dhe i japin çmimet vetë. E kështu shkatërruan gjithë atë imazh të bukur që diti të na e dhuroje më së miri një vit më parë, Anjeza Shahini në Festivalin Evro-pian. Por, ne që jemi afër, e dimë shumë mirë se si ka shkuar kënga e Çelos në festival. Është një problem i madh ky për kritikën,

tika është vetëm një fjalë dhe mbetet këtu. Nëse i ref-erohemi Sanremos, aty bëhet përherë një post fes-tival, ku bëhet vërtet debat, kritikët dhe këngëtarët për-ballë njëri-tjetrit. Ndërsa, këtu tek ne, post festivali është vetëm për të ngrënë e për të pirë. Këtu nuk bën njeri kritikë, por të gjithë dalin e thonë "fantastike, shumë bukur, artistë të mëdhenj". Këtu nuk e kanë konceptin të marrësh këngëtarët në tavolinë dhe të bësh një kritikë, në mënyrë dashamirëse, jo sh-katërruese. Unë kam kaq vite në RTSH dhe nuk kam parë të bëhet një kritikë e mirëfilltë. Këtu tek ne, kri-tikët mbajnë vetëm titujt se gjë tjetër nuk arrijnë dot të bëjnë. Për shembull, marrim rastin e Festivalit Evropi-an. ...

sepse çdo gjë këtu vlerë-sohet me superlativa. Të gjithë ne kemi të meta në këngë, ndaj duhet të ulemi për t'i zgjidhur ato. Unë, personalisht, do ta kisha për nder, nëse dikush do më thoshte: "Këtu nuk më pëlqen Françesk, rreg-ulloje!"

Çfarë i ka ngelur peng nga krijimtaria artistike, Françesk Radi?

Kam shumë dëshirë të bëj ndonjë videoklip për këngët e mia. Sepse, unë kam bërë videoklipin e parë shqiptar, nëse do të cilëso-het kështu, në vitin 1972 me këngën "Biçikleta". Ka qenë i pari në atë kohë, ndërsa tani e kam disi të vështirë. Por, kam një tjetër merak që klipi i atëhershëm i këngës "Biçikleta" dhe "Adresa" nuk ekziston më në arkivin e RTSH-së, ësh-të zhdukur që aty. Nuk e di ku shkuan, kush e ka. Kush jam mundur as vetë ta ruaj, sepse, siç e dinë të gjithë, unë, në ato vite, pata një shkëputje nga muzika për prirjet moderniste të kohës. Bëhet fjalë pas fes-tivalit të 11-të. Në këtë fes-tival, u paraqita me këngën "Kur dëgjojmë zëra nga bota". Ishte një këngë kushtuar luftës në Vietnam, një protestë ndaj asaj lufte. Ndoshta, kjo këngë, për në Shqipëri ishte paksa e pa-akohshme, sepse ishte paksa "alla amerikane", tip Rolling Stons dhe Bitëllsa. Madje, shprehja e ministrit

në atë kohë, ishte "Françesk Radi i këndon Vietnamit me kitarë si amerikanët".

Keni ndërmend të sillni një album të ri për publikun tuaj?

Po përgatitem për të nxjerrë një album të ri, që do të jetë vetëm me këngë të reja dhe të padëgjuara nga publiku. Nuk e kam idenë se kur mund të dalë. Jam ende në fazën përgatitore, jam ende në procesin e zgjedhjes së fabulës. Vetëm dy tekste këngësh kam gati.

Me çfarë merret aktualisht, Françesk Radi?

Aktualisht, unë punoj në Radio Tirana, në redaksinë e muzikës. RTSH-ja është vërtet një industri e madhe dhe ka punë për të gjithë ata që duan të punojnë.

Por, pavarësisht kësaj, në një institucion me përma-sat e RTSH-së prodhohet shumë pak. Jam ende

mangësi në koncepte, në cilësi dhe në varietete, gjith-ashtu. Ka raste që në këtë "industri" po e quajmë, kalojnë muaj të tërë pa u zh-villuar asnjë aktivitet kultur-or. Televizioni, në përgjithë-si, mbahet vetëm me Festi-valin e Këngës që zhvillo-het në fundvit. RTSH-ja ka një orkestër të tërë simfon-ike që do ia kishte zili kush-do që do të është një privi-legj i madh për çdo artist.

T'i rikthehemi pak zon-jës tuaj, nuk po e shohim më të shfaqet në TV.

Këtë pyetje ma kanë bërë shumë vetë, madje edhe vetë Teftës, të gjithë çu-diten. Megjithatë, asaj ia kanë mohuar një gjë të tillë. Nuk e dimë për ç'arsye... Vetëm dua të them që nuk na u ndanë persekutimet në familjen tonë, jo vetëm tek unë, por edhe tek gruaja ime, gjithë jetën. Me sa duket, paska shumë Artur Zheji, gjithandej paska të tillë...

Françesk Radi dhe Xhani Morandi

Françesk Radi dhe autori i teksteve të Luço Batistit, Mogoli

Selbst war er auch als Kritiker in den Medien aktiv. Er störte sich daran, dass die Musikkritiker mehr akademische Titel als kritischer Artikel vorzuweisen hatten. Er übte Kritik an den verschiedenen Musikveranstaltungen oder den albanischen Beiträgen im ESC. Seine Kritik war aber immer konstruktiv und niemals zerstörerisch.[97]

Er stürzte sich auf die neuen Tontechnologien, wenn auch nicht unkritisch.

„Sie ermöglichen zu viel Verfälschung, und das ist niemals gut. Ich meine jedoch, dass auch hier der Zenit erreicht ist und die Musiker bald in die Studios zurückkehren, mit echten Instrumenten und Orchestern, weil der lebendige Ton nicht durch Elektronik ersetzt werden kann." Im verarmten Albanien der neunziger Jahre war die Elektronik ein willkommener, weil billiger Ersatz, selbst in wesentlichen Veranstaltungen wie dem Musikfestival von RTSH. Ein Alptraum für Françesk, dass das musikalische Schaffen auf ein Keyboard reduziert wurde, leider in dieser Zeit auch bei ihm selbst.[98]

Françesk im Studio bei sich zuhause, 2008

97   Bushi, Ilir: F. Radi. Lidhja ime me muzikën është e përjetshme (Meine Bindung zur Musik ist ewig), Republika (Zeitung), 21. Oktober 1999. Hekurani, Arjola: F. Radi rrëfen mangësitë e këngës shqipe. Nuk ekziston kritika muzikore. (F. Radi zeigt die Mängel der albanischen Popmusik auf. Die Musikkritik ist inexistent), Republika (Zeitung), 31. August 2005. Radi, T., Gjergji, D. : Françesk Radi. Një jetë në kitarë (Ein Leben mit der Gitarre), Tiranë 2019, S 186.

98   F. Radi im Interview bei Radio Kontakt, 22. Juni 2012.) Vrapi, J.: Elektronika ka shkatërruar muzikën, montazhierët kanë zëvendësuar kompozitorët (Die Elektronik hat die Musik zerstört, Cutters haben die Komponisten ersetzt), in Sot (Zeitung), 29. November 2015.

Françesk im Studio bei sich zuhause, 2008

Doch mit der Zeit wurde er zum Alleskönner: Er schrieb, arrangierte, spielte, interpretierte, machte die Aufnahmen und die Produktion.

Françesk wurde als Kenner und Interpret der albanischen Folklore und des städtischen Lieds bekannt. Viele seiner Lieder wurden zu Ohrwürmern, die bis heute auf den Straßen gepfiffen werden. „Nach 1990 beschäftigte ich mich ernsthaft mit Volksliedern. Ich habe sehr viele davon verarbeitet und gesungen. Ich habe sie nicht verändert, sondern sie nur modern arrangiert, etwa für die Disko." Auch in der traditionellen städtischen Musik fühlte er sich zuhause. Bei deren Interpretation war er gänzlich in seinem Element. Viele dieser Lieder hat er als Rocksongs arrangiert. [99]

Gjon Shllaku: „Die originelle Interpretation der Volkslieder ist ein wichtiger Bestandteil von Françesk Radis musikalischem Schaffen. Sie haben die spätere Entwicklung dieser Lieder entscheidend geprägt. Die neuen Arrangements und Interpretationen der Lieder aus der ersten Schaffensphase (die auf Folkloremotiven beruhen) sowie die dazugehörigen Videoclips haben diese Motive sehr populär und langlebig gemacht."[100]

[99]   F. Radi in Fol me mua (Sprich mit mir), TVSH, 15. Mai 2015. F. Radi in Jetë e trazuar (Turbulentes Leben), Dokumentarfilm, TVSH, 18. April 2018. Radi, T., Gjergji, D. : Françesk Radi. Një jetë në kitarë (Ein Leben mit der Gitarre), Tiranë 2019, S 189.

[100]   Shllaku, Gjon: Adresa dhe Biçikleta të F. Radit, hite që koha i lartëson (Adresa und Biçikleta von F. Radi, Hits, die Zeit überdauern), Telegraf (Zeitung), 11. Mai 2021.

Behar Arllati: „Bei seinen Arrangements beginnt das Lied mit einer typischen Intro à la Françesk Radi. Bei Strophe und Refrain wechseln die Metrik und das Tempo ins Rockige, in Radis musikalischen Grundcharakter, den er auch in die albanischen traditionellen Lieder einbringt.“

Seit ihrer Entstehung Mitte der fünfziger Jahre war Rock'n Roll mehr als nur Musik. Es war ein Lebensgefühl, das den Alltag revolutionierte und alle Bereiche eroberte. Albanien erlebte diese Welle für eine kurze Zeit am Anfang der siebziger Jahre. Danach versank das Land in der sozialistischen, hermetischen Isolation. „Trotzdem blieb Françesk Radi offen. Er lebte weiterhin in seiner inneren Rock'n Roll-Welt, so wie seine amerikanischen, britischen, italienischen, deutschen, niederländischen, tschechischen, kroatischen Zeitgenossen. Das schlug sich dann in seinen Arrangements der Volkslieder aus allen Regionen Albaniens nieder, aber hauptsächlich aus seiner Heimatstadt Shkodër“, so Behar Arllati.[101]

Solche Stadtlieder sind: Çil nj'at' zemër plot kujtime, Pranvera filloi me ardh, O sa e kandshme vjollcë ti je, Oj zogo, Potpuri këngësh shkodrane, Si dukati i vogël je, Molla e kuqe ç'ban andej, Mora mandolinën, Dy lule të bardha, Gushëbardha si dëbora, Në një arë në një lëndinë und viele andere.

Nach Meinung von Zef Çoba, übte Françesk bei der Auswahl der Lieder größtmögliche Sorgfalt. Titel wie Luleborë, Oj zogo, Si dukat i vogël je, Dy lule të bardha zeugen davon, wie hoch seine Ansprüche in der Auswahl waren, denn die schön geschriebenen Lieder sollten auch Raum für spannende Arrangements nach seinem eigenen Stil bieten.[102]

Behar Arllati: „Das gilt auch für die Serenaden und Romanzen wie Luleborë von Simon Gjoni aus Shkodër, der Tango Fluturës von Baki Kongoli aus Elbasan, Kur perëndon dielli von Leonard Deda aus Shkodër, die Serenade I vetmuari – Rrugës i trishtuar aus Korçë oder die arvanitische Perle Kur më vjen burri nga stani, ein Arrangement von Kristo Kono mit dem von Lasgush Poradeci übersetzten Text. Die gleiche Sorgfalt lässt er auch bei den nichtalbanischen Liedern walten, es gibt keine Unterschiede in der Behandlung.“[103]

Sherif Merdani, Sänger seiner Generation und Frankos bester Freund: „Ich sage unseren jungen Sängern und Komponisten von heute: hört Françesk,

---

101 Arllati, Behar: F. Radi, këngëtari me shpirt bohemi (F. Radi, der Sänger mit der Bohemien-Seele), Nacional (Zeitung), 15. Mai 2021, D. : Vitet `70, muzika e lehtë, Diktatura, (Die 70er, Unterhaltungsmusik, Diktatur. Françesk Radi), TV1-Sender, Shkodër, Oktober 2022, RTK1, Pristina, Kosovo, 04. Dezember 2022. Behar Arllati im Interview, Gjakovë, 18. August 2020, Video im Familienbesitz.

102 Çoba, Z.: F. Radi është zëri i sinqertë i muzikantit pasionant (F. Radi, ehrliche Stimme eines leidenschaftlichen Musikers), Telegraf (Zeitung), 8. April 2021, D. : Vitet `70, muzika e lehtë, Diktatura, (Die 70er, Unterhaltungsmusik, Diktatur. Françesk Radi), TV1-Sender, Shkodër, Oktober 2022, RTK1, Pristina, Kosovo, 04. Dezember 2022.

103 Arllati, Behar: F. Radi, këngëtari me shpirt bohemi (F. Radi, der Sänger mit der Bohémien-Seele), Nacional (Zeitung), 15. Mai 2021. D. : Vitet `70, muzika e lehtë, Diktatura, (Die 70er, Unterhaltungsmusik, Diktatur. Françesk Radi), TV1-Sender, Shkodër, Oktober 2022, RTK, Pristina, Kosovo, 27. November 2022 Behar Arllati im Interview, Gjakovë, 18. August 2020, Video im Familienbesitz.

studiert Françesk. Ihr werdet darin die höchsten Standards der albanischen Musik finden, die auf den charakteristischen Motive aus Nord- und Südalbanien beruhen, ihr werdet euch wundern…"[104]

Behar Arllati: „Françesk Radi bleibt einzigartig, was die Neuinterpretation der Folklore betrifft. Er hat ein Vorbild geschaffen, wie Folklore in die moderne Musik integriert werden kann."[105]

Als beste Form der visuellen Musikdarstellung sah Françesk den Live-Auftritt. Françesk: „Nach 1990 habe ich nur einen Videoclip produziert: Zemër e lodhur (Müdes Herz). Es ist eine gute Produktion, die mir auch gut gefällt. Aber der schönste Musikclip ist schlicht die Aufnahme des Bühnenauftritts. All meine Lieder würde ich gerne so aufnehmen."[106]

Behar Arllati: „Als kompletter Musiker (Instrumentalist, Sänger, Komponist, Arrangeur) ist der Name Françesk Radi in die Annalen der albanischen Musikgeschichte eingegangen. Als ein origineller Liedermacher, aber auch als Erneuerer traditioneller Lieder und Neuinterpret ausländischer Lieder, hat er den Schatz der albanischen Popmusik in erheblichem Maße bereichert."[107]

---

104   Sherif Merdani im Interview, Tiranë, 10. April 2017, Video im Familienbesitz.

105   Arllati, Behar: F. Radi, këngëtari me shpirt bohemi (F. Radi, der Sänger mit der Bohémien-Seele), Nacional (Zeitung), 15. Mai 2021. Behar Arllati im Interview, Gjakovë, 18. August 2020, Video im Familienbesitz.

106   F. Radi im Interview bei Radio Kontakt, 22. Juni 2012.

107   Arllati, Behar: F. Radi, këngëtari me shpirt bohemi (F. Radi, der Sänger mit der Bohémien-Seele), Nacional (Zeitung), 15. Mai 2021. D. : Vitet `70, muzika e lehtë, Diktatura, (Die 70er, Unterhaltungsmusik, Diktatur. Françesk Radi), TV1-Sender, Shkodër, Oktober 2022, RTK, Pristina, Kosovo, 04. Dezember 2022 Behar Arllati im Interview, Gjakovë, 18. August 2020, Video im Familienbesitz.

Familienleben

Im Privatleben war Françesk liebevoll, sanft, umgänglich. Als hingebungsvoller Vater führte er ein glücklich Familienleben. Pflicht und Verantwortung gingen mit unendlicher Liebe Hand in Hand. „Die Familie erfüllt dich, wenn du leer bist. Die Partnerin, die Kinder, Tochter und Sohn, das Gemeinsame in einem Zuhause, sie geben den Impuls, Schönes zu kreieren, und sei es auch nur ihretwillen", so Françesk.[108]

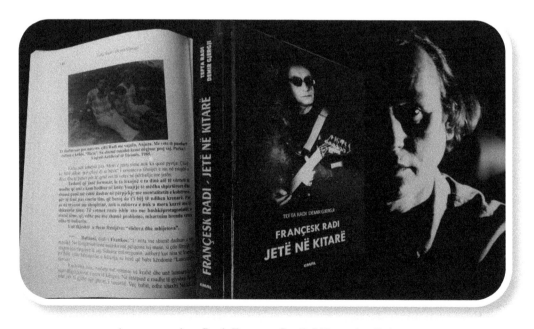

Auszug aus dem Buch Françesc Radi, Life on the Guitar.

108   F. Radi im Interview bei Radio Kontakt, 22. Juni 2012. D. : Vitet `70, muzika e lehtë, Diktatura, (Die 70er, Unterhaltungsmusik, Diktatur. Françesk Radi), TV1-Sender, Shkodër, Oktober 2022, RTK1, Pristina, Kosovo, 04. Dezember 2022.

Seine Tochter Anjeza hat seine Großzügigkeit geerbt, sein Lächeln, die stilvolle Kleidung und Ästhetik. Der Sohn Baltion hat von ihm seinen Charakter und die musikalische Begabung bekommen; Baltion spielt Bassgitarre in einer Heavy-Metal-Band.

Zum Glück erlebte er auch das Wunder der Großelternschaft.

Sein Vermächtnis für die Kinder hat er in seinen Memoiren aufgeschrieben: „In meinem Leben habe ich alles erlebt: Erfolg, Niederlage, politische Verfolgung gegen mich und meine Familie, eine würdevolle Ehe und zwei stolze Kinder, Liebe, Respekt, ehrlichen Wettbewerb…. Ich habe niemals von meinem frühen Erfolg vor den Kindern geprahlt, von dem ersten albanischen Videoclip, davon, der erste albanische Liedermacher zu sein. Ich habe ihnen erzählt, dass Musik meine erste Liebe war, der ich mich hingegeben habe, die mir die Türen zu den wichtigsten Musikgruppen der Zeit öffnete. Die Verbannung in Fushë-Arrëz habe ich immer nur beiläufig erwähnt. Es lag am kommunistischen System, und dieses Schicksal teilte ich mit vielen, nach 1972, dem 11. Musikfestival der RTSH. Ich wollte in ihren zarten Seelen keinen Groll säen, der in ihrem späteren Leben Schatten werfen würde… Ich habe in ihnen Menschenliebe gesät, die für mich der größte Schatz ist. Jetzt, da sie erwachsen sind, können sie es bei mir nachlesen: meine Wahrheit, die großen seelischen Leiden und den Kampf gegen die Widrigkeiten der Zeit. Ich hoffe, sie können darauf stolz sein. Mein Leben war sehr schwierig, aber auch sehr schön. Ich sage meinen Kindern: Ich kämpfte und ich überlebte.“[109]

Tefta, Baltion, Françesk, Robin Krist (nipi, Enkelsohn), Anjeza, Tiranë, 2010

109   Radi, T., Gjergji, D. : Françesk Radi. Një jetë në kitarë (Ein Leben mit der Gitarre), Tiranë 2019, S. 144.

Der frühe Tod entriss ihn dem Leben in einer glücklichen Phase: siebenundsechzig, vital und produktiv, mit vielen neuen Projektideen, bis zum letzten Abend im Musikstudio sitzend.

Er hinterließ Liebe und eine tiefe Spur in der Geschichte der albanischen Musik.

𝕭egräbnis

er Trauerzug wurde von der Hauptstadtfanfare begleitet.

Aus der Trauerfeier in Tiranë, 4.April 2017

Aus der Trauerfeier in Tiranë, 4.April 2017

Verse von Martin Leka

Aus den Trauerreden

Lieber Freund! Auf Deinen Abgang hin haben alle ein wenig mitgewirkt. Einige aus Naivität (wie ich), andere aus Mutlosigkeit.

Indem wir Dich nicht begriffen

Nicht erhörten

Nicht erkannten

Dein Schweigen nicht entschlüsselten, lieber Freund!

Indem wir Deine ‚Adresse‘ nicht fanden!

Dein Tempo auf dem ‚Fahrrad‘ nicht schafften

Dir kein ‚Telefongespräch‘ anboten, als Du es brauchtest…

Daher hast Du uns, den im Dunkeln Verirrten, zugerufen

‚Ein tolles Los‘! ‚Verpasster Frühling‘!

Du hattest Recht, Franko! Der Verlorene bist nicht Du! Du bist einer der Wenigen, die Spuren hinterlassen haben. Anders als die meisten von uns, hier auf der Erde!

Martin Leka, Publizist

Franko, du nährtest unsere Freiheitsträume

Alter Freund, der niemals alt wird

Jugendheld ohne Furcht

Klangmillionär, unsere erste Muse

Deine Kunst bleibt

Jetzt bist Du reine Atemluft

Eigene Spezies, geh zu den Deinen

April ist traurig wie ein Lied von Don Backy…

Lebewohl, Freund, im Schoß der Erde

Bring auch die Toten zum Singen
In Unendlichkeit

Përparim Kabo, Forscher

Schweigt heute Nacht, ihr Radio und TV
Magnetophone, Audio-CDs
Schweigt endlich ihr geklauten Lieder
Falsche Texte, unechte Melodien
Schweigt!
Ein Stern ist erloschen
Aus der immer währenden Musikgalaxis!
Françesk Radi!

Alfred Molloholli, Poet

Porträts sind mein täglich Brot. Aber ich habe Schwierigkeiten mit
Frankos Porträt. Denn die genaue Farbe, die Frankos leuchtende
Seele wiedergeben könnte, wurde noch nicht erfunden. So könnte
ich ewig versuchen, mich ihr anzunähern. Aber ich werde knapp
bleiben, weil die Schönheit immer knapp ist, ein Meteor, der durch
den Himmel blitzt und seine bleibende Spur in der Erinnerung
hinterlässt. Ich verbleibe mit Ehrfurcht und Sehnsucht nach Deinen
Klängen, Deinen Bonmots und Deinem Lächeln, mein Freund!"

Roland Karanxha, Maler

Es ist nicht gewöhnlich für eine Journalistin, über ihren Ehepartner
zu schreiben. Franko war für mich aber mehr als das. Wir waren
Lebensgefährten. Wir teilten die goldenen Siebziger, unsere Jugend,
Freuden und Sorgen, die Erfolge und die Niederlagen, unsere Berufe,
unser ganzes Leben. Niemand konnte es glauben, als Franko uns so

plötzlich verlassen hat. Er war völlig gesund und sportlich. Doch das Leben hat kein vorgefertigtes Drehbuch, es wird laufend geschrieben. Das Leben ist ein Film, und wir sind seine Schauspieler, die darin unsere Dramen spielen. Alles, was kommt, vergeht irgendwann. Nur die ewige Zeit nicht. Sie fließt endlos weiter. In diesem Moment lebe ich in zwei Orten: in der Vergangenheit und in der Gegenwart. Die Vergangenheit mit Franko ist und bleibt der schönste Teil.

Wie Franko selbst sagte, „die Vergangenheit hat Erinnerung, die Gegenwart aber nicht".

Die Erinnerungen werden niemals in meinem Herzen erlöschen. Ich sehe mein Leben wie ein Film vor Augen, Frankos Leben, so turbulent und doch so schön, den Weg seines Traums, der die Unterbrechung überlebte, um die Zeit zu überdauern.

Tefta Radi, Ehefrau

Das Denkmal für Françesk Radi wurde im Park am See von Tiranë errichtet, gegenüber vom Odeon. Genau dort, wo seine Gitarrenklänge und seine Stimme zuerst gehört wurden, in seinen schönsten Jugendjahren.

Bürgermeister von Tiranë, Erion Veliaj, bei der Einweihung des Denkmals von Françesk Radi, 3. April 2018

Bürgermeister von Tiranë, Erion Veliaj, bei der Einweihung des Denkmals von Françesk Radi, 3. April 2018

Das Denkmal für Françesk Radi (Bildhauer, Ardian Pepa)

Françesk Radi war nicht nur eine Quelle von Inspiration. Für seine Zeitgenossen war er eine Hilfe zum Überleben in Zeiten, als das freie Wort, die freie Musik, die freie Meinung unter Verschluss gehalten werden mussten. Es ist unsere Aufgabe, dieses Werk nicht in Vergessenheit geraten zu lassen.[110]

Erion Veliaj, Bürgermeister von Tiranë

Der junge Françesk verkörperte den Musiker, der mit seiner Gitarre von der Schönheit der Jugend und dem Ruf des Lebens auf Plätzen und Parks singt. Dafür zahlte er einen sehr hohen Preis, für das Image des unabhängigen Selbst, für die freie Stimme, die sich so sehr von den propagandistischen

Das Image des jungen Mannes mit der Gitarre, der von den Freiheiten in Musik und im Leben träumte, steht jetzt in Bronze gegossen, als Teil jener Landschaft, die er so liebte. Dieses Image wird mit den künftigen Generationen zu sprechen wissen.

Sadik Bejko, Poet

---

110   Veliaj.E.Kryetari i Bashkisë Tiranë, Bürgermeister von Tiranë, https://www.youtube.com/watch?v=LzVNMXQD6kk ,libri:F.Radi, Jetë në kitarë, (Ein Leben mit der Gitarre), Tiranë 2019, S. 239.

Freunde und Kollegen über Françesk Radi

Der große Tonin Harapi fragte uns einmal in der Schule: „Jungs, was denkt ihr, was ist wichtiger? Einen Schritt im Leben machen, oder eine Spur hinterlassen?" Und wir antworteten: „Schritt machen, rennen!" „Aber nicht doch", gab Tonin zurück. „Spuren hinterlassen heißt, dass du den Schritt schon gemacht hast." So ist Franko einer, der immer bei uns bleiben wird. Weil er Spuren hinterlassen hat, indem er große Schritte machte. Ob er uns jetzt hört oder nicht: Wir hören ihn weiter, seine Stimme und seine schönen Lieder".

Robert Radoja, Pianist

Franko bleibt für mich einzigartig als Musiker und als Mensch, eine Persönlichkeit, die bleibende Spuren in der albanischen Musiklandschaft hinterlassen hat.

Zhani Ciko, Dirigent

Franko war nicht in seiner erfolgreichen Jugend hängengeblieben. Nein, er hielt Schritt mit der Zeit, mit der modernen Musik. Noch mehr, er ging der Zeit und dem Schönheitsideal voraus.

Mefarete Laze, Sängerin

Franko bleibt der erste Liedermacher der albanischen Musik. Ein Original, ein Erneuerer. Alle seine Lieder vermitteln Botschaften.

Luan Zhegu, Sänger/Liedermacher

Selten kommt es vor, dass ein großer Musiker und ein wunderbarer Charakter in einem Menschen zu finden sind.

Sherif Merdani, Sänger, Diplomat

Wenn ich an ihn denke, sehe ich einen einzigartigen Künstler, der sich selbst stets treu blieb.

Aurela Gaçe, Sängerin

Er ließ keine Ausschmückungen in der Interpretation seiner Lieder zu. Alles musste nach seiner Regie ablaufen. Er suchte nichts weniger als die Perfektion.

Mariza Ikonomi, Sängerin

Er war stets diszipliniert in seiner kreativen Tätigkeit und verkaufte niemals seine Stimme, trotz der harten Zeiten, durch die er gehen musste.

Kastriot Tusha, Tenor

Das ist ein großer Verlust für die albanische Musik, sein besonderer Interpretationsstil, aber vor allem seine absolut einmalige Stimme.

Kujtim Aliaj, Dirigent

Franko brachte etwas Neues in die albanische Musik, aber immer unter der Marke Made in Albania. Er nahm kleine Happen aus aller Welt und machte sie sich organisch zu eigen.

Enver Shëngjergji, Komponist

Ich habe sehr unter dem Ableben von Battisti, Pavarotti, Dalla gelitten. So auch wegen Franko, der so wie sie zu meinen Idolen gehörte. Wenn ich an seiner Trauerfeier hätte teilnehmen können, ich hätte das Lied Adresa gesungen, in einer Gospelversion. Ich bin sicher, dass tausende Akkord-Schmetterlinge aus seiner Gitarre meine Stimme begleiten würden.

Shpend Sollaku Noé, Schriftsteller

Was mich bei ihm anzog, waren seine Klarheit, seine Ruhe und sein Selbstbewusstsein, die in seiner Musik ihren Ausdruck fanden. Er war ein vollendeter Künstler, und er war immer höflich und offen. Wir verehrten ihn zutiefst.

Limoz Dizdari, Komponist

In einer Zeit, als das Attribut ‚modern‘ mit ‚Staatsfeind‘ gleichgesetzt wurde, überlebte Franko auf seine eigene Art und schaffte es, eine schöne Spur zu malen.

Justina Aliaj, Sängerin und Schauspielerin

Mit Deiner Musik, Deiner so besonderen Stimme und dem freien, europäisch anmutenden Interpretationsstil warst Du ein Licht am Ende des sozialistisch-realistischen Tunnels. Eins der wenigen Lichter, die uns Freude gaben, die letzte Hoffnung und den letzten Grund zum Überleben. Ewige Dankbarkeit sei Dir beschieden!

Mirush Kabashi, Schauspieler

Franko war ein brillanter Musiker und besaß als Komponist ein ganz eigenes Format. In seinen Motiven blieb er stets albanisch.

Jetmir Barbullushi, Dirigent vom Symphonieorchester der RTSH

Frankos Lieder besaßen transparenten Aufbau, Texte, die auf das Wesentliche reduziert waren, und sehr klare Harmonien. Er war in dieser Hinsicht Avantgarde.

Edison Miso, Gitarrist

Franko war ein talentierter Gitarrist, begabter Arrangeur, origineller Komponist und strahlender, warmer Sänger. Mit seiner einzigartigen Erscheinung bleibt er eine der größten Persönlichkeiten in der albanischen Musik. Seine Karriere begann mit Erfolg und endete in einem tosenden Applaus. Die Zeit wird ihm erst die Anerkennung zukommen lassen, die er verdient, größer als das Denkmal im Park am See.

Osman Mula, Musiker und Filmregisseur

Franko wurde mit Adriano Celentano verglichen, wohl wegen der Stimmähnlichkeit. Ich würde ihn ob seiner Wichtigkeit und Dimension eher mit Lucio Battisti vergleichen, einem Musiker, der das Fundament der modernen italienischen Musik legte. Denn das

Gleiche tat Franko in Albanien. Er brachte frischen Wind und einen modernen Klang in die albanische Musik der siebziger Jahre, machte diese beliebt und populär. Er war ein brillanter Liedermacher, ein Unikat, der Vertreter der modernen albanischen Musik schlechthin.

Miron Kotani, Musiker

Franko war kreativ, ein Suchender, der niemals rastete. Sein Repertoire ist riesig, seine Produktivität einmalig in der albanischen Popmusik.

Sokol Marsi, Musikproduzent

Alle Projekte, in denen ich mit Franko zusammenarbeitete, waren zutiefst befriedigend, denn seine Auftritte wurden immer mit stürmischem Applaus belohnt, der Erfolg war garantiert. Ich bin stolz darauf, dass ich mit ihm zusammenarbeiten durfte. Er war so umgänglich und wohlwollend, und ich denke, dass sein humaner Charakter seiner kreativen Tätigkeit zugutekam.

Agim Doçi, Poet

Ein durch und durch guter Mensch. Guter Gitarrist, guter Pianist, gute Manieren, guter Charakter, goldiger, reichlich begabter Junge. Wenn ich seine Lieder höre, finde ich, dass keins dem anderen gleicht.

Adon Miluka, Trompeter

Immer demütig in seiner ewigen Suche, ruhte er niemals auf seinen Erfolgen. Er wollte das Beste, bis zum letzten Tag.

Ylli Pepo, Filmregisseur und -produzent

Françesk Radi bleibt Vorbild in der albanischen Kultur. Er brachte die Moderne, er brachte den Folk, die Ballade, Authentizität in seine Lieder. Seine Musik überdauert die Zeiten, erreicht auch die jüngeren Generationen. Er war ein Prophet der albanischen Musik.

Mark Luli, Komponist

Franko und ich verbanden uns über die Musik, denn ständig wählte ich seine Lieder zum Interpretieren aus. So gesehen gehört er zu jenen glücklichen Musikern, deren Lieder interpretativ ständig aufgefrischt werden. Auf diese Weise bleiben diese Musiker immer 'am Leben'. Er war anspruchsvoll und ich schätzte ihn dafür. Er war ein Antikonformist und schmeichelte sich nicht bei den Mächtigen ein.

Redon Makashi, Liedermacher

Françesk Radi musste durch so viel Leid, und doch blieb er sich selbst immer treu. Seinem Publikum schenkte er das Vorbild einer künstlerisch freien Seele.

Julian Deda, Schauspieler

Françesk war einzigartig als Sänger und als Charakter. Zutiefst human, bewältigte er die Härten des Lebens, um ein reiches Erbe an Kompositionen zu hinterlassen.

Irini Qirjako, Sängerin

Franko war ein großartiger Mensch. Einmaliges Talent, unvergleichlich als Liedermacher.

Bujar Qamili, Sänger

Den nächsten Generationen wird die Stimme von Françesk Radi erhalten bleiben, wie er mit so viel Leidenschaft die italienischen Lieder sang, in einer Zeit, als dieses ein Tabu war.

Kozeta Mamaqi, Journalistin

Franko war ein Idealist, aber Idealisten wie er sind eine Herausforderung für Albanien.

Kujtim Prodani, Liedermacher

Franko ist für mich der Prototyp des albanischen Liedermachers. Er ist der erste Rocker westlicher Prägung. Wie soll er jemals vergessen werden?

Elton Deda, Liedermacher

Ausweis

Name: Françesk

Nachname: Radi

Geburtstag :13. Februar 1950

Geburtsort: Tiranë

Todestag: 3. April 2017

Todesort: Tiranë

Familienstand: Verheiratet

Ehefrau: Tefta Radi, Journalistin

Kinder: Anjeza, Baltion

Eltern: Balto, Roza   Brüder: Ferdinad, Alfons

Schwestern: Terezina, Imelda

Ausbildung: Hochschule der Künste Tiranë, Fachbereich Kontrabass

Größe: 1,80 m

Gewicht: 75 kg

Augenfarbe: Dunkelbraun

Glaube: Katholisch

Erste musikalische Erfahrungen: Städitsche Lieder aus Shkodër und aus Italien, die in der Familie gesungen wurden.

Erster öffentlicher Auftritt: Als Instrumentist 1966 mit Bassgitarre im Musikfestival der RTSH. Als Sänger 1968 an der Staatskömodie.

Erstes wichtiges Karriereereignis: 1965 Gewinner des Wettbewerbs vom Kunstlyzeum Jordan Misja, Tiranë.

Erstes aufgenommenes Lied als Liedermacher: Adresa (Die Adresse), 1971 bei Radio Tirana.

Instrumente: Gitarre, Bassgitarre, Kontrabass, Klavier, Volksinstrumente.

Hits: Adresa (Die Adresse), Biçikleta (Das Fahrrad), Rock I Burgut (Knastrock), Zemër e lodhur (Müdes Herz), Humba pranverën (Verpasster Frühling), Telefonatë zemrash (Telefongespräch), Ky fat na ra (Ein tolles Los).

Bevorzugte Muskrichtung: Rock'n'Roll und klassische Musik

Bevorzugte Musiker: Ray Charles, Beatles, Adriano Celentano, Amy Winehouse

Sprachen: fließend Italienisch und Englisch. Mehrere Singsprachen

Bevorzugter Film: American Gangster (2007), Monster (2003), Goodfellas (1990)

Bevorzugte Lektüre: Kunst- und Musikgeschichte, Musikerbiographien

Bevorzugtes Gericht: Fisch und Vegetarisches

Bevorzugtes Getränk: Wein, in Maßen

Bevorzugte Kleidung: Sportlich, Jeans, T-Shirts, Hemden, Schals

Bevorzugte Automarke: Renault

Bevorzugte Freizeitaktivitäten: Fußball, Kraftübungen, Museumbesuch

Unterschrift

VERWEISE

1. Radi, Tefta. Gjergji, Demir. *Francesc Radi, Leben auf der Gitarre.*(ISBN 978- 9928-04-511-9).Tirana: EMAL, .2019. Sd.

2. Familienarchiv.*Manuskripte von Francesk Radi*. Tirana.

3. Stringa. Hamide. *Telegrafische Zeitung*. Tirana: .2021 (8. April).

4. Rexho. Eraldo. *Albanische Zeitungen.*Tirana: .2010 (29. Juli).

5. Shllaku. Gjon. Telegrafische Zeitung. Tirana: .2021 (11. May).

6. Çoba. Zef. *Telegrafische Zeitung.* Tirana: .2021 (8. April).

7. Anonym. *Zeitung Integration*. Tirana: .2010, (22. März).

8. Hekurani. Arjola.*Die Zeitung „Republika"*, Tirana: .2005 (31. August).

9. Kalemi. Spiro.*Zeitung „Drita".* Nationalbibliothek.Tirana: .1973 (11. Februar).

10. Milloshi. Hysni. *Die Zeitung „Stimme der Jugend".* Nationalbibliothek. Tirana: .1973 (21. Januar).

11. Buschi. Ilir. Gazeta Republika. Tirana: .1999 (21. Oktober).

12. Arllati. Behar. *Nationale Gazeta.* Tirana: .2021 (15. May).

13. Kollobani. Lorena. *Normale Zeitung.* Tirana: .2007 (24. März).

14. *Zeitschrift „Radio-Vielleicht".* Nr.16. Marin Barleti-Bibliothek. Shkodra: .1972 (25. August).

15. *Zeitschrift „Radio-Vielleicht".* Nr.1. Marin Barleti-Bibliothek. Shkodër: .1973 (1. Januar).

16. Nikolla. Millosh. Gjergj. (Migjeni). *Historisches Museum.* Shkodra: .1936 (13. Juni).

17. *Albanisches Fernsehen.* Francesc Radi, Unruhiges Leben. Tirana: .2018. (18. April).

18. Albanisches Fernsehen. Francesc Radi, „Sprich mit mir." Tirana: .2015 (15. May).

19. *Albanisches Fernsehen.* Musik, Emotionen, Musik. Tirana: .2001 (14. Dezember).

20. Top-Channel.tv. *Nachmittag auf Top Channel.* Tirana: .2015 (19. Juni).

21. Klan-TV. *Albanischer Sonntag,.* Tirana: .2010 (28. November).

22. Top-Channel.tv.*Top-Show-Magazin.* Tirana: .2014 (18. Dezember).

23. Top-Channel.tv. *Top-Show-Magazin,* Tirana: .2006 (21. April).

24. Fernseh scannen. *Mit Mariza.* Tirana: .2016. (30. Dezember).

25. Radio Kontakt. *Mit Singer-Songwriter Francesc Radi.* Tirana: .2012 (22. Juni).

26. Ciko. Zhani Buchpromotion: *Francesc Radi, Life on guitar.* Akademie der Wissenschaften, Tirana: .2019 (27. September).

INTERNETQUELLEN

27. Mullahi,Gazmend.Koha Jone_4 prill 2019 by Koha Jone - Issuu https://issuu.com › gazetakohajone › docs › koha_jone. 2019 (4. April).

28. Minga, Mikaela. https://peizazhe.com/2021/04/28/francesk-radi/.2021(28. April).

29. Sollaku. Noé. Shpend.

30. Si reagoi Adriano Çelentano kur dëgjoi Françesk Radin të ...

31. *https://shqiptarja.com* › lajm › si-reagoi-adriano-celenta...2019 (27. März).

32. Jaçe. Skënder. https://gazetavatra.com/kujtime-francesk-radi-koncert-show-ne-qytetin-stalin-kucove-ne-1988/, .2021 (2. Juni).

33. Naqellari.Edmond**.** Françesk Radi dhe koncert-show në qytetin Stalin(Kuçova e sotme), në Nëntor të 1988 -ës,.2021 (14. May).

34. Vrapi.Julia. Françesk Radi: Elektronika ka shkatërruar muzikën, montazhierët kanë zëvendësuar kompozitorët - kultura-lifestyle, .2015 (29. November).

35. Leka. Martin. http://shekulli.com.al/martin-leka-leter-prekese-per-francesk-radin-ndjese-per-ato-qe-smunda-te-thosha-dje/, .2017(5. April).

36. Veliaj. Erion. https://www.youtube.com/watch?v=LzVNMXQD6kk, .2018(3. April).

37. Arllati. Behar.https://gazetavatra.com/francesk-radi-kengetari-me-shpirt-bohemi/, . 2021 (17. May).

Jede Familie hat eine Geschichte. Diese hier ist Frankos und meine.

Tefta Radi

Françesk Radi.

Gjurmë në pentagram

Autore: Tefta Radi

Arsyeja dhe zemra.

Ndodhi që lumturia ime të këputej krejt papritur. Pas 42 vitesh jetë plot dashuri, përkushtim, pasion, sakrifica, humba në mënyrë krejt të beftë e parakohe njeriun tim të shtrenjtë, bashkudhëtarin, artistin e mirënjohur Françesk Radi. Humba njeriun me të cilin kishim ndarë gjithçka bashkë që nga rinia jonë e herëshme, gëzime e trishtime, dështime e suksese, gjithçka që i jep jetës ngjyrat e stinëve dhe e bën atë interesante, me uljet dhe ngritjet, me të mirat dhe vështirësitë e saj. E rritëm dashurinë larg syve të të dukurit për të tjerët, e jetuam jetën me të përditshmen e saj, larg ëndrrave dhe fantazisë së shfrenuar. E thjeshta ishte dhe mbeti gjithçka e bukur për ne, pasuri shpirtërore. Motivi i jetës sonë u bë shprehja franceze: "Paratë na bëjnë zotërinj dhe skllevër. Pushteti ynë mbi paratë është i vërtetë, por vetëm kur kuptojmë pushtetin e tyre mbi ne. "Ndaj dashuria, humanizmi, mbetën dhe thesari ynë më i vyer, që nuk i shkëmbyem kurrë me asnjë çmim e asnjë lloj pasurie tjetër. Në dashuri ka dhe histori "si puna e engjëllit me djallin." Por dashuria jonë nuk krijoi kurrë hendekun e zhgënjimeve.

Dhe kur humbet një lumturi të pamatë, në momentet më të bukura të shijimit të saj, nuk mund t'i shpëtosh kaplimit të shpirtit nga dhembja dhe trishtimi i pafund. Gjithçka këputet në mes. Të duket se jeta për ty mbaron këtu, e ti thjesht merr frymë. Të tjera dashuri më rrethojnë, fryt i dashurisë së tij, por asnjëra prej tyre nuk mund të zëvendësojë tjetrën.

Franko la pas dashuri të përjetshme, si njeri, si bashkëshort, si prind e si artist. La pas historinë e jetës së tij, historinë e persekutimit të djaloshit njëzet vjeçar me kitarë në sup, nga një prej regjimeve më të egra diktatoriale. La pas dorëshkrime e tregime që sjellin historinë e muzikës së lehtë shqiptare në vitet '70. Është pikërisht dashuria për Frankon, që nuk shuhet e nuk venitet kurrë, shpirti i tij i shndritshëm në morinë e yjeve të galaktikës, që më shoqërojnë e më japin forcë për t'u ngritur mbi dhimbjen e letargjinë ku ajo të zhyt, për ta rrëfyer e për të mos e lënë në pluhurin e harresës historinë e jetës së tij, si një ndër shumë historitë e tjera në ato kohë të vështira për Shqipërinë.

Ndaj vendosa të shkruaj këtë libër me kujtimet e Frankos e të kolegëve të tij në tri gjuhë, anglisht, gjermanisht dhe shqip, për të rrëfyer, se kujtimet nuk janë thjesht nostalgji, se ato vërtet nuk mund të ta korrigjojnë të keqen e përjetuar në të shkuarën, por ndoshta janë kujtesë për shoqërinë njerëzore, copëza jete të saj që trokasin fort për brezat që vijnë, se liria e askujt nuk duhet prekur, për aq kohë sa nuk cënon interesin e shoqërisë e moralin e saj.

Libri është një përmbledhje e jetës dhe aktivitetit artistik të Françesk Radit, kantautor i spikatur shqiptar i viteve '70. Ai bazohet në dokumente origjinale, në dëshmitarë të gjallë dhe dorëshkrime të Frankos. Është shkruar në mënyrë kronologjike nga unë, Tefta Radi, bashkëshortia e tij. Përmes shfletimit të librit vjen për lexuesin shqiptar e të huaj, jeta e tij nga lindja, deri në shuarje, duke nxjerrë në pah figurën e Frankos artist në diktaturë dhe rilindjen e artistit muzikant pas rënies së saj. Libri hedh dritë mbi një kënd të errët, atë të keqtrajtimit të artistëve shqiptarë në atë sistem. Nuk ishte rastësi që diktatura godiste më fort ata artistë që ishin më të talentuar. Ndoshta Franko ishte njëri ndër ta.

Shumica e dokumenteve dhe fotove të botuara në këtë libër, janë marë nga arkivi familjar, por dhe institucionet e shtetit. Një pjesë e tyre botohen për herë të parë. Ky fakt, shoqëruar edhe me transkriptimin e krijimtarisë më përfaqësuese të tij, e bëjnë librin një nga veprat e rralla të këtij formati, të shkruara pas rënies së diktaturës, dhe jo vetëm një rrëfenjë për brezat e ardhshëm. Shpresojmë që libri të shërbejë për studjuesit e muzikës shqiptare, vendas apo të huaj, për të kuptuar artin shqiptar nën trysninë e regjimit komunist.

Me shumë dashuri e përkushtim librin ia dedikoj Frankos tim të shtrenjtë, prej të cilit mësova shumë në jetë, humanizmin pa cak, si të dua, si të fal, si të punoj, si të jem tolerante. Duke marrë prej tij buzëqeshjen ngjitëse, u bëra njësh me shpirtin e tij aspak hakmarrës, as për ata që padrejtësisht i mjegulluan rininë. E natyrisht pasi muzika gjithmonë bashkon zemra e dhuron hare. Ja dedikoj fëmijëve tanë të mrekullueshëm Anjeza e Baltion e familjeve të tyre, prindërve tanë të ndjerë e të jashtëzakonshëm, të pa kursyer me kontributin dhe mbështetjen e tyre sa herë që ne kishim nevojë. Njerëzve tanë të dashur, të cilët i ndjej gjithmonë pranë.

Jeta ime, kujtimet e mia, ndalen tek ty, Franko. Jetoj për ty. Përjetësisht bashkë.

Tefta Radi

Parathënie

Ishim ulur në dhomën e provave te godina e Radio -Televizionit. Atë pasdite, Françesk Radi—ose Franko, siç e thërrisnin miqtë e tij— ishte duke punuar me këngëtarët e rinj që do të debutonin në Festivalin e Këngës 2009 tre javë më vonë. Shoku im i ri ishte i emocionuar. Këngët, performancat, spektakli, kompozitorët, poetët, këngëtarët: së shpejti ai do të ishte pjesë e asaj historie. Franko ia thirri emrin. Ishte radha e tij për të bërë prova.

Shikoja sesi kantautori i njohur filloi të udhëzonte amatorin e ri. Fillo butë, pastaj gradualisht bëhu më tingëllues. Mbaje fjalën e fundit këtu; mos nxito shumë atje. Franko u ul në piano dhe demonstroi duke i treguar këngëtarit të ri se si ta bënte performacën e tij sa më komunikuese dhe më të fuqishme. Ai u ngrit dhe duartrokiti kur këngëtari më në fund "e kapi mesazhin." Unë buzëqesha; Franko dukej më i emocionuar se i riu.

Isha në Tiranë duke shkruar një libër për muzikën e lehtë dhe Sela Ishmaku i redaksisë së muzikës më kishte ftuar të vëzhgoja përgatitjet e Festivalit. Para se të vija në Shqipëri, Radin e kisha njohur përmes videoklipeve dhe albumeve të tij muzikore— por dhe nëpërmjet historisë së tij, të cilën të gjithë shqiptarët e mësuan në vitet 1990. Gjatë kësaj periudhe kantautori kishte përcjellë një dëshmi të fuqishme mbi shtetin komunist, për mënyrën sesi të rinjtë e brezit të tij kishin kërkuar strehim shpirtëror në filma, modë, arte dhe sigurisht muzikë. Ajo dëshmi u bë tepër domethënëse për të gjykuar të kaluarën. "Nën ritmin rrok / unë protestoj," këndoi Franko tek Rock i burgut, teksti i Agim Doçit.

Por dëshmia e Frankos ndihmoi gjithashtu në artikulimin e një historie të fuqishme mbi atë se si shteti ushtronte dhunën kundër individëve artistë dhe muzikantë. Kjo është një histori që shumë shqiptarë, fatkeqësisht, e kishin provuar në kurrizin e tyre. Kur intervistova Frankon për librin tim, ai tregoi pjesën e vet të cilën e kishte treguar shumë herë: popullariteti i tij si kantautor i ri, Festivali i Njëmbëdhjetë i Këngës, denoncimi, pastaj vitet në internim. Për mua, elementët më të fuqishëm të historisë së Frankos ishin ato që tregonin sesi funksiononte „Shteti" — jo si një gjë pa identitet, por si një koleksion individësh. Disa persona morën vendim për ta denoncuar, për të folur kundër tij në forume publike. Të tjerë vendosën thjesht të heshtin.

Nëse ka një anë pozitive në atë pjesë të historisë së Radit, është kjo: që disa u treguan të guximshëm. Ata nuk e shmangnin kur e shihnin në rrugë, por e takonin dhe i shtrëngonin dorën. Ata refuzuan ta trajtonin atë si një jo-person për shkak të asaj njolle të zezë në biografinë e tij. Por ka edhe një element tjetër pozitiv në këtë histori: ndjesia e paepur e Radit për bukurinë dhe drejtësinë që shkëlqyen në jetën dhe në artin e tij.

Po ç'mund të thuhet për historinë e tij që u ndërpre? Një histori që Radi e kishte nisur vite më parë me kitarën e tij në Tiranë, në festa me të rinj të qytetit, në anketat muzikore në Radio, në Festivalin e Njëmbëdhjetë të Këngës? Historia e një të riu që shprehte në këngët e tij gjallërinë e një brezi të rinjsh të rritur në Tiranën e pas luftës. Një përfaqësues i asaj rinie qytetare që imagjinoi një të ardhme të mbushur me gëzim, dashuri dhe optimizëm, muzikë dhe art. „Muzgu aty na gjeti ne," këndoi ai te „Biçikleta," „sa gëzim kur sytë tanë u ndriçuan me neon!" Ah, sikur ai gëzim të mos ishte parë si kërcënim për rendin politik! Por, pikërisht për këtë shkak ajo histori u ndërpre. Brutalisht!

Përsëri në Radio-Televizion - prova përfundoi. E pyeta mikun tim të ri nëse e kishte dëgjuar ndonjëherë Françesk Radin të këndonte live. Jo? U ktheva dhe, natyrisht, pashë që Franko ishte ulur tashmë në piano. Së shpejti erdhën akordet e këngës „Fools Rush In," dhe zëri i Frankos, që mbushi dhomën me fjalët e këngës së famshme të Elvis Presley.

Të gjithë u mblodhën rreth pianos dhe dëgjonin. Franko erdhi në fund të këngës dhe këngëtari i ri e pyeti se çfarë kuptimi kishte teksti. Duke më parë mua, Franko ngriti një vetull dhe u fut përsëri në këngë, hareshëm, duke i përkthyer fjalët në shqip ndërsa këndonte.

Shumë artistë, muzikantë dhe intelektualë kanë botuar kujtimet e tyre gjatë dekadave të fundit; shumë biografira janë shkruar për figurat kryesore, por historia e muzikës së lehtë shqiptare nuk mund të tregohet e plotë pa përfshirë historinë e Frankos.

Nicholas Tochka, Universiteti i Melburnit
Melburn, Victoria, Australi
12 tetor 2022

Françesk Radi, (Franko), Tiranë, 1972 (arkivi familjar)

Franko, Fushë – Arrëz, 1973 (arkivi familjar)

KAPITULLI III

PORTRET

Françesk (Franko) Radi (13 Shkurt 1950 – 3 Prill 2017), është kantautori i parë i muzikës së lehtë moderne shqiptare. Është diplomuar për kontrabas në Institutin e Lartë të Arteve në Tiranë, më 1974. I përket brezit të artistëve të viteve '70. Franko solli risi në këtë zhanër. Krijimtaria e tij muzikore që në fillesat e saj, u karakterizua nga një shkëputje nga formatet klasike të trajtimit të këngës së lehtë. Arranzhimi, struktura dhe shtjellimi i saj kanë tipare të qarta pop-rock të modelit anglo-amerikan, por dhe performanca e tij synonte të sillte ndërgjegjësim dhe ndryshime shoqërore.

Françesk Radi ishte njëherësh këngëtar e kantautor, kompozitor e instrumentist i shkëlqyer në kitarë e kitarë bass, kontrabass, piano, mandolinë, si dhe instrumenta popullorë si çifteli, sharki e të tjera instrumente të temperuar. Si njohës i mirë i tyre, i bëri pjesë të krijimtarisë së tij muzikore. Ai la pas një fond të pasur këngësh të muzikës së lehtë, këngësh popullore e qytetare të përpunuara, të orkestruara e të kënduara prej tij dhe të risjella për kohën nën ritme të moderuara, ndër më të spikaturat.

U dënua nga regjimi diktatorial i kohës për shfaqje të huaja, moderniste në krijimtari. U internua për riedukim në veri të vendit, në Fushë – Arrëz. Për afro dy dekada Frankos iu hoq e drejta e pjesëmarrjes në aktivitetin më të madh të muzikës së lehtë, Festivalin e Këngës në Radio Televizionin Shqiptar. U rikthye në këtë skenë pas viteve 1990 me rrëzimin e sistemit komunist e fitoren e demokracisë.

Françesk Radi vlerësohet si kantautori me krijimtarinë më të pasur. Interpretimet e tij janë pjesë e fondit "Zëra të artë" të muzikës shqiptare.

Jeta

Françesku lindi më 13 Shkurt 1950 në Tiranë, ku jetonin prindërit e tij, çifti Balto e Roza Radi. Ishte i katërti, ndër pesë fëmijët e tyre.

Kur linde Ti, nuk qave
Nuk nxore zë, por tinguj
Si nota pentagrami nëpër të
Ajo ishte kënga, ajo ishte jeta
Ku Ti bashkudhëtove me të
Deri në çastet e fundit
Me më të bukurin zë.

(Fatmir Demo)

Fëmijëria në Shkodër
dhe lindia e pasionit për muzikën

Fëmijërinë e hershme e kaloi në Shkodër, tek gjyshja e tij e dashur, Luçia, shtëpia e së cilës ishte pothuajse ngjitur me Kishën e Madhe të qytetit.

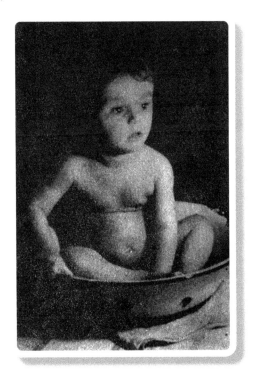 

Franko, 1 vjeç, Shkodër, 1951 (arkivi familjar)   Franko, 3 vjeç, Shkodër, 1953 (arkivi familjar)

Franko, 3 vjeç në prehrin e nënës Rozë (sipër në krah të gjyshe Luçies), Shkodër, 1953 (arkivi familjar)

Franko, rreshti i tretë, (i dyti djathtas). Shkolla fillore në ish shtypshkronjën e kishës Françeskane,
Shkodër, 1960 (arkivi familjar)

Shkodra, djepi i kulturës, i kompozitorëve të mëdhenj, Palok Kurti, Martin Gjoka, Prenk Jakova, Simon Gjoni, Çesk Zadeja, Tish Daija, Tonin Harapi, Gjon Simoni etj. e ushqeu me dashurinë për muzikën. Në Shkodrën e jareve e të këngës së mrekullueshme qytetare, kënduar prej artistëve të shquar që lanë gjurmë me interpretimin e tyre: Marie Kraja, Ibrahim Tukiçi, Bik Ndoja, Luçije Miloti, Shyqyri Alushi e të tjerë emra të zëshëm më vonë, që Shkodra i ka me shumicë. E shkuara gjithmonë mbetet në kujtesë. Që fëmijë i vogël Franko ëndërronte kitarën teksa e imporovizonte atë me furkën e gjyshes. Në Shkodër, ashtu i vogël ai qëndronte i heshtur qosheve të lokaleve e lulishtveve ku këndonte Tonin Tërshana. Nuk kishin shumë diferencë moshe dhe ishin komshinj. Tonini kishte filluar të këndonte që i vogël.

"Unë mahnitesha kur e dëgjoja në fakt Toninin. Thosha: A do vi ndonjëherë dita që të paktën të bëhem si ai," shkruan Franko në kujtimet e tij. [1]

---

1   Radi. F. Këngëtar-kantautor, kompozitor, instrumentist; *E djela shqiptare*, Klan Tv, 28 Nëntor 2010. *Libri:* Françesk Radi, Jetë në kitarë, fq. 35, rreshti 8, autorë: T. Radi & D. Gjergji, Tiranë, 2019. *Gazeta Integrimi*, 22 Mars 2010, fq. 16, F. Radi, Muzika, pasioni im i parë, kolona 1, rreshti 55.

Kthimi në Tiranë,
arsimimi dhe aktivizimi në jetën kulturore-artistike

Kreu tri klasë të shkollës fillore dhe u kthye në Tiranë, në gjirin e familjes. Shkodra u shndërrua për Frankon, në mitin e dashurisë pa fund. Familja Radi kishte brenda saj shpirtin e artit të të gjitha ngjyrave. Dhe i dha kulturës shqiptare emra të shquar ndër breza. Në mungesë të kitarës filimisht Franko e shoqëroi veten me mandolinë. Më pas, kitara u bë pjesë e pandarë e trupit të tij. Pothuajse bashkë me vitet kishte patur me vete

Vëllezërit Ferdinand e Franko Radi, në shtëpinë e tyre, 1993 (arkivi familjar)

edhe kitarën, që në moshën 12 vjeç kur filloi ta prek instrumentin për herë të parë me dorë. Që nga ajo kohë nuk e ndau më kurrë, duke e parë atë si një personazh mjaft të dashur në jetën e tij.

Pasioni e talenti nuk ishin thjesht një ëndërr e bukur fëminore, por një udhë e gjatë aq sa dhe jeta e tij. Muzika kishte lindur në shpirtin e Frankos. Lidhja e tij me muzikën nuk ka qënë e rastësishme, por e përjetëshme. Rrugën e dinte që kur ishte i vogël. Filloi të kërkojë, të mësojë, të këndojë në ambjente të ndryshme. Priste që njerëzit ta vlerësonin për atë që bënte. Reagimi i tyre ishte pozitiv. Ky fakt e shtynte që të ecte përpara.

Vëllai i madh i tij, Ferdinandi ishte aktor, dramaturg, poet. Ai kishte shoqëri të madhe me artistët. Pjesë e kësaj shoqërie ishte edhe regjisori i Estradës së Shtetit në fundvitet '60 e fillim vitet '70 të shekullit XX Bujar Kapexhiu, artist shumëplanësh. E kishte dëgjuar Frankon në shtëpi kur këndonte dhe e fton në premierën e tij në Estradën e Shtetit.

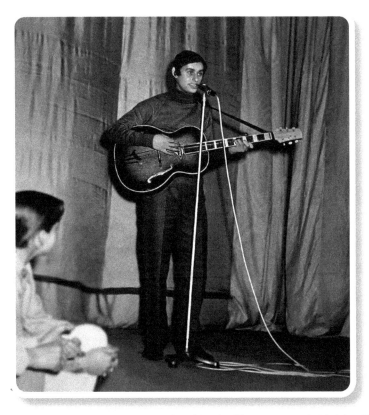

Franko, dalja e parë në skenë. Estrada e Shtetit, Tiranë, 1968 (arkivi familjar)

"Unë e di që ti je pak i parakohshëm, por do të mundohem, do të bëj punën time. Ishalla të dëgjojnë edhe ata të partisë. Po kalove atje, ti do të jesh në premierën time. Unë do të të ndihmoj pa tjetër, sepse unë të simpatizoj," ka cituar Franko regjisorin Kapexhiu në median televizive. [2]

---

2   Radi. F. Këngëtar-kantautor, kompozitor, instrumentist; *Emisioni*: Me Marizën, Scan tv, 30 Dhjetor 2016.

Këndoi këngën "Udhëtuam së bashku", një këngë aksioni. U pëlqye. Ishte ritmike për kohën, kompozuar nga Enver Shëngjergji. Në këtë skenë më 1968 nisi edhe suksesi i Françesk Radit.

Sipas tij: "Për herë të parë dilte në skenë një këngëtar me kitarë. Ishte e rrezikshme dalja me kitarë, sepse shikohej nga regjimi diktatorial si shfaqje e huaj. Publiku më priti shumë ngrohtë. Aty, provova emocione të forta. M'u errësua çdo gjë. Duartrokitjet e publikut më bënë të kuptoja se ndoshta jam diçka," është shprehur Radi.[3]

Profesor Dr. Bujar Kapexhiu: "Jo vetën në Estradë, por sidomos në koncertet që bëheshin nëpër pallate sporti, ose në mjedise të tjera, Franko ishte patjetër i pari, ai që duhej. Ai krijonte tek spektatori atë vrullin e parë, entuziazmin e parë, duartrokitjet e para që ka nevojë spektakli. Në vazhdimësi suksesi ishte i padiskutueshëm."[4]

Regjisori, aktori, producenti, Bujar Kapexhiu. Në ekran Françesk Radi,
1971 në Pallatin e Sportit "Partizani", sot "Asllan Rusi" (arkivi familjar)

Koncertet në Pallatin e Sportit të lojrave me dorë "Partizani", organizoheshin prej tij, nën siglën "4000 duartrokitje", nisur nga kapaciteti i vendeve për spektatorët. Ato ishin një ndër aktivitetet më masive e më të bukura të kohës.

Deputimi i parë i Frankos në skenë, përkon me kohën kur ishte në Liceun Artistik "Jordan Misja". Kishte fituar të drejtën e mësimit për instrumentin kontrabas, në një konkurim të hapur. Nuk u kishte treguar prindërve për ç'ka kishte menduar. Dëshironte t'i gëzonte ata në momentin final, kur të ulej në bankat e kësaj shkolle të bukur e me shumë histori për artin e kulturën kombëtare. Konkuroi me këngën "Dritaren kërkoj", të kompozitorit Tonin Harapi. Simon Gjoni ishte kryetari i jurisë.

3   Radi. F. Këngëtar-kantautor, kompozitor, instrumentist; *Emisioni*: Me Marizën, Scan tv, 30 Dhjetor, 2016. *Dokumentari*: F. Radi, Jetë e trazuar, TVSH, 18 Prill 2018.

4   Prof. Dr. Kapexhiu. B. Regjisor, skenarist, aktor; *Dokumentari*: F. Radi, Jetë e trazuar, TVSH, 18 Prill 2018. *Libri*: Françesk Radi, Jetë në kitarë, fq. 279, rreshti 6, autorë: T. Radi & D. Gjergji, Tiranë, 2019.

Franko, 1971 në Pallatin e Sportit "Partizani", sot "Asllan Rusi" (arkivi familjar)

"Liceu ishte shkolla më me emër për kohën. Fëmijë të talentuar, jo vetëm nga familje artistësh, por dhe nga familje të thjeshta, plot pasion për instrumentin apo kanton. Ishte koha e aksioneve, e mbrëmjeve të bukura rinore, ku këndohej e dëfrehej rinia pas pune, e ëndrrave dashurore, e vajzave e djemve të talentuar që të bënin për vete me gjithçka që zotëronin e përpiqeshin të mësonin. Këto vite në botë përkonin me kohën e famshme të grumbullimeve

rinore, tendencën e „Hippive", e njeriut të lirë, të shijimit të jetës nëpërmjet lirisë, qejfit, muzikes, këngës ...," rrëfen kompozitori i shquar Gazmend Mullahi, ish liceist me Frankon.

Sipas tij: "Që atëhere nxënësi Radi spikati për shumë veçori që e bënin të dashur për rininë. Franko kishte privilegjin të kishte pamjen e bukur, trupin muskuloz, trend vishej, sqimë që e shoqëroi gjithë jetën, flokët e gjatë, ishte në shkollën e mesme më famoze të kohës, në Liceun Artistik të Tiranës, i binte kitarës, këndonte bukur, kryesisht këngët italiane. Ai i mësonte shpejt, sapo ato dilnin duke i shkruar rrufe tekstet ... Dhe si qershia mbi tortë, kishte diksionin dhe harmonikën vokale të këngëtarit të famshëm italian, në kulmin e modës atë kohë, Adriano Celentano. Kaq mjaftonin që Françesk Radi të ishte një nga personazhet më karizmatikë dhe më të famshëm të Tiranës, mes adoleshentëve të shkollave të mesme."[5]

_____

[5] Mullahi. G. Kompozitor; *Libri:* F. Radi, Jetë në kitarë, fq. 346, rreshti 37, autorë: T. Radi & D. Gjergji, 2019. Gazeta *Koha jonë,* 4 Prill 2019, F. Radi, ai që mbeti në muzikë, në zemra e në bronz, fq. 16, kolona 4, rreshti 14. *Intervistë - audio* për kolegun F. Radi, 20 Shtator 2020, San Diego, California (arkivi familjar).

Muzikologu Fatmir Hysi: "Pavarësisht nga kuadri i përgjithshëm i "uniformave" shoqërore, ne kishim filluar të ndjenim nga afër praninë e "mbeturinave" borgjeze revizioniste dhe sikur na pëlqenin; na pëlqenin aq shumë sa vetë ëndrrën e jetës e zvogëlonim në një këngë qoftë edhe të zakonshme, por jo shqiptare (të ngjante, për shembull, me repertorin e The Beatles) dhe në një veshje të thjeshtë me blue jeans. Është e kotë ta përshkruash atë atmosferë, sepse askush nuk do të arrinte ta kuptonte sot plotësinë e dukurisë shoqërore me fakte të zakonshme. Sidoqoftë (të dalim te rasti), orkestra jonë e mbrëmjeve të vallëzimit, ku më kujtohen edhe sot përkushtimi dhe pasioni i Blerim Reçit, Don Milukës, Nard Topit e të tjerëve dhe sidomos impostimi çelentanian i Françesk Radit, ishin më shumë se ç'mund të ëndërronim, ishin gjithë horizonti ynë i ndryshimit; ishte kulmi i kënaqësisë e i krenarisë, gjë që na bënte të ngjanim si fëmijë të rritur, rrethuar me lodra të reja e të ndryshme nga ato të fëmijërisë."[6]

Mjeshtri i pikturës Roland Karanxha shkruan: "Kur përpiqesh të përshkruash një personalitet të përmasave të Frankos, do të thotë të ripërshkosh një rrugëtim emocionesh, rinie dhe shoqërie unikale. Frankon e kam njohur në vjeshtën e vitit 1967, në bankat e liceut «Jordan Misja" ku të dy studionim në degë të ndryshme (unë për pikturë dhe ai për kontrabas), por kjo nuk na pengoi të zhvillonim një shoqëri të mrekullueshme që si kolonë zanore kishte muzikën e jashtëzakonshme që vetëm gjenialiteti i një artsti të rallë si ai, mund të konceptonte. Kujtoj mëngjeset e „aksioneve" të dikurshme ku mërzia dhe detyrimi i asaj praktike absurde zbutej nga zgjimi përkëdhelës i tingujve të „Yesterday" dhe „Let It Be", që në kitarën e Frankos tingëllonin mrekullisht."[7]

Franko (i treti majtas). Në aksion për ndërtimin e hekurudhës, Xibrakë, 1969 (arkivi familjar)

6　　　Dr. Minga. M. Etnomuzikologe;https://peizazhe.com/2021/04/28/francesk-radi/, rreshti 108.

7　　　Karanxha. R. Piktor; *Libri:* F. Radi, Jetë në kitarë, fq. 324, rreshti 1, autorë: T. Radi & D. Gjergji, Tiranë, 2019. Gazeta *Koha jonë*, 4 Prill 2019, Kujtoj zgjimin përkëdhelës të Françesk Radit mes tingujve të "Yesterday" dhe "Let It Be", fq. 17, kolona 5, rreshti 1.

Oboisti Ilir Mërtiri, bashkëstudent me Frankon nga liceu deri në përfundimin e Institutit të Lartë të Arteve kujton: "Franko nga të gjithë ne shokët e klasës ishte një muzikant i spikatur. Nuk diskutohet talenti në fushën e muzikës. Por unë doja të veçoja faktin që ai dallohej nga të gjithë ne, edhe si shumë i talentuar në fushën e sportit. Ishte shumë atlet, luante shumë bukur futboll. Bënte edhe sporte me gira, ngritje peshash për të krijuar muskulaturën e trupit. Kishte një trup mjaft sportiv, shumë elegant, per ta marë si etalon në këtë drejtim. Ajo që më ka mbetur në kujtese, jane stervitjet ushtarake që bënim në shkolla në ato vite. Në grupin apo togën tonë, një ndër ushtrimet që duhej të bënim ishte kalimi i brezit të kalitjes ushtarake. Duhej bërë brenda kohës së caktuar që matej me kronometër. Por ishte gjë e vështirë të kaloje pengesat e vështirësitë e tjera që kishte gara. Dhe Franko arriti ta bëjë atë, me një shpejtësi të jashtëzakonshme. Theu rekordin në të gjithë shkollën ushtarake të Zall-Herit. Mbeti në kujtesë ky fakt dhe u bë objekt i gjithë komandës ushtarake. Ishte tepër atletik, tepër elegant. Ishte një djalë i veçantë."[8]

Për Frankon, vitet e Liceut Artistik, ishin vitet e përkushtimit ndaj studimeve.

"Jemi marrë shumë me muzikë, kemi studiuar partitura. Kam marrë pjesë që në moshën 16 vjeçare me kitarë bass në Orkestrën Simfonike të RTSH-së (Radio Televizioni Shqiptar). Kam punuar shumë. Në të njëjtën kohë studioja piano, në të njëjtën kohë studioja kitarë, në të njëjtën kohë studioja kontrabas. Unë u pajisa me një kulturë muzikore," është shprehur ai.[9]

Franko, (i pari majtas, mbështetur në shtyllë). Liqeni Artificial i Tiranës, 1967 (arkivi familjar)

---

8   Mërtiri. I. Oboist; *Dokumentari:* Vitet `70, muzika e lehtë, diktatura. Françesk Radi. Tv1 channel, Shkodër, Tetor, 2022, RTK1, Prishtinë, Kosovë, 2022-12-04.

9   Radi. F. Këngëtar-kantautor, kompozitor, instrumentist; *Pasdite në Top Channel*, 19 Qershor 2015. *Dokumentari:* F. Radi, Jetë e trazuar, TVSh, 18 Prill 2018.

Gazmend Mullahi kujton: "Në shumë momente të ditës uleshim në piano dhe sigurisht Franko këndonte këngët më të fundit që dëgjonte në radio. Kishte një aftësi të jashtëzakonshme për të fiksuar tre elementët më të rëndësishëm që kishte kënga në kushtet kur ne e dëgjonim muzikën vetëm një herë: melodinë, harmoninë, tekstin. Në atë kohë ne s'kishim magnetofonë, ndaj vëmendja për të kapur këngën vetëm me dëgjim, ishte maksimale. Franko ishte i hatashëm dhe na çudiste të gjithëve me aftësinë e tij maramendëse…" 10

Këto aftësi dhe formimi i mirë muzikor që në rininë e hershme të tij, tërhoqën vëmendjen e muzikantëve më në zë të kohës, Gaspër Çurçis, i njohur ndryshe si Lui Amstrong-u shqiptar. Ai e bëri Frankon 16 vjeçar, pjesë të formacionit të tij orkestral, Big Band-it të famshëm. Po ashtu si bassist ai u bë pjesë e formacionit orkestral të pianistit të shquar Robert Radoja. Por dhe i Orkestrës Simfonike të RTSH-së, me dirigjent, siç shprehej Franko, veshin absolut të muzikës shqiptare, mjeshtrin Ferdinand Deda.

Franko në Big Band-in e Gaspër Çurçis në kitar bass, rreshti sipër (i pari majtas)
Festivali i 7-të i Këngës në RTSH (arkivi familjar)

---

10   Mullahi. G. Kompozitor; Gazeta *Koha jonë*, 4 Prill 2019, F. Radi, ai që mbeti në muzikë, në zemra e në bronz, fq. 16, kolona 5, rreshti 28. *Libri:* F. Radi, Jetë në kitarë, fq. 348, rreshti 1, autorë: T. Radi & D. Gjergji, Tiranë, 2019. *Intervistë - audio* për kolegun F. Radi, 20 Shtator 2020, San Diego, California (arkivi familjar).

Franko në kitar bass (i dyti majtas), në formacionin orkestral të pianistit Robert Radoja Gjatë provave të
Festivalit të 9-të të Këngës në RTSH, 1970. Revista Radiopërhapja, 12 Janar 1971 Biblioteka
"Marin Barleti", Shkodër

Lufta e klasave
dhe familjet e deklasuara gjatë sistemit komunist në Shqipëri

Me vështirësi arriti të sigurojë të drejtën e thellimit të studimit për kontrabas në Institutin e Lartë të Arteve. Françesk Radi ishte pinjoll i një familjeje të deklasuar për kohën. Kjo do të thoshte se familje të tilla vëzhgoheshin nga struktura të posaçme te pushtetit, pasi ato konsideroheshin si kundërshtarë të regjimit komunist. Nëna e Frankos, Roza, ishte vajza e Nush Prennushit, nga një familje me emër në Shkodër. I ati i saj, Nushi, (gjyshi i Frankos nga nëna), ishte vëllai i klerikut të lartë, imzot Vinçenc Prennushit, mjaft i njohur. Sipas studjuesit Alfred Çapaliku, ai mbetet një ndër personalitetet më të shquara të kishës katolike dhe të letrave shqipe, të Rilindjes Kombëtare, luftëtar në bindje e ide i demokracisë së re që po lindte në Shqipëri në gjysmën e parë të shekullit XX. Vdiq nga torturat çnjerëzore të diktaturës komuniste në burgun e Durrësit, në Mars 1949, në duart e personalitetit të shquar Arshi Pipa.

Nga i ati gjithashtu kishte xhaxhanë, Lazër Radi, diplomuar për drejtësi në universitetin La Sapienza në Romë. Mik me intelektualen e shquar Musine Kokalari, Migjenin e madh, personalitetin Ernest Koliqi e shumë figura të tjera të kohës, me kontribute të vyera për kombin. U dënua me grupin e 61 intelektualëve më 14 prill 1945 për shkak të bindjeve të tij.U end burgjeve e internimeve në tre breza, deri në rrëzimin e sistemit komunist.

Vëllezërit Nush, Ndoc e at Vinçenc Prennushi me nënën
e tyre Drane. Fotografi e vitit 1917. Përkon me vitet e
Luftës së Parë Botërore, ndaj vëllezërit Nush (majtas),
e Ndoc, janë të veshur me uniformën ushtarake. Foto
Marubi (arkivi familjar)

Imzot Vinçenc Prennushi. Foto Marubi, 1943
(arkivi familjar)

Lazër Radi (i pari majtas), Migjeni (në mes) dhe Hajdar Delvina. Pukë, 1936 (arkivi familjar)

Musine Kokalari (majtas), Lazër Radi (i pari djathtas). Në anije, Prill 1939 (arkivi familjar)

Në vitet 1935-38 Lazri kishte qënë shok në gjimnazin e Shkodrës me Fadil Paçramin. Më 1970, kur Franko do të vijonte studimet e larta, Paçrami ishte sekretar i Komitetit Qendror të Partisë së Punës, për ideologjinë. Në emër të Lazrit ndërmjetësoi i vëllai i Frankos, Ferdinandi. Paçrami mori riskun përsipër dhe nuk e kurseu mbështetjen për familjen Radi. Kurrë nuk e kishte menduar se regjimi komunist, të cilit i shërbeu, nuk do ta mëshironte as atë vetë. Nën akuzën për liberalizëm, u shpall armik i popullit dhe u dënua me burgim nga 1975 – 1991, viti që shënoi dhe rrënien e sistemit komunist. Peshën si familje e persekutuar kantautori Radi e mbajti mbi shpinë deri në rënien e diktaturës.

Franko student,
këngëtar & kantautor, instrumentist

Viti akademik 1970-1971 shënoi për Frankon fillimin e studimeve për kontrabas në Institutin e Lartë të Arteve në Tiranë .

Franko, 1971 (arkivi familjar)

Sipas muzikantit të mirënjohur Zef Çoba: "Françesku ishte student i rregullt, muzikanti që punonte me orë të tëra me vullnet e këmbëngulje në instrumentin e kontrabasit, megjithëse kishte filluar të afirmonte prirjet e tij në muzikën e lehtë, si në këngë ashtu edhe me pjesëmarrjen në formacione me kitarë apo me kitarë bass. Pavarësisht nga suksesi dhe kënaqësia që i jepte ky aktivitet, nuk u shkëput nga puna studimore e punoi me këmbëngulje e vullnet për formimin artistik e profesional."[11]

Kultura e gjerë muzikore tek studenti Radi, nuk mund të mos prodhonte muzikë të mirë. Më 1971, kompozoi këngën "Adresa", kompozimi i tij i parë dhe i suksesshëm. Motivi ështe marë nga folklori. Që në rininë e tij të hershme Radi ka treguar se mbështetej fort në folklorin popullor.

Franko në Festivalin e 2-të të Studentit, Mars 1972 (arkivi familjar)

"Kisha studiuar disa tema të muzikës popullore të jugut. Motivin e këngës e mora në njerën prej tyre, në këngën "Lule Sofo, lule djalë." Një motiv i thjeshtë, por që tingëlloi bukur. Tekstin e këngës e shkroi miku im, kompozitori i talentuar Kastriot Gjini. Sapo ai e dëgjoi melodinë më tha: Një djalë që dashuron një vajzë dhe kërkon adresën e saj. Ishte gjetje, ishte gjetje," ështe shprehur Radi. [12]

---

11   Prof. Çoba. Z. Kompozitor; Gazeta *Telegraf*, 8 Prill 2021, F. Radi është zëri i sinqertë i muzikantit pasionant, fq. 20, kolona 2, rreshti 16. *Intervistë-video*, 31 Janar 2021, Shkodër, (arkivi familjar). *Dokumentari*: Vitet `70, muzika e lehtë, diktatura. Françesk Radi. Tv1 channel, Shkodër, Tetor, 2022; RTK1, Prishtinë, Kosovë, 2022-12-04

12   Radi. F. Këngëtar-kantautor, kompozitor, instrumentist; *Intervistë*, TVSH, 1971. *Pasdite ne Top Channel*, 19 Qershor, 2015. *Emisioni:* Fol me mua, TVSH, 15 Maj 2015. Gazeta *Sot,* F. Radi, Elektronika ka shkatërruar muzikën, montazhierët kanë zëvendësuar kompozitorët, nga Julia Vrapi, fq.18, kolona e parë, rreshti 46, https://albdreams.wordpress.com/2012/04/03/francesk-radi-e-verteta-e-kenges-time-me-tekst-politik-dhe-muzike-moderne-ne-festivalin-e-vitit-1972/, rreshti 55. *Libri:* F. Radi, Jetë në kitarë, fq 187, rreshti 5, autorë: T. Radi & D. Gjergji, 2019.

Ishte koha kur teknologjia e komunikimit nuk kishte telefona celularë, fb e rrjete të tjera sociale. Me këngën "Adresa", Franko konkuroi në Festivalin e 2-të të Studentit, në Institutin e Lartë të Arteve, zhvilluar në datat 14 – 16 Mars 1972.

"Interesimi i rinisë ishte i jashtëzakonshëm, aq sa janë dëmtuar dyert e Institutit të Arteve. U vlerësova me çmim të dytë. Për një kompozitor të ri si unë ishte motivim. Kënga "Adresa" mban vulën e një periudhe, vulën e një kohe të sinqertë. Edhe ne, në atë kohë ishim të rinj, si të rinjtë sot. Jetuam në një sistem totalitar komunist, tejet të vështirë, por ne i gjetëm shtigjet për të treguar shpirtin dhc botën e të rinjve, që kishin përqafuar perëndimin, e që asnjë regjim në botë nuk mund t'ua mbyllte dyert dhe dritaret."[13]

Aleksandër Lalo: "Adresa" është kënduar dhe luajtur tek Instituti i Lartë i Arteve me një orkestër shumë të mirë simfoxhazi. Ka patur një sukses të jashtëzakonshëm."[14]

Pedagogia e shkencave të muzikologjisë në Institutin e Lartë të Arteve, Hamide Stringa, 1972 (foto nga H. Stringa)

Pedagogia e shkencave të muzikologjisë, Hamide Stringa, diplomuar në universitetin "Çajkovski" të Moskës (Университет П.И.Чайковского, Москва), e kishte njohur Frankon në Institutin e Lartë të Arteve si studentin e saj. E pranishme në festival, Stringa vlerësoj tek Franko tingullin e bukur e të natyrshëm të zërit, prirjen e këngës që ngjasonte me një traditë të re që

13 Radi. F. Këngëtar-kantautor, kompozitor, instrumentist; *Emisioni:* Fol me mua, TVSH, 15 Maj 2015. Emisioni: Me Marizën, Scan tv, 30 Dhjetor 2016. *Libri:* F. Radi, Jetë në kitarë, fq. 60, rreshti 5, autorë: T. Radi & D. Gjergji, Tiranë, 2019. *Dokumentari:* F. Radi, Jetë e trazuar, TVSH, 18 Prill 2018. *Gazeta Shqiptare,* 29 Korrik 2010, Kitara dhe kënga në plazh shërbenin si "karremi" për të afruar vajzat, nga Eraldo Rexho, Summer pages, fq. 4, kolona 4, rreshti 19.

14 Lalo. A. Kompozitor; *Emisioni:* Muzikë, emocion, muzikë, TVSH, 14 Dhjetor 2001. *Dokumentari:* Vitet `70, muzika e lehtë, diktatura. Françesk Radi. Tv1 channel, Shkodër, Tetor, 2022, RTK1, Prishtinë, Kosovë, 2022-12-4.

kishte filluar jo vetëm në muzikën vokale koncertale, por edhe në fushën e muzikës së lehtë.

"E dëgjova Frankon në një këngë që më thanë se e kishte kompozuar vetë. Më pëlqeu edhe kënga, edhe mënyra se si e këndoi Franko. Me një zë të timbruar bukur, me ngjyrë baritonale. Më pëlqeu kënga, sepse ishte shkruar shtruar, por sidomos mënyra shumë e qetë dhe shumë e ngrohtë e interpretimit. Franko ishte dhe kitarist i shkëlqyer. Shumë i edukuar, shumë i ëmbël në të folur, me shumë tingull të bukur zëri. Edhe fizikisht mjaft simpatik."[15]

"Në pamje, të jepte pështypjen e një personi që jetonte disi jashtë formatit të një djaloshi të tipit klishe të asaj kohe. I matur e serioz, por edhe moskokëçarës. Kishte një shikim të përqëndruar. Energjia që tregonin sytë e tij në brendi, ishte në harmoni të plotë me gjestet e lëvizjet e trupit, si në ecje ashtu edhe në komunikim. Franko si muzikant, mund të them se në karakter më shumë ngjasonte me kitarën, se sa me instrumentin për të cilin studionte, kontrabasin," është shprehur muzikanti i mirënjohur Zef Çoba.[16]

Më 1972 studenti Radi kompozon këngën "Biçikleta", sërish një tjetër hit për kohën në Anketën Muzikore të Radio – Tiranës, por shumë e pëlqyer edhe sot. Ishte kompozimi i dytë i tij.

"Tekstin e kam shkruar vetë, është shprehur Franko. Thjesht ishin romantizma të kohës, në përditshmërinë e rinise sonë. Nje djalë që priste. Gjithmonë djemtë presin tek ura apo në vende të posaçme ku kalojnë vajzat. Ishte pikërisht një vajzë me biçikletë që kalonte, e që djalit i pëlqente. Priste që t'i prishej biçikleta një ditë, të afrohej e ta ndihmonte. Thjeshtë një fabul naïve, por për kohën në Shqipërinë komuniste ishte paksa e guximshme."[17]

15   Stringa. H. Muzikologe, këngëtare lirike; Gazeta *Telegraf*, 8 Prill 2021, Frankua në Festivalin e 11-të të Këngës, solli frymë të re, fq. 21, kolona 1, rreshti 16, 20. *Intervistë-video*, 6 Korrik 2020, Tiranë (arkivi familjar). *Dokumentari:* Vitet `70, muzika e lehtë, diktatura. Françesk Radi.Tv1 channel, Shkodër, Tetor, 2022, RTK, Prishtinë, Kosovë, 2022-12-4.

16   Prof. Çoba. Z. Kompozitor; Gazeta *Telegraf*, 8 Prill 2021 F. Radi është zëri i singertë i muzikantit pasionant, fq. 21, kolona 1, rreshti 38. *Intervistë-video*, 31 Janar 2021, Shkodër (arkivi familjar). *Dokumentari:* Vitet `70, muzika e lehtë, diktatura. Françesk Radi. Tv1 channel, Shkodër, Tetor, 2022, RTK, Prishtinë, Kosovë, 2022-12-4.

17   Radi. F. Këngëtar-kantautor, kompozitor, instrumentist; *Pasdite në Top Channel*, 19 Qershor, 2015.

Vitet '70.

Franko krijoi figurën e tij unike

"**V**itet '70 të shekullit XX ishin vite të transformimeve të jetës, vite të liberalizimit të saj e të kulturës shqiptare. Moda perëndimore në veshje, krehje, etj kishte nisur të lulëzonte edhe në Tiranë. Nga një presion i madh i izolimit kulturor të vendit, papritur u ngjallën disa shpresa për një hapje të kulturës shqiptare, për një afrim të saj me zhvillimet europiane. Françesku në mënyrë intuitive u afrua me këtë zhanër. Në kapërcimin e viteve '70 kjo mundësi e re e hapjes me botën filloi të lulëzojë. Franko ishte ndër të parët artistë që ra në sy me krijimet e tij, me mënyrën e tij të të kënduarit dhe gjithçka që filloi të brumosi personalitetin e tij artistik." Janë fjalët e dirigjentit dhe personalitetit të shquar të kulturës shqiptare, Zhani Ciko.

Sipas tij: "Françesku gjeti menjëherë këndin e tij të disa këngëve më intime, që përshkonin momente të jetës së shpenguar të rinisë dhe futi portretin e tij në muzikën e lehtë shqiptare duke u bërë për mua i pari kantautor, këngë e autor ta themi shqip, i muzikës së lehtë shqiptare, i cili përpunoi shumë gjëra, përpunoi jo vetëm figurën që e kishte të tijën, por përpunoi edhe mënyrën e të kënduarit pa u influencuar në kuptimin e keq të fjalës, por duke marrë nektarin e asaj çfarë ndodhte. Me ato mjete të pakta komunikimi që ishin në atë kohë, Françesku gjeti një mënyrë të vokalizimit që ishte afër vetes së tij dhe e shkëputi atë nga të tjerët. Kjo është ajo që mua më krijon bindjen se është vërtet i pari në fushën e kantautorëve të muzikës së lehtë."[18]

---

18   Ciko. Zh. Dirigjent; *Dokumentari:* F. Radi, Jetë e trazuar, TVSH, 18 Prill 2018. *Libri*: F. Radi, Jetë në kitarë, fq. 247, rreshti 21, autorë: T. Radi & D. Gjergji, Tiranë, 2019.

Për muzikantin Çoba: "Kishte diçka të veçantë në aksionin e tij artistik. Zëri i tij po sillte tek spektatori atë art që i mungonte publikut, si në përmbajtjen e gjuhës muzikore, ashtu edhe në subjekte e në përmbajtje poetike. Në këtë aksion artistik Françesk Radi është zëri i sinqertë i muzikantit pasionant, që arriti të realizojë me sukses njëherësh këngëtarin si interpretues e kantautor, kompozitorin e instrumentistin."[19]

"Muzika e re amerikane, dhe ajo angleze e The Beatles, Rolling Stones si dhe rrymat e reja bashkëkohore që kishin pushtuar botën dhe për çudi dëgjoheshin lirisht edhe në Radio Tirana, e më vonë ne Televizionin Shqiptar, na bëri të jetojmë me entuziazëm edhe muzikën shqiptare të atyre viteve, në veçanti Anketën Muzikore ku në vitin 1972 do të triumfonte një kantautor i ri, krijuesi i së famëshmes "Adresa"- Françesk Radi. E dëgjoja me kënaqësi si gjithë bashkëmoshatarët e mi dhe të rinjtë; kishte diçka që na tërhiqte në zërin e tij të ngrohtë, pak hundor (ndoshta të ngjashëm me Celentano-n), për ritmin e këngës, tekstin e thjeshtë rinor e ndoshta më tepër për atë çfarë më bënte të ëndërroja: një muzikë pa kufizime, një shprehje e lirshme ndenjash artistike e jetësore që të gjithë dëshironim," vlerëson kompozitori Gjon Shllaku.[20]

"Sapo kisha filluar Fakultetin e Inxhinierisë Mekanike, kur doli kënga "Adresa", e Françesk Radit. Kur dëgjuam timbrin e veçantë dhe kumbimin e zërit të tij, u dridhëruam të gjithë. Si studentë që ishim, nxitonim instiktivisht drejt njëri tjetrit për diku, sepse ndjemë se pranë nesh, befas kishte zbritur nga qielli një djalë i ri, student në Institutin e Lartë të Arteve, që përngjiste shumë me Adriano Celentano-n, këngëtarin tonë të preferuar dhe që ishte disidenca jonë e parë…Rinia e përpiu menjëherë Frankon, sikundër edhe Franko e përpiu rininë e tërë Shqipërisë, por edhe tërë brezat në përgjithësi," ka shkruar miku i Frankos, Gaqo Apostoli.[21]

Në vitet '70 doli një plejadë këngëtarësh të rinj e mjaft të talentuar, pa lënë në haresë pararendësit e tyre: të madhen Vaçe Zela, Anita Take, Pavlina Nikaj, Muharrem Xhediku, Qemal Kërtusha, Rudolf Stamolla etj. Të rinjtë si Sherif Merdani, Tonin Tërshana, Ilir Dangëllija, Leonard Bulku, Nevruz Yzeiri, Vladimir Muzha, Nikoleta Shoshi, Elida Koreshi, Naim Kërçuku, Zija Saraçi, Justina Aliaj, Lindita Sota, Ema Qazimi, Bashkim Alibali, Dorian Nini , Alida Hisku, Rozeta Doraci, Liljana Kondakçi, Luan Zhegu, Kozma Dushi, Kleopatra Skarço, Pëllumb Elmazi, Violeta Simoni, Vera Dervishi, Nikolin Gjergji, Elida Shehu, Gjergj Suljoti, Kastriot Ago, Lefter Agora, Antigoni Goxhi, Petrit Dobjani, Suzana Qatipi, Violeta Zefi, Shkëlqim Pashollari,

19   Prof. Çoba. Z. Kompozitor; Gazeta *Telegraf*, 8 Prill 2021, F. Radi është zëri i sinqertë i muzikantit pasionant, fq. 20, kolona 3, rreshti 13. *Intervistë-video*, 31 Janar 2021, Shkodër (arkivi familjar). *Dokumentari*: Vitet `70, muzika e lehtë, diktatura. Françesk Radi. Tv1 channel, Shkodër, Tetor, 2022, RTK1, Prishtinë, Kosovë, 2022-12-04.

20   Shllaku. GJ. Kompozitor; Gazeta *Telegraf*, 11 Maj 2021, "Adresa" dhe "Biçikleta" të F. Radit, hite që koha i lartëson, fq, 22, kolona 1, rreshti 23. *Dokumentari*: Vitet `70, muzika e lehtë, diktatura. Françesk Radi. Tv1 channel, Shkodër, Tetor, 2022, RTK1, Prishtinë, Kosovë, 2022-12-04.

21   Apostoli. G. Inxhinier; Do të shihemi lart në qiell, Françesk, miku im i shtrenjtë....(arkivi familjar)

Eduard Jubani, Dhimitër Disho, Valentina Gjoni, Spartak Gramatikoi, Iliriana Çarçani, Fatbardha Hoxha, Adriana Ceko, e të tjerë, ishin brezi që lanë gjurmën e tyre në historinë e muzikës shqiptare. Me zërat e tyre origjinal, ata i dhanë një vrull të ri artit të këngës. Kjo përbën edhe të veçantën e viteve '70.

Sipas Profesor Bujar Kapexhiu: "Një nga ata të rinj ishte Françesk Radi, tepër elegant, me pamje të pazakontë për kohën, rrinte me flokë të gjata, veshur me elegancë, me shumë shije, tamam dukej si një djalë perëndimor. E shoqëronte gjithmonë kitara."[22]

Për poetin e mirënjohur Sadik Bejko: "Franko ishte një figurë që nuk e kishte asnjë këngëtar tjetër. Atëherë kishte këngëtarë të dëgjuar. Ishte prsh Sherif Merdani, ose ishte Tonin Tërshana, por Françesk Radi ishte tjetër. Ishte një prurje si gjithë këngëtarët kur dolën atëhere në Amerikë, e në vende të tjera të botës. Ishin tipat e kantautorit, një njeri që ka një individualitet, ka një kitarë në sup, ka një melodi, ka një mesazh për të dhënë, mesazhin e brezit të vet. Kjo ishte shumë origjininale."[23]

"Artisti këngëtar me mjetet e veta të komunikimit, realizoi individualitetin e tij artistik. Siç ndodh zakonisht me këngëtarët e shquar, që në moshë të re, Franko u bë i njohur në të gjithë vendin e fitoi famë. Ishte luks për një të ri, i cili që kur ishte student, të gëzonte një imazh të admirueshëm në opininin e publikut të gjërë, e kryesisht rinor. Me zërin e ngrohtë e muzikal, e timbrin e tij karaktaristik, njëkohësisht duke luajtur në kitarë, arriti të ndërtojë një komunikim spontan e kofidencial me spektatorët. Pavarësisht nga kjo, ai ishte njeriu i thjeshtë e i dashur që nuk manifestonte vetëkënaqësi, por gëzohej që me talentin e artin e tij u falte kënaqësi e gëzonte njerëzit e thjeshtë," shkruan i mirënjohuri Zef Çoba.[24]

Për shkrimtarin Shpend Sollaku Noè: "Françesk Radi ishte nga ata personazhe që kanë ardhur në këtë botë për të qenë ndryshe nga të tjerët, si grisës të natyrshëm të monotonisë në të cilën jeta e përplas njeriun e vdekshëm. Në ekstravagancën e tij humane ai ishte i gjithi origjinal. Ai kishte portret të veçantë, zë të veçantë, karakter artistik të veçantë. Ai ishte nga ata lloj njerëzish që vijnë mbi këtë tokë si dhurata të paçmuara të qiellit."[25]

Në fundvitet 1960 e fillimvitet '70 kur Franko hyri në skenën e muzikës me prirje të reja, bashkë me përfaqësues të tjerë të brezit të tij si: Enver

---

22   Prof. Dr. Kapexhiu. B. Regjisor, skenarist, aktor; *Dokumentari:* F. Radi, Jetë e trazuar, TVSH, 18 Prill 2018. *Libri:* F. Radi, Jetë në kitarë, fq. 278, rreshti 14, autorë: T. Radi & D. Gjergji, Tiranë, 2019.

23   Bejko. S. Poet; *Dokumentari*: F. Radi, Jetë e trazuar, TVSH, 18 Prill 2018. *Libri:* F. Radi, Jetë në kitarë, fq. 259, rreshti 11, 17, autorë: T. Radi & D. Gjergji, Tiranë, 2019.

24   Prof. Çoba. Z. Kompozitor; Gazeta *Telegraf*, 8 Prill 2021, F. Radi është zëri i sinqertë i muzikantit pasionant, fq, 20, kolona 2, rreshti 34. *Intervistë-video*, 31 Janar 2021, Shkodër (arkivi familjar). *Dokumentari:* Vitet `70, muzika e lehtë, diktatura. Françesk Radi. Tv1 channel, Shkodër, Tetor 2022, RTK1, Prishtinë, Kosovë, 2022-12-04.

25   Sollaku. Sh. Noè. Shkrimtar, Gazeta online *Shqiptarja.com*, F. Radi e kreu revolucionin e tij, 27 Mars 2019, rreshti 18. *Libri*: Françesk Radi, Jetë në kitarë, fq. 339, rreshti 29, autorë: T. Radi & D. Gjergji, Tiranë, 2019. *Dokumentari:* Vitet `70, muzika e lehtë, diktatura. Françesk Radi. Tv1 channel, Shkodër, Tetor 2022, RTK1, Prishtinë, Kosovë, 2022-12-04.

Shëngjergji, Kastriot Gjini, Aleksandër Lalo, Gazmend Mullahi, Josif Minga, Aleksandër Peçi, Bajram Lapi, Lejla Agolli, Selim Ishmaku, Ruzhdi Keraj, Jetmir Barbullushi, Hajg Zacharian, Zef Çoba, Sokol Shupo, Spartak Tili, Naim Gjoshi, David Tukiçi, etj, ishte ngritur tabani i muzikës së lehtë shqiptare nga kompozitorë të tillë që mbetën ikona si Muharrem Xhediku, që njihet si babai i tangos shqiptare, Abdulla Grimci, Tish Daija, Nikolla Zoraqi, Llazar Morcka, Avni Mula, Tonin Harapi, Pjetër Gaci, Ferdinand Deda, Simon Gjoni, Limoz Dizdari, Abaz Hajro, Baki Kongoli, Mark Kaftalli, Shpëtim Kushta, Kujtim Laro, Feim Ibrahimi, Tasim Hoshafi, Flamur Shehu, Gjon Simoni, Alfons Balliçi, Agim Prodani, Agim Krajka, e të tjerë me produktin e tyre muzikor të bukur e nostalgjik ndër dekada.

Muzikologja Hamide Stringa vlerëson për kohën tek Franko një prirje të dyfishtë: "T'i afrohej si kompozitor mënyrës së përpunimit të këngëve nga Agim Krajka, dhe tjetra ishte, t'i afrohej edhe mënyrës tingëlluese të të kënduarit melodioz të këngëtarëve italianë. Ky gërshetim m'u duk shumë i zgjuar. Dhe mendova menjëherë, ja cilët duhet ta bëjnë këngën e lehtë të depërtueshme, të kapshme."[26]

---

26   Stringa. H. Muzikologe, këngëtare lirike; Gazeta *Telegraf,* 8 Prill 2021, Frankua në Festivalin e 11-të solli frymë të re, fq. 21, kolona 2, rreshti 27. *Intervistë-video*, 6 Korrik 2020, Tirane (arkivi familjar). *Dokumentari:* Vitet `70, muzika e lehtë, diktatura. Françesk Radi. Tv1 channel, Shkodër, Tetor 2022, RTK1, Prishtinë, Kosovë, 2022-12-04.

Rinia sfidoi diktaturën komuniste.
Dëgjoi dhe këndoi fshehurazi muzikën e ndaluar

"Ishin vite kur jo vetëm muzika shqiptare, por edhe ajo e huaj, me hitet botërorë të kohës, pëlqehej e këndohej nga grupe të rinjsh në Shqipëri. Edhe kur sistemi komunist e ndaloi transmetimin e tyre si shfaqje dekadente perëndimore, brezi i ri i këngëtarëve të viteve '70 guxoi dhe i këndoi. Skenë e tyre u bë plazhi, në mbrëmje vonë, që shërbente dhe si "karremi" për të tërhequr vajzat," është shprehur Franko.[27]

Sipas kompozitorit Gazmend Mullahi: "Në plazh Franko ishte "mbreti" por jo i ulur në fron, por këmbëkryq në rërën e plazhit diku në cep të Turizmit legjendar. Në çast bëhej rrethi i kureshtarëve që e rrethonin dhe Franko në lirinë e tij, pasionin e tij, përhumbej e s'kishte të ndalur."[28]

Gaqo Apostoli: "Personalisht, Frankon për herë të parë e kam takuar në Kampin e Studentit në Durrës, në plazh, në verën e vitit 1972, ku e dëgjonim të gjithë, djem e vajza, si të magjepsur…Ai këndonte pafund Celentano-n. Mbaj mend, se një mbrëmje pas kërkesës sime të ndrojtur, në prani të një grupi studentësh, Franko më shoqëroi me kitarën e tij në këngën "Nel Sole", të Albano-s. Një kujtim i bukur si vet rinia jonë atëherë, një mbrëmje magjepsëse

---

27   Radi. F. Këngëtar-kantautor, kompozitor, instrumentist; *Gazeta Shqiptare*, 29 Korrik 2010, F. Radi, Kitara dhe kënga shërbenin si "karremi" për të afruar vajzat, nga Eraldo Rexho, kolona 1, rreshti 49. *Libri*: F. Radi, Jetë në kitarë, fq. 75, rreshti 20, autorë: T. Radi & D. Gjergji, Tiranë, 2019.

28   Mullahi. G. Kompozitor; *Intervistë-audio* për kolegun F. Radi, 20 Shtator 2020, San Diego, California (arkivi familjar). *Dokumentari:* Vitet `70, muzika e lehtë, diktatura. Françesk Radi. Tv1 channel, Shkodër, Tetor, 2022, RTK1, Prishtinë, Kosovë, 2022-12-04.

buzë detit dhe e pa harruar për mua dhe për gjithë miqtë tanë që patëm fatin t'i përjetonim plot botë, të tilla argëtime."[29]

Franko (në mes). Plazh, Durrës, 1974 (arkivi familjar)

Franko (i pari djathtas), Asllan Rusi (i katërti, sipër). Në Liqenin Artificial të Tiranës,1970 (arkivi familjar)

_____

29   Apostoli. G. Inxhinier; Do të shihemi lart në qiell, Françesk, miku im i shtrenjtë....(arkivi familjar)

Rinia sfidoi diktaturën komuniste. Dëgjoi dhe këndoi fshehurazi muzikën e ndaluar

247

Për Tiranën, skenë u bë Liqeni Artificial. Ra në sy Leonard Bulku, Arben Duro, Matura '72 etj. Për Frankon liqeni ishte jo vetëm vendi i notit, por dhe i këngës. Shpesh shoqërohej nga pedagogu dhe miku i tij i veçantë, volejbollisti i famshëm Asllan Rusi. Ai e adhuronte Celentano-n dhe Franko ia këndonte me shumë dashuri repertorin e tij.

Vetë kantautori ka shkruar: "Liqeni ishte skena jonë, sepse ne këndonim këngë të ndaluara për kohën. Kemi qënë disa grupe. Në Tiranën e Re isha unë që këndoja edhe këngë të huaja. Ishte një grup tjetër tek Vasil Shanto. Demokrat Shahini dhe Don Miluka. Këndonin duet shumë bukur ata. Kujtim Shehu këndonte në një grup tjetër. Ishte Nasi. Kanë qënë disa grupe në Tiranë që konkuronin në vitet '70. Kam parasysh yjet e asaj kohe duke filluar nga Elvis Presley në Amerikë, në Angli grupi i famshëm The Beatles që pushtuan botën, në Francë Johnny Holiday, Celentano në Itali që futi rrymat e muzikës amerikane. Unë u edukova me atë lloj muzike duke futur në krijimtarinë time elementë të muzikës sonë shqiptare në mënyrat, në format e muzikës perëndimore, por duke mbetur gjithmonë shumë shqiptar në motivet e mia."[30]

---

30   Radi. F. Këngëtar-kantautor, kompozitor, instrumentist; *E djela shqiptare*, Klan Tv. 28 Nëntor 2010. *Emisioni:* Muzikë, emocion, muzikë, TVSH, 14 Dhjetor 2001. *Gazeta Shqiptare*, 29 Korrik 2010, Kitara dhe kënga në plazh shërbenin si "karremi" për të afruar vajzat, nga Eraldo Rexho, Summer pages, fq. 5, kolona 1, rreshti 5.

"Adresa" dhe " Biçikleta"
hite të kohës dhe videoklipet
e parë shqiptar

Këngët "Adresa" e "Biçikleta", më 1972, si fituese të Anketës Muzikore e më pas të programit "Fituesja e fitueseve", transmetuar nga Radio Tirana, u përzgjodhën për t'u realizuar videoklipet e parë shqiptar nga televizioni i vetëm i kohës, RTSH.

"Ishin këngë, materiali apo fabula e të cilave të bënin që të kërkoje edhe imazhin. Frankoja bëri revolucion në muzikën shqiptare, sepse zëri i tij, mënyra si këndonte ai, tekstet e tij, pasi ishte kantautor që në fillimet e veta, ishin krejt të veçanta. Pa atë partishmërinë e madhe, pa fjalë të mëdhaja, pa skematizëm, por thjesht i këndonin ndjenjës, ndjenjës së dashurisë, ndjenjës së lirisë, ndjenjës së njeriut që është gjithmonë në kërkim," është shprehur regjisori dhe producenti i tyre, Ylli Pepo.[31]

Për kompozitorin Zef Çoba: "Si krijues e kantautor, tregoi shume vëmendje që në përzgjedhjen e tekstit poetik. Asnjë fjalë, varg apo figurë poetike në tekstet e këngëve të Françesk Radit, nuk është jashtë qëllimit dhe kuptimit të mirëfilltë artistik. Kjo gjë ndodhte rrallë në atë kohë, sepse kërkohej me forcë mesazhi i artit e artistit të angazhuar, për të përcjellë idetë politike të kohës. Modeli i këngëve të suksesshme të tija të krijuara në fillimin e viteve '70 si "Adresa" e "Biçikleta", e tregojnë këtë. Nga ana e gjuhës muzikore dhe

---

31 Pepo. Y. Producent & Regjisor; *Dokumentari:* F. Radi, Jetë e trazuar, TVSH, 18 Prill 2018. *Libri:* F. Radi, Jetë në kitarë, autorë: T. Radi & D. Gjergji, fq. 274, rreshti 5, fq 274, rreshti 22, Tiranë, 2019. *Dokumentari:* Vitet `70, muzika e lehtë, diktatura. Françesk Radi. Tv1 channel, Shkodër, Tetor 2022, RTK1, Prishtinë, Kosovë, 2022-12-04.

mjeteve krijuese të përdorura, ato mishërojnë tiparet themelore melo-ritmike të tendencave të muzikës së kohës."[32]

"Kompozimet e tij qenë më modernet e asaj periudhe – një mënyrë krejt e re e thurjes së pentagramit dhe e interpretimit, një revolucion i vërtetë kulturor. Ato na bënë të kuptojmë që edhe shqipja kishte mundësi të padiskutueshme që të shprehej me muzikë të stilit perëndimor. "Adresa" dhe "Biçikleta" qenë kulme që na çuan në ekstazë. Ato u bënë kolonë sonore e entuziazmit tonë të pa djallëzuar, të shpresës së vrarë akoma larvë, se edhe për ne me sa dukej do të kishte ndonjë ditë të lumtur. Sa here i kemi kënduar, edhe kur autorin e detyruan të shkruante këngë për sharrëtarët," ka shkruar shkrimtari Shpend Sollaku Noè.[33]

Ishin vitet kur në Amerikë, Europë e mbarë botën lulëzonte rock-u. Nga fundvitet 1940, kur lindën fillesat e këtij zhanri muzikor, e deri në vitet '70, lulëzuan dhe u zhvilluan një sërë stilesh të tij. Termi "Rock", përfshin gjithçka nga "Beatles", "The Rolling Stones", "The Byrds", "The Yeardbirds", "Led Zeppelin", "Pink Flloyd", "Nirvana", etj. Suksesi i rrymës rock and roll është personifikuar në famën e përjetëshme të "mbretit" Elvis Presley. Kjo rrymë ndryshoi edhe shoqërinë e kohës, mentalitetin e saj, jetën sociale, mënyrën e veshjes etj. Këtij ndikimi nuk mund t'i shpëtonin edhe muzikantët e rinj shqiptarë.

---

32   Prof. Çoba. Z. Kompozitor; Gazeta *Telegraf*, F. Radi është zëri i sinqertë i muzikantit pasionant, 8 Prill 2021, fq. 20, kolona 4, rreshti 23. *Intervistë-video*, 31 Janar 2021, Shkodër (arkivi familjar).

33   Sollaku. Sh. Noè. Shkrimtar; Gazeta online *Shqiptarja.com,* F. Radi e kreu revolucionin e tij, 27 Mars 2019. *Libri:* F. Radi, Jetë në kitarë, fq. 339, rreshti 20, autorë: T. Radi & D. Gjergji, Tiranë, 2019. *Dokumentari:* Vitet `70, muzika e lehtë, diktatura. Françesk Radi. Tv1 channel, Shkodër, Tetor 2022, RTK1, Prishtinë, Kosovë, 2022-12-04.

Historia e krijimit të kitarës së parë bass elektrike në Shqipëri

Studiueses së muzikologjisë, Dr. Mikaela Minga, jo më kot i ka tërhequr vëmendjen rrëfimi i kantautorit Radi për historinë e kitarës bass elektrike në Shqipëri.

Franko: "Nuk isha më shumë se 16 vjeç, kur u ngjita për herë të parë në skenën e madhe të Festivalit të Këngës në RTSH. Ishte koha kur instrumentet elektrikë në formacionet orkestrale mungonin dhe ishin vetëm disa muzikantë që i projektonin dhe i realizonin ato, siç ishte Pirro Miso, i cili arriti të krijonte për herë të parë kitarën bass elektrike. Pata fatin që në dy vitet e ardhshme këtë kitarë ta përdorja edhe unë. Pra, ishte kjo kitarë që tërhoqi vëmendjen e mjeshtrit Gaspër Çurçia, i cili më bëri pjesë të formacionit në Big Band-in e tij. Ky moment shënon edhe fillimin e karrierës sime artistike si instrumentist, kitarist bass." 34

Për studiuesen Minga: "Rrëfime të tilla bëhen nxitëse për të njohur artistin në marrëdhënie

me realitetin, si dhe për të shqyrtuar një periudhë muzikore: fundin e viteve '60 dhe fillimin e të '70-ve. Kjo periudhë përveçse e pa Frankon si protagonist të përveçëm, shënon një fazë të veçantë në historinë e këngës shqiptare.

---

34   Radi. F. Këngëtar-kantautor, kompozitor, instrumentist; *Dokumentari:* F. Radi. Jetë e trazuar. TVSH, 18 Prill 2018. *Libri:* F. Radi, Jetë në kitarë, fq.15, rreshti 1, autorë: T. Radi & D. Gjergji, Tiranë, 2019. Dr.Minga. M.https://peizazhe.com/2021/04/28/francesk-radi/ rreshti 1.

Dorëshkrimi origjinal i Frankos për kitarën e parë bass elektrike në Shqipëri (arkivi familjar)

Nuk është aq i rastësishëm për të nisur një rrëfim dhe gjithashtu një karrierë muzikore. Në gjysmën e dytë të viteve '60, në muzikën popular perëndimore, instrumenti në fjalë ishte në apoteozën e vet. Mjafton të kemi parasysh suksesin e muzikës rock pikërisht në atë dekadë, megjithëse jo vetëm atë. Ndonëse nuk bie fort në sy, kitara elektrike bass u kthye në një ndër instrumentet më përfaqësuese të muzikës moderne. Çfarëdo të jetë duke u interpretuar – rock, pop, jazz, blues, hip-hop – ajo është aty, në "thellësi" të gjithë asaj çka ndodh me muzikën dhe tingullin. Ndryshe ndodhi me kitarën elektrike që ishte një protagoniste në kuptimin e vërtetë të fjalës. Ajo formësoi tingullin dhe stilet e ndryshme të muzikës moderne anglo-amerikane të gjysmës së dytë të shekullit XX, duke bashkëshoqëruar një numër të madh artistësh të cilët u identifikuan sa me këngën, aq edhe me instrumentin. Ky model jashtëzakonisht vital të krijuari dhe të interpretuari u përhap gjerësisht edhe përtej botës anglo-amerikane, në një gjeografi që shfaqej e lidhur sa me lokalen, aq edhe me nacionalen e globalen. Në Shqipërinë diktatoriale, zhvillimet që kishin të bënin me amplifikimin e tingullit përmes elektricitetit dhe që rezultuan kaq thelbësore për muzikën moderne popular kapeshin nga një numër shumë i kufizuar receptorësh; ata që, qoftë edhe për pak kohë, nuk binin ndesh me "antenat" zyrtare totalitare. I tillë ishte edhe rasti për të eksperimentuar me një tingull elektrik, që distancohet ndjeshëm nga formatet më tradicionale të orkestrës simfonike për shoqërimin e këngës së lehtë. Kitara elektrike, kjo përfaqësuese e modernes në muzikë, i dha mundësinë Françesk Radit të ngjitet në skenën e Festivalit. Po ky tingull elektrik dëgjohet edhe në introduksionin e "Adresës", sprova e parë në kompozim e Françesk Radit. Këndohet në Anketën Muzikore të Radios, ku shpallet fituese dhe kthehet në një hit të kohës. Duke filluar nga ky tingull modern i kitarës elektrike, një lloj pedali ostinato që i jep pulsimin ritmik këngës, – "Adresa" ka disa cilësi që do meritonin vëmendje. "Adresën" e karakterizon një shkëputje nga formatet " klasike " të trajtimit të këngës së lehtë festivalore me shoqërim orkestral. Arranzhimi, sikundër dhe struktura dhe shtjellimi i saj kanë tipare të qarta pop-rock të modelit anglo-amerikan. Kësaj i shtohet interpretimi: vokali original i Radit, i distancuar nga formati i kantilenës lirike, shoqërimi me kitarë dhe sigurisht fakti që është vetë autori i këngës, ai që i jep zë".[35]

"Në përgjithësi muzika botërore ka ndikuar shumë në rininë tonë, ajo italiane, angleze, amerikane. Ndoshta kemi patur fatin që kemi qënë në Tiranë, dhe në një lagje me emër, Tirana e Re. Asllan Rusi, volejbollisti, mbaj mend, pruri magnetofonin e parë me kasetë. Aty kemi dëgjuar për herë të parë, Ray Charles, The Beatles, Rolling Stons, d.m.th. gjithë muzikën botërore e kemi dëgjuar në atë kohë. Brezi im i viteve '70 të shekullit të kaluar, linte orët e fundit të mësimit në shkolla, për të dëgjuar Hit Parade Italian," është shprehur Radi në median televizive.[36]

---

35   Dr. Minga, M. Etnomuzikologe; https://peizazhe.com/2021/04/28/francesk-radi/ rreshti 11, 29. *Dokumentari:* Vitet `70, muzika e lehtë, diktatura. Françesk Radi. Tv1 channel, Shkodër, Tetor, 2022, RTK1, Prishtinë, Kosovë, 2022-12- 04.

36   Radi. F. Këngëtar-kantautor, kompozitor, instrumentist; *Top show magazinë,* në Top Channel, 18 Dhjetor 2014. Gazeta *Integrimi,* 22 Mars 2010, F. Radi, Muzika, pasioni im i parë, fq. 16, kolona 1, rreshti 74.

Ndikimi i muzikës italiane
dhe Festivalit të San Remo-s tek të rinjtë shqiptar në vitet '70 të shekullit XX

Ata dëgjonin veçanërisht këngët e San Remo-s dhe Canzonissima. Bashkëliceisti Gazmend Mullahi: "Të nesërmen në mëngjes pas ndonjë aktiviteti artistik kryesisht nga Radio Tirana, Franko kishte gati këngën hit dhe të këngëtarit të tij të preferuar me të gjithë elementet e saj që ne kurrë nuk i kapnim të gjitha bashkë. Brenda javës ai ishte në gjendje të riprodhonte pjesët dërrmuese të repertorit të Festivalit të San Remo-s apo të Canzonissima-s. Si mik i tij i lutesha të më tregonte se si arrinte t'i bënte këto dhe si i qëllonte t'i dëgjonte në radio pikërisht ato këngë në orë të caktuara, kur ai bie fjala ishte në shkollë dhe në mësim...dhe sekretin ma tha : Nëpërmjet shoqërisë së Nandit, vëllait të madh të Frankos, mundte vetëm për pak ditë të dispononte një magnetofon me shirita krejt të rrallë për ato kohë. Vinte në regjistrim kanalin e radios tek Italia. Magnetofoni punonte dhe regjistronte gjithshka. Lajme, biseda, reklama, tregonte kohën, si dhe ndonjë këngë tek tuk brenda. Dhe aq donte Franko. E përlante, mjaftonte ta dëgjonte dy tre here. Falë këngëve ai njihte mjaft mirë gjuhën italiane që në atë kohë".[37]

Vetë Franko është shprehur: "Festivali i San Remo-s ka qënë dhe do të mbetet gjithmonë një tribunë e madhe e muzikës italiane në radhë të parë,

---

37   Mullahi. G. Kompozitor; *Intervistë-audio* për kolegun F. Radi, 20 Shtator 2020, San Diego, California (arkivi familjar). *Dokumentari*: Vitet `70, muzika e lehtë, diktatura. Françesk Radi. Tv1 channel, Shkodër, Tetor, 2022, RTK1, Prishtinë, Kosovë, 2022-12-04.

pastaj asaj europiane e botërore. Ndikimi i këtij festivali ka qënë i madh edhe në muzikën shqiptare". 11 vjet nga zhvillimi i tij, (1951), San Remo u bë modeli i Festivalit të Parë të Këngës në Radio - Tirana, pasi ende nuk kishte transmetim televiziv. Nismëtarët e këtij festivali me mjaft intuitë, ishin kompozitori i shquar Abdulla Grimci, përgjegjësi i redaksisë së muzikës në Radio Tirana atë kohë, dhe redaktori Vath Çangu, njëherazi edhe autorë këngësh. Festivali i Parë ne Radio u zhvillua 21-23 dhe 26 Dhjetor 1962. Këngët, si në San Remo, interpretoheshin në grupe 3-4 këngë dhe pastaj përsëriteshin ne interpretimin e një këngëtari tjeter. Edhe kompleksi, orkestra e gjithçka funksiononin njësoj. Kompozitorëve që propozuan këtë festival, duhet t'u mbetemi mirënjohës, pasi në skenën e këtij festivali dolën këngëtarë të rinj, kompozitorë, teksteshkrues, po themi një mori e madhe artistësh të mëdhenj, dolën këngët hit."[38]

---

38   Radi. F. Këngëtar-kantautor, kompozitor, instrumentist; *Emisioni:* Thurje, DigitAlb, 25 Shkurt 2017 (Dalja e fundit e F. Radit live në studio televizive)

Franko dhe rryma rock në krijimet e tij.
Zhdukja e dy videoklipeve të parë nga sistemi komunist

Nën këto ndikime me dy këngët e tij studenti Radi doli jashtë kornizës së realizmit të asaj kohe. Solli diçka të re, të rrymës rock, të pëlqyer nga rinia që dëgjonte muzikë perëndimore. Franko doli jashtë kornizës së kohës jo thjeshtë për daljen në skenë me kitarën e tij, por sepse këngët ishin të veçanta edhe në kompozim e interpretim gjithashtu.

Franko ka shkruar: "Pak a shumë solla një frymë. Pikërisht kjo u bë shkak më vonë që këto këngë të bëheshin videoklipe. "Adresa" dhe "Biçikleta" janë videoklipet e parë dhe për habi më vjen keq që e përmend, nuk ekzistojnë në arkivin e TVSH-së (Televizioni Shqiptar). Janë zhdukur. Nuk dihet se ku janë. Për më tepër kanë dhe një vlerë historike. Ylli Pepo, regjisori dhe Albert Minga, dy regjisorët, ishin shumë të talentuar për kohën atëherë. Kanë punuar shumë bukur, shumë bukur. Videoklipet si diçka krejt e re, transmetoheshin disa herë në ditë në televizion. U pëlqyen shumë nga publiku. Por për çudi nga ai art i realizuar mjeshtërisht në kushte të vështira për kohën, sot nuk gjenden copëza për t'iu referuar. Njerëzit mezi prisnin t'i shikonin në televizor, por patën jetën e shkurtër se u bllokuan. Direkt pas Festivalit të 11-të, me akuzën për shfaqje moderniste. Ato patën jetë po themi 4-5 muaj."[39]

---

39   Radi. F. Këngëtar-kantautor, kompozitor, instrumentist; *Pasdite në Top Channel,* 19 Qershor 2015. Gazeta *Sot,* F. Radi, Elektronika ka shkatërruar muzikën. Montazhierët kanë zëvendësuar kompozitorët, nga Julia Vrapi, fq. 18, kolona 2, rreshti 7 e 13. *Libri:* F. Radi, Jetë në kitarë, fq. 66, rreshti 6, autorë: T. Radi & D. Gjergji, 2019. Gazeta *Republika,* 31 Gusht 2005, F. Radi, krijimtaria artistike dhe pengjet e një artisti nga Arjola Hekurani, fq 13, kolona 4, rreshti 23.

Anila Kati, protagoniste e videoklipit "Adresa" në intervistën e saj shprehet: "Kujtoj veshjen, një fustan lino të bardhë, me një fileto blu rreth qafës, në kontrast me flokët e mi të gjata ngjyrë gështenjë. Duhej të vrapoja dhe operatori Gazmir Shtino më filmonte. Xhirimet me personazhet e klipit janë bërë veç e veç. Isha vetëm unë dhe natyra, gjë që më bëri të ndjehem e lirë në lëvizjet e mia. Franko më vete, unë po ashtu. Duke ditur mirë tekstin koordinonim bukur lëvizjet, deri në finalizim të fabulës ku u bëmë bashkë."[40]

Liceistja Anila Kati, 1972 (foto nga Anila Kati)

Ish liceistja Anila Kati, një nga vajzat më të bukura të Tiranës për kohën, vijon:

"Klipi pati shumë sukses. Më kujtohet që rrugës gjithë rinia që më shikonte më këndonte: Ku e ke shtëpinë moj vajzë... Foto nga klipi u botuan në gazetat e kohës. Ishin bardh e zi. Ishte viti 1972. Shumë të rinj foton time e kishin prerë dhe e mbanin në kuletat e tyre si hajmali (fatsjellës). Qesh me vete sa herë e kujtoj. Ishin vite të bukura, me një lloj lirie që i erdhi fundi shumë shpejt."[41]

40   Kati. A. Piktore; *Libri*: F. Radi, Jetë në kitarë, fq. 277, rreshti 13, autorë: T. Radi & D. Gjergji, Tiranë, 2019. *Intervistë-video* për F. Radin, 10 Korrik 2020, Tiranë (arkivi familjar). *Dokumentari:* Vitet `70, muzika e lehtë, diktatura. Françesk Radi. Tv1 channel, Shkodër, Tetor, 2022, RTK1, Prishtinë, Kosovë, 2022-12-04.

41   Kati. A. Piktore; *Libri*: F. Radi, Jetë në kitarë, fq. 277, rreshti 21, autorë: T. Radi & D. Gjergji, Tiranë, 2019. *Intervistë-video* për F. Radin, 10 Korrik 2020 Tiranë (arkivi familjar). *Dokumentari:* Vitet `70, muzika e lehtë, diktatura. Françesk Radi. Tv1 channel, Shkodër, Tetor, 2022, RTK1, Prishtinë, Kosovë, 2022-12-04.

Franko dhe rryma rock në krijimet e tij. Zhdukja e dy videoklipeve të parë nga sistemi komunist

257

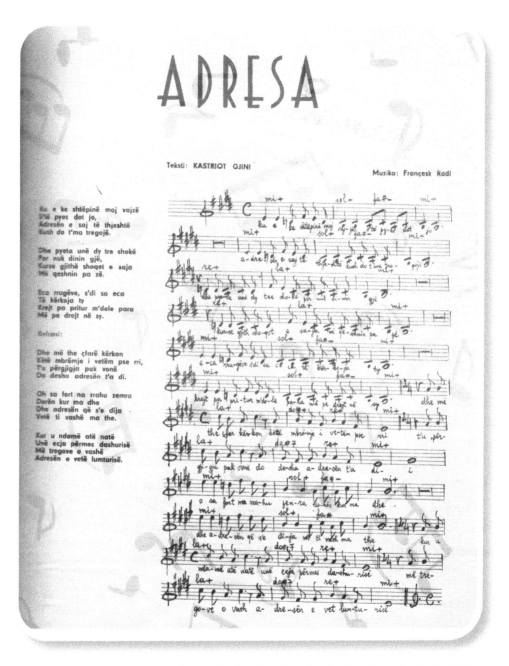

Partitura origjinale e këngës "Adresa". Revista Radiopërhapja, Nr. 16- të, 25 Gusht 1972, si jehonë e fillimit të filmimeve të klipit. Biblioteka "Marin Barleti" – Shkodër.

Franko idhull, model i rinisë së kohës

Sipas Frankos: "Kujtimet e viteve '70 ishin ndër më të bukurat. Ishte kohë që përkonte me rininë e brezit që unë përfaqësoja, brez që guxoi të ketë ëndrrat e veta duke kthyer shikimin drejt perëndimit. Ç'do kohë ka probleme specifike. Detyrë e çdo artisti është që të përshtasë sakrificat e tij, për të garantuar mbijetesën e zhanrit që përfaqëson. Erdhi një klimë liberalizimi që të gjithë e ndjenim. Ajo u bë pjesë e gjithë rinisë së asaj kohe. Mbaj mend kur shkonin në aksion nxënësit e gjimnazeve këndonin sipër makinave të zbuluara këngën e The Beatles "Yellow Submarine". Kam qënë një përfaqësues i atyre viteve, ndër të cilët rinia e Tiranës më mbanin si model, sepse tek unë shihnin ndoshta diçka tjetër, jo atë kornizën e sistemit".[42]

Dhe pse ndihej nje lloj liberalizmi deri në fillimvitet '70, në Shqipërine komuniste e të izoluar, muzika e lehte ishte larg nga ajo botërore. Asnjë kompozitor nuk mund të krijonte e të publikonte krijimtarinë e tij, pa kaluar së pari në filtrat dhe aprovimin e partisë – shtet. Asnjë këngëtar nuk ishte i lirë të kishte band-in e vet për të dhënë koncerte në stadiume e sheshe të hapura në natyrë, siç ndodhte me artistët homologë jashtë kufijve të Shqipërisë.

---

42   Radi. F. Këngëtar-kantautor, kompozitor, instrumentist; Gazeta *Republika*, 21 Tetor 1999 Lidhja ime me muzikën është e përjetshme, nga Ilir Bushi, fq. 13, kolona 1, rreshti 7. *Emisioni:* Fol me mua, Tvsh, 15 Maj 2015. *Dokumentari:* F. Radi, Jetë e trazuar, TVSH, 18 Prill 2018. Libri: F. Radi, Jetë në kitarë, fq. 180, rreshti 15, autorë: T. Radi & D. Gjergji, Tiranë, 2019.

Franko në Festivalin
e 11-të me rock politik kundër luftës në Vietnam

Në pragfestat e 1972, sipas traditës, u zhvillua Festivali i 11- të i Këngës në RTSH.

Franko: "Mendova që të bëj një këngë proteste në këtë festival. Për idenë e fabulës më frymëzoi kënga e Gianni Morandi-t "C'era un ragazzo che come me..." Meqenëse Vietnami ishte pushtuar nga amerikanët, dhe ne ishim në krah të Vietnamit, Sadik Bejko bëri një tekst, pak a shumë fabula është: Një grup të rinjsh që këndojnë me kitarë, kënga e tyre është protestë e luftës në Vietnam."[43]

Sipas dirigjentit Zhani Ciko: "Drejtori artistik i atëhershëm, Nikolla Zoraqi, i besoi Frankos këngën e tij të famshme, që u bë pastaj edhe legjendë, këngën për Vietnamin. Kush më bukur se sa një këngë të politizuar tejskajshëm, të një teme konflikti të armatosur që s'kishte asgjë muzikore brenda saj, mund ta jepte përveç vokalit dhe natyrës së shpenguar të Françeskut. Ishte tamam një nga ato mënyrat që rinia e viteve '70 edhe në vende të tjera e kishte përdorur për të shprehur qëndrimin e vet."[44]

---

43   Radi. F. Këngëtar-kantautor, kompozitor, instrumentist; *Emisioni*: Fol me mua, Tvsh, 15 Maj 2015. *Pasdite në Top Channel*, 19 Qershor 2015. *Dokumentari*: F. Radi, Jetë e trazuar, TVSH, 18 Prill 2018. *Libri*: F. Radi, Jetë në kitarë, fq. 83, rreshti 1, autorë: T. Radi & D. Gjergji, Tiranë, 2019. *Dokumentari*: Vitet`70, muzika e lehtë, diktatura. Françesk Radi. Tv1 channel, Shkodër, Tetor, 2022, RTK1, Prishtinë, Kosovë, 2022-12- 04.

44   Ciko. Zh. Dirigjent; *Dokumentari:* F. Radi, Jetë e trazuar, TVSH, 18 Prill 2018. *Libri:* F. Radi, Jetë në kitarë, fq. 248, rreshti 13, autorë: T Radi & D. Gjergji, Tiranë, 2019.

Franko, Festivali i 11-të i Këngës në RTSH, 22-24 Dhjetor 1972. Revista Radiopërhapja, nr.1,
1 Janar 1973 Biblioteka "Marin Barleti", Shkodër

Partitura origjinale e vitit 1972, Festivali i 11-të i Këngës në RTSH (arkivi familjar)

Rrymat e reja në muzikën shqiptare kishin nisur të bëheshin të prekshme. Ky fakt për muzikologen Hamide Stringa: "U konkretizua në Festivalin e 11-të, një moment delikat i këtij progresi. Ishte grumbullimi rinor atje, me dëshirën e madhe për të provuar të renë dhe për ta vendosur në skenë këtë të re."[45]

Festivali u karakterizua nga shfaqje moderniste në të gjithë komponentët e tij. Nga prezantuesit, Edi Luarasi, Bujar Kapexhiu, muzika, veshjet, kompleksi e gjithçka tjetër erdhën për publikun si diçka krejt e re. Liberalizmi, që u ndje në vitet '70, u kuptua si e ardhmja e Shqipërisë. Por gjithçka ishte thjesht iluzion. Ky festival tronditi themelet e pushtetit komunist të kohës. Në Festivalin e 11-të Françesk Radi ishte edhe pjesë e formacionit orkestral në kitar bass.

Franko, pjese e formacionit orkestral të Festivalit të 11-të (poshtë, në mes, djathtas). AQFSH

---

45   Stringa. H. Muzikologe, këngëtare lirike; Gazeta *Telegraf*, 8 Prill 2021, Frankua në Festivalin e 11-të të Këngës solli frymë të re, fq. 21, kolona 2, rreshti 14. *Intervistë-video* 6 Korrik 2020, Tiranë (arkivi familjar). *Dokumentari:* Vitet `70, muzika e lehtë, diktatura. Françesk Radi. Tv1 channel, Shkodër, Tetor, 2022, RTK1, Prishtinë, Kosovë, 2022-12-04.

Franko është kritikuar
rëndë për evokimin e modernizmit perëndimor

estivali i 11-të i vitit 1972 tregoi se stilet perëndimore të muzikës kishin filluar të priren në Shqipëri. Çdo element i Festivalit ishte inovativ. Prezantuesit Edi Luarasi dhe Bujar Kapexhiu dukeshin pa të meta me veshjet e tyre elegante të mbrëmjes. Franko ishte gjithashtu duke luajtur në kitarë bass mes anëtarëve të orkestrës, instrumentet e te cilëve tingëllonin si në perëndim, por dhe të veshur të gjithë në mënyrën më të mirë të tyre. Shpresat ishin të mëdha se pikëpamjet liberale do të lulëzonin së shpejti. Por ishte vetëm një iluzion. Askush nuk mund ta imagjinonte që regjimi po përgatiste një kundërsulm të ashpër.

Pedagogu i Frankos në Institutin e Lartë të Arteve, Spiro Kalemi, e kritikoi këngën fillimisht në gazetën "Drita" të 11 Shkurtit 1973 në shkrimin me titull: Kënga jonë duhet t'i përgjigjet kërkesave të masave. Citojmë: "Ndikimi i muzikës dhe shijes së huaj ka krijuar atmosferë jo tonën, në këngën "Kur dëgjojmë zëra nga bota" ku qoftë ngushtësia e motivit, mënyra e zhvillimit të tij, të kënduarit e saj, shoqërimi, janë mjaft të ngjashëm me disa tipe këngësh jo tonat të këtij lloji."[46]

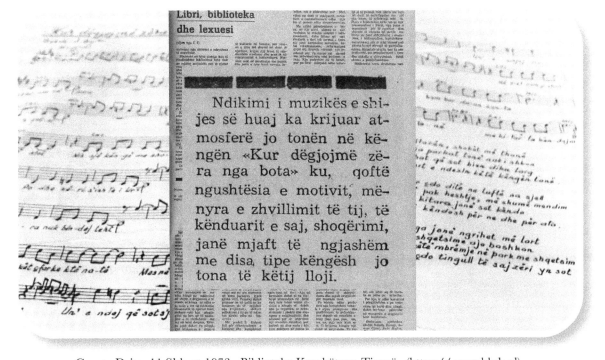

Gazeta Drita, 11 Shkurt 1973. Biblioteka Kombëtare, Tiranë, (https:// www.bksh.al)

Gazeta Drita, 11 Shkurt 1973, Biblioteka Kombëtare, Tiranë, (https:// www.bksh.al)

Por ai nuk hezitoi të ngrinte zërin edhe në Lidhjen e Shkrimtarëve dhe Artistëve të Shqipërisë në Mars 1973 në diskutimet për këtë festival.

Vetë Franko në intervistat e shumta në median e shkruar dhe atë televizive ka theksuar: "Kënga u kritikua më shumë edhe për timbrin e zërit. Thoshin: Dëgjoni interpretimin e Françesk Radit. Vinin këngën e Celentano-s në magnetofon, vinin dhe këngën time. Është pothuajse me të njëjtat ngjyra.Por kënga ishte absolutisht një gjë e thjeshtë."[47]

---

47   Radi. F. Këngëtar-kantautor, kompozitor, instrumentist; *Pasdite në Top Channel*, 19 Qershor 2015.

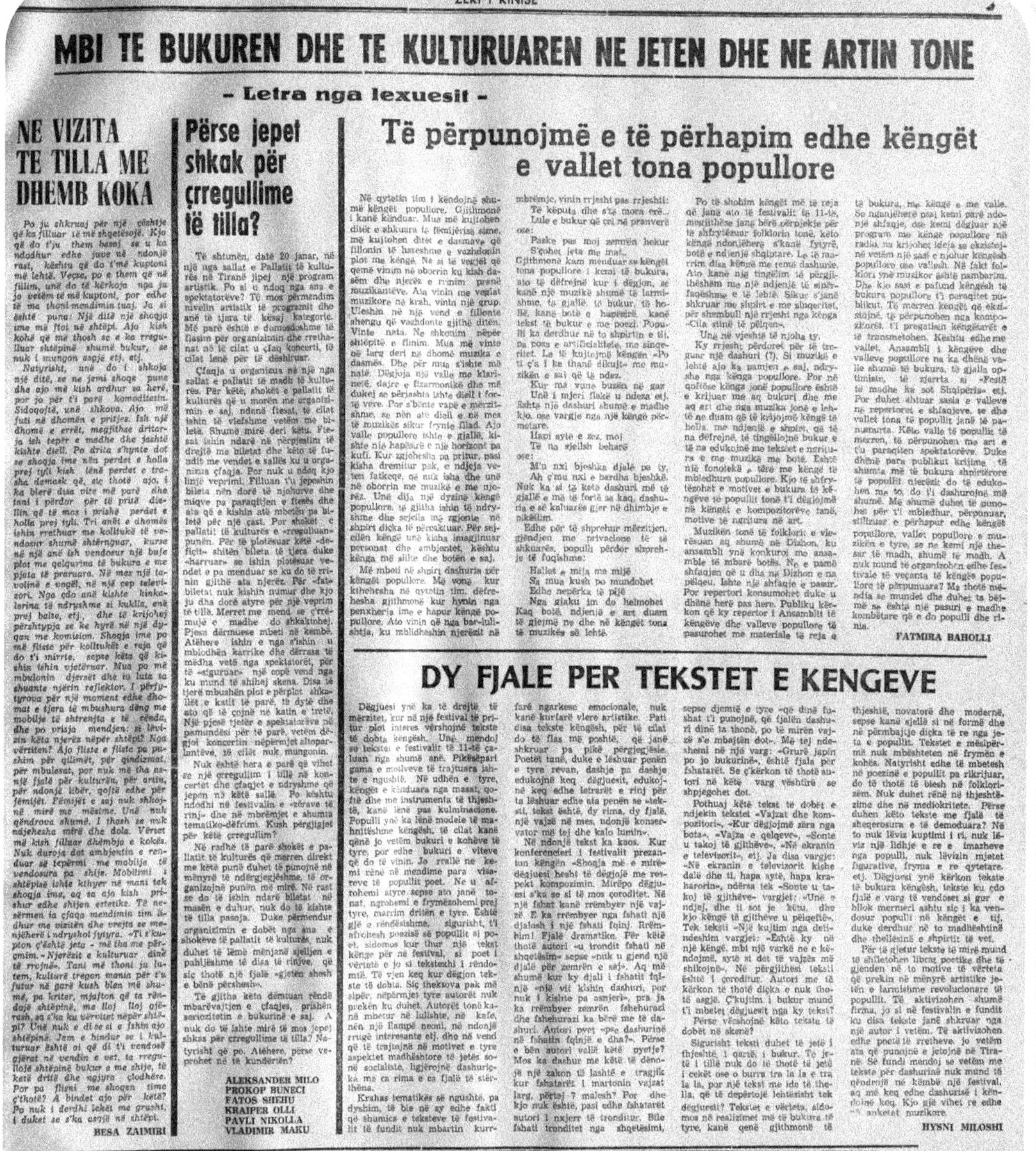

SHTUNE, 27 JANAR 1973
ZERI I RINISE
MBI TE BUKUREN DHE TE KULTURUARE NE JETEN DHE NE ARTIN TONE
- Letra nga lexuesit -
NE VIZITA TE TILLA ME DHEMB KOKA
BESA ZAIMIRI
Përse jepet shkak për çregullime të tilla?
ALEKSANDER MILO
PROKOP BUNECI
FATOS SHEHU
KRAIPER OLLI
PAVLI NIKOLLA
VLADIMIR MAKU
Të përpunojmë e të përhapim edhe këngët e vallet tona popullore
FATMIRA BAHOLLI
DY FJALE PER TEKSTET E KENGEVE
HYSNI MILOSHI
Bukuria rinore mos të fshihet nën një elegancë fallco
NEXHI GASHI

Gazeta Zëri i Rinisë, 21 Janar 1973, Biblioteka Kombëtare, Tiranë (https:// www.bksh.al)

Personaliteti Zhani Ciko, i pranishën në këtë mbledhje, sjell dëshminë e gjallë: "Pikërisht një koleg i yni, i cili ndoshta dhe në mënyrë jo koshiente për atë, bëri një gjest shumë të rëndë për Frankon atje, duke vënë madje edhe incizimin e Celentano-s për ta krahasuar me këngën e tij. Nuk duhej kjo lloj dëshmie në prani të udhëheqjes së lartë të Partisë. Në pushim, unë që kisha mbajtur raportin për këtë festival dhe nuk e kisha dënuar këngën absolutisht, vetëm kisha bërë vërejtje artistike për tekstin apo ndonjë gjë të tillë, shkova dhe i rashë tek koka. I thashë: I dashur kolegu im! Me diskutimin tënd ti e ke çuar muzikën shqiptare 10 vjet mbrapa. Në fakt më vonë i kam kërkuar falje se nuk ishte 10 vjet, por mbi 15 vjet mbrapa."[48]

Kompozitori Enver Shëngjergji e portretizon kështu Frankon e 1972-it: "Zoti i fali një timbrikë vokale të shkëlqyer, e cila rastësisht përngjante me atë të Adriano Celentano-s. Por jo se Franko imitonte Adriano Celentano-n. Ajo ishte dhunti që ja kishte falur zoti. Franko ishte edhe një kitarist i shkëlqyer. Edhe ky komponent bëri që të afrohej akoma më shumë me figurën legjendare të Adriano Celentano-s, që ishte idhulli i brezit tonë. Njerëzit që mbulonin sektorin e artit, filluan duke thënë: imiton Adrianon, i bie kitarës si Adriano, mban flokët e gjata. Dhe qysh këtu filloi largimi i tij nga skena."[49]

Kritika u bënë edhe nga poeti Hysni Milloshi në gazetën "Zëri i Rinisë", 21 Janar 1973 nën titullin "Dy fjalë për tekstet e këngëve".

48   Ciko. Zh. Dirigjent; Fjala në promovimin e librit: F. Radi, Jetë në kitarë, në Akademinë e Shkencave, 27 Shtator, 2019, intervistë-video e drejpërdrejtë nga Akademia e Shkencave për TVSH. Spektakli përkujtues i Festivalit të 11-të në Bunk'art, 10 Dhjetor, 2020 nga Report tv & TVSH. Dokumentari: Vitet `70, muzika e lehtë, diktatura. Françesk Radi. Tv1 channel, Shkodër, Tetor, 2022, RTK1, Prishtinë, Kosovë, 2022-12-04.

49   Shëngjergji. E. Kompozitor; Dokumentari: Jetë e trazuar, TVSH, 18 Prill 2018. Libri: F. Radi, Jetë në kitarë, fq. 255, rreshti 13, autorë: T. Radi & D. Gjergji, Tiranë, 2019. Dokumentari: Vitet `70, muzika e lehtë, diktatura. Françesk Radi. Tv1 channel, Shkodër, Tetor, 2022, RTK1, Prishtinë, Kosovë, 2022-12-04.

Kritika edhe ndaj
kompozitorëve të mëdhenj shqiptar

Aq e egër dhe e rrezikshme ishte kritika për këtë Festival, sa që emra të mëdhënj të muzikës shqiptare, baballarë të saj, si Tonin Harapi, Çesk Zadeja, Tish Daija, etj. bënë një mea culpa. Po në gazetën "Drita" 11 Shkurt, 1973, Tonin Harapi në diskutimin e tij, - Për një fizionomi kombëtare të këngës sonë, - ka shkruar: "Në këtë Festival u spekulua në emër të së resë, modernes, thyerjes së normave të vjetra. Ku janë ato, kush i përfaqëson, unë ende nuk e kam marrë vesh."[50]

Ndërsa Tish Daija në shkrimin e tij, - Kundër të ashtuquajtura festivale moderne, - ka theksuar: "Të nxjerrim mësime nga Festivali i 11-të për një fesatival të ardhshëm të shëndoshë ideologjikisht, me frymë kombëtare, me nivel më të ngritur ideoartistik."[51]

Një tjetër kompozitor, Agim Prodani në diskutimin dhe artikullin me titull - Do të bëjmë festivale më të mira, - shkruan: "Festivali i 11-të qe festivali i këngës së lehtë dhe ritmike. Kështu do të vazhdojmë? E tillë do të jetë në të ardhmen fytyra e vërtetë e festivaleve tona? Po me këngën qytetare, me këngën për masat, me këngën social-revolucionare ç'do të bëjmë? Mos duhet të organizojmë 3-4 festivale? Mendoj se jo..."[52]

Ndoshta kënga e Radit kushtuar luftës në Vietnam, sikurse është shprehur vetë kantautori pasviteve '90, "Për në Shqipëri ishte pak sa e parakohëshme. Ishte paksa "alla amerikane", tip Rolling Stons dhe The Beatles. Sistemit

---

50   Prof. Harapi. T. Kompozitor; Gazeta *Drita*, 11 Shkurt 1973, fq. 4, kolona 5, rreshti 17.

51   Prof. Daija, T. Kompozitor; Gazeta *Drita*, 11 Shkurt 1973, fq. 4, kolona 5, rreshti 12.

52   Prodani. A. Kompozitor; Gazeta *Drita*, 11 Shkurt 1973, fq. 4, kolona 1, rreshti 53.

të asaj kohe i bëri përshtypje fakti që, siç shpreheshin ata, Françesk Radi i këndon Vietnamit me kitarë si amerikanët."[53]

Gazeta Drita, 11 Shkurt 1973, Biblioteka Kombëtare, Tiranë (https:// www.bksh.al)

Të nxitur nga atmosfera e armiqësisë kundër modernizmit, disa mësues dhe studentë të Institutit të Lartë të Arteve u përfshinë në sulmet politike kundër Frankos. Një nga dokumentet e vlerësimit të Institutit, i datës 5 shkurt 1973, shkruante për performancën e Frankos: Franko bën shumë pak përpjekje për të mësuar mësimet e ideologjisë. Ai nuk është mjaft aktiv në diskutimin e problemeve sociale dhe këngët që ai kompozon, shfaqin shumë tipare të muzikës së huaj.

---

53 Radi. F. Këngëtar-kantautor, kompozitor, instrumentist; *Emisioni*: Fol me mua, Tvsh, 15 Maj 2015. *Pasdite në Top Channel,* 19 Qershor 2015. Gazeta *Republika*, 31 Gusht 2005, F. Radi, krijimtaria artistike dhe pengjet e një artisti, nga Arjola Hekurani, fq. 14, kolona 4, rreshti 38. https://albdreams.wordpress.com/2012/04/03/francesk-radi-e-verteta-e-kenges-time-me-tekst.politik-dhe-muzike-moderne-ne-festivalin-e-vitit-1972/rreshti 76.

Franko, i treti (majtas, rreshti i parë), me kolegët e tij studentë në Institutin e Lartë të Arteve, Tiranë, 1971 (arkivi familjar)

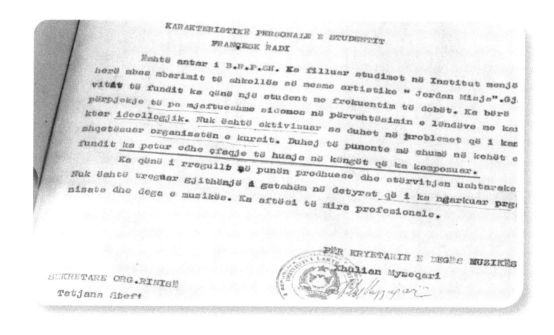

Dokumenti sekret i dosjes personale të Frankos në I. L. A. 5 Shkurt 1973 (arkivi familjar)

"Kjo mjaftonte, ka theksuar Franko, për të të dënuar atje ku e gjykonte partia. Ishte sistemi. Ishte kohë diktature. Sistemi vëzhgonte në çdo moment. E kam shkruar dhe thënë shpesh në media."[54]

---

54   Radi. F. këngëtar-kantautor, kompozitor, instrumentist; *Dokumentari:* F. Radi, Jetë e trazuar, TVSH, 18 Prill 2018. *Libri:* F. Radi, Jetë në kitarë, fq. 92, rreshti 6, autorë: T. Radi & D. Gjergji, Tiranë, 2019.

Në mes të kësaj të keqeje të madhe kishte dhe një të vërtetë të madhe: "Ata kurrë nuk mohuan aftësitë e mia, cilësuar prej tyre, si aftësi të mira profesionale," ka pohuar Radi.[55]

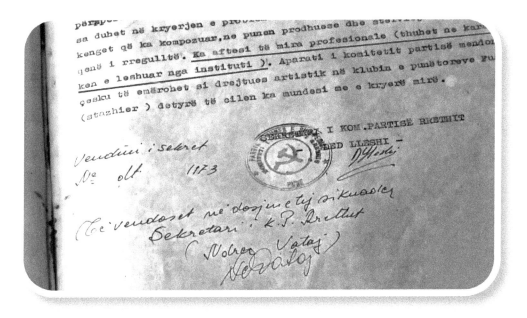

Dokumenti sekret i Komitetit të Partisë të rrethit Pukë, 1973 (arkivi familjar)

---

55   Dokumenti sekret i Komitetit të Partisë të rrethit Pukë, 1973 (arkivi familjar).

Plenumi IV i K.Q.
si Hiroshima mbi rininë dhe inteligjencën shqiptare të viteve '70

Nga Janari deri më 26-27 Qershor 1973, që u zhvillua Plenumi IV i Komitetit Qendror të Partisë së Punës së Shqipërisë, po zhvillohej e ashpër beteja kundër shfaqjeve liberale në art e kulturë, reflektuar në Festivalin e 11-të, e më pas dhe në ekonomi e ushtri. Zanafillën e kishte që në fjalimin e Enver Hoxhës në Presidiumin e Kuvendit Popullor të mbajtur më 9 Janar 1973, ku u godit ashpër Festivali i 11-të për shfaqje moderne e liberale. Me këtë plenum u venit çdo shpresë për frymë liberale dhe orientim të moderuar të regjimit socialist. Plenumi IV u parapri nga fjalimi bombastik i Enver Hoxhës në mbledhjen e aparatit të K.Q. të Partisë së Punës së Shqipërisë më 15 Mars '73 nën titullin: "Si ta kuptojmë dhe luftojmë me sukses rrethimin e egër imperialisto - revizionist mbi vendin tonë." Ky plenum është quajtur ndryshe Hiroshima politike mbi rininë dhe inteligjencën e të gjitha fushave.

Festivali i 11-të për autorët Bejko - Radi, si dhe për shumë artistë të tjerë, shënoi një moment kthese të padëshiruar në karrierën e tyre. Askush nuk e mendonte se do të keqkuptohej e do të goditej aq shumë nga udhëheqja komuniste.

Në kujtimet e tij Franko shkruan: "Të them të drejtën dhe nuk e kuptuam, sepse u hap pak. Filloi moda në Tiranë. Vajzat me minifunde, filluan flokët kapelon, filluan të vishen xhinset, filluan kaubojsat. D. m. thënë erdhën, erdhën shumë gjëra. U hap muzika. Tom Jones jepej nga mëngjesi deri në darkë, Celentano e The Beatles ... Menduam se po lirohet pak e po fryn ajo era e demokracisë. Arti e muzika janë pararojë. Festivali i 11-të tregoi dhe një herë që nuk mund të ecej më përpara. ....Do të ktheheshim përsëri mbrapa."[56]

"Ndërsa fati i artistit u shenjua pas këtij momenti, e dëgjuar sot me filtrat e nevojshëm tingullorë dhe kulturorë, kjo këngë tenton gjithsesi diçka të rëndësishme: ajo tenton shmangien e njëtrajtësisë së modelit të këngës së lehtë dhe lëvrimin e zhanreve të ndryshme brenda saj. Kjo do të ishte një sfidë e bukur për Festivalin nëse do të "hapej loja" dhe gradualisht "fëmijët që do të rriteshin" do të vinin duke formësuar procese sistematike brenda skemës festivalore. Françesk Radi ishte ndër përfaqësuesit më të drejtpërdrejtë të saj, me atributet e kantautorit, me sukseset që e çuan drejt Festivalit të 11-të. Të gjitha këto, ndonëse në trajta ende rishtare, karakterizoheshin nga artikulimi i një estetike muzikore rock 'n' roll që ai ishte duke e bërë të tijën," shkruan studiuesja e muzikologjisë Mikaela Minga.[57]

Suksesi i Radit u ndrëpre brutalisht nga regjimi që në fillesat e tij të para. Këtë e konfirmon edhe poeti Sadik Bejko: "Nuk e dinim në fakt që ajo këngë që ranë bomba në Vietnam, ajo qe një bombë pastaj që ra për autorët e vet. Unë kam bërë fjalët e asaj kënge, Françesku e këndoi në mënyrën e tij dhe mbas kësaj ai nuk do të këndoj më për disa vite, 15 a 16."[58]

"Françesku ka patur një fat jo fort të mirë në krijimtari, për arësye se një pjesë të mirë të kohës pas këtyre këngëve, ai nuk pati mundësi të ushtrojë profesionin e tij," ka dëshmuar Aleksandër Lalo.[59]

Për të mirënjohurin Gjon Shllaku: "Kënga "Adresa" edhe pse e ndërtuar mjeshtërisht e mbështetur në pentatonin karakteristik të muzikës së Jugut, u kritikua ashpër për frymën moderniste që krijonte kryesisht ritmika, orkestracioni dhe mënyra bashkëkohore e të kënduarit. Nuk llogariteshin më vlerat e krijimtarisë. Artisti viktimizohej duke u trajtuar jo thjesht për vlerat e veprës, por si "armik i shijes së popullit" dhe "degjenerimit" të saj. Po kështu, edhe "Biçkleta" për frymën e saj si këngë e komunikueshme me një histori të thjeshtë dashurie, u bë objekt sulmi të pashembullt duke "kryqëzuar" si tekstin, ashtu edhe muzikën, gjë që e rëndonte dyfish kantautorin Françesk Radi."[60]

---

56   Radi. F. Këngëtar-kantautor, kompozitor, instrumentist; *Pasdite në Top Channel,* 19 Qershor, 2015. *Dokumentari:* Jetë e trazuar, TVSH, 18 Prill 2018. *Libri:* F. Radi, Jetë në kitarë, fq. 62, rreshti 15, autorë: T. Radi & D. Gjergji, Tiranë, 2019.

57   Dr. Minga. M. Etnomuzikologe, https://peizazhe.com/2021/04/28/francesk-radi/ rreshti 215. *Dokumentari:* Vitet '70, muzika e lehtë, diktatura. Françesk Radi. Tv1 channel, Shkodër, Tetor, 2022, RTK1, Prishtinë, Kosovë, 2022-12- 04.

58   Bejko. S. Poet; *Dokumentari:* F. Radi, Jetë e trazuar, TVSH-së, 18 Prill 2018. *Libri:* F. Radi, Jetë në kitarë, fq. 260, rreshti 3, autorë: T. Radi & D. Gjergji, Tiranë, 2019.

59   Lalo. A. Kompozitor; *Emisioni:* Muzikë, emocion, muzikë, TVSH, 14 Dhjetor 2001. *Dokumentari:* Vitet '70, muzika e lehtë, diktatura. Françesk Radi. Tv1 channel, Shkodër, Tetor, 2022, RTK1, Prishtinë, Kosovë, 2022-12-04

60   Shllaku. GJ. Kompozitor; Gazeta *Telegraf,* 11 Maj 2021, "Adresa" dhe "Biçikleta" të F. Radit, hite që koha i lartëson, fq, 22, kolona 3, rreshti 9. *Dokumentari*: Vitet '70, muzika e lehtë, diktatura. Françesk Radi. Tv1 channel, Shkodër, Tetor, 2022, RTK1, Prishtinë, Kosovë, 2022-12-04.

𝔓𝔞𝔳𝔞𝔯𝔢𝔰𝔦𝔰𝔥𝔱 𝔠𝔢𝔫𝔰𝔲𝔯𝔢𝔰,
kompozitorët e viteve`70-72, krijuan muzikë të bukur

𝔓ër Radin pavarësisht censurës së regjimit: "Kompozitorët e viteve '70, me krijimet e tyre i ishin përgjigjur shijes së rinisë së kohës, e cila të krahasonte me botën. Duhej të bënim diçka tjetër, të ndryshonim pak thelbin e muzikës. Besoj që e arritëm, sepse me të vërtetë në vitet '70-72, ne bëmë muzikë shumë të bukur. Këngët ishin gjetje. Kishin fabul, për kohën kanë qënë moderne. Ishin këngë dashurie, por trajtonin edhe problemet sociale. Shumë prej tyre ende mbahen mend e këndohen nga adhuruesit e muzikës. Mbijetesa e tyre tregon se arti i vërtetë mbijeton edhe kur krijohet në kushte të vështira."[61]

---

61   Radi. F. këngëtar-kantautor, kompozitor, instrumentist; *Emisioni:* Fol me mua, Tvsh, 15 Maj 2015. *Dokumentari:* Jetë e trazuar, TVSH, 18 Prill 2018. Gazeta *Republika*, 21 Tetor 1999 Lidhja ime me muzikën është e përjetshme, nga Ilir Bushi, fq.13, kolona dy, rreshti 34. *Libri:* F. Radi, Jetë në kitarë, fq.181, rreshti 9, autorë: T. Radi & D. Gjergji, Tiranë, 2019.

Internimi i Frankos për riedukim
- largimi nga Tirana, skena, ekrani dhe krijimtaria

Nga Tirana, nga një emër i adhuruar nga të gjithë, djaloshin rritur dhe dashuruar me muzikën, e internuan për riedukim në Fushë-Arrëz. Fakti pohohet nga pedagogja e tij Hamide Stringa: "Franko kishte shkuar në Fushë–Arrëz për të bërë një stad edukimi, ashtu ishte menduar." [62]

Për kompozitorin e shquar Enver Shëngjergji: "Franko pati atë fat që për shumë e shumë vite u largua jo vetëm nga skena dhe ekrani, por u largua dhe jashtë Tiranës, në Fushë–Arrëz."[63]

"Pas një viti Franko humbi me zë dhe figurë në Pukën e largët të asaj kohe i përndjekur nga regjimi diktatorial, i cili dhunoi tërë produktin artistik të Festivalit të 11 të Këngës në RTV, ndër të tjera edhe këngën e kantautorit të ri, "Kur dëgjojmë zëra nga bota" dhe gjithe produktin e tij muzikor. Por ai mbeti në shpirtin tonë që e prisnim të kthehej sërish…" ka shkruar miku i Frankos, inxhinieri Gaqo Apostoli.[64]

---

62   Stringa. H. Muzikologe, këngëtare lirike; Gazeta *Telegraf,* 8 Prill 2021, Frankua në Festivalin e 11-të të këngës solli frymë të re, fq. 21, kolona 2, rreshti 47. *Intervistë-video,* 6 Korrik 2020 (arkivi familjar). *Dokumentari:* Vitet `70, muzika e lehtë, diktatura. Françesk Radi. Tv1 channel, Shkodër, Tetor, 2022, RTK1, Prishtinë, Kosovë, 2022-12-04.

63   Shëngjergji. E. Kompozitor; *Dokumentari:* F. Radi, Jetë e trazuar, TVSH, 18 Prill 2018. *Dokumentari:* Vitet `70, muzika e lehtë, diktatura. Françesk Radi. Tv1 channel, Shkodër, Tetor, 2022, RTK1, Prishtinë, Kosovë, 2022-12-04.

64   Apostoli. G. Inxhinier; Do të shihemi lart në qiell, Françesk, miku im i shtrenjtë….(arkivi familjar)

Franko, Fushë–Arrëz, lumi Fan, 1973 (arkivi familjar)

"Lash pas ëndrrat e bukura të Institutit të Lartë të Arteve, punën në Orkestrën e RTSH, në Big Band-in e Gaspër Çurçisë...Njëzet e tre vjeç djalë u nisa drejt veriut me kurajon për të gjetur edhe atje vetvehten. Por jo pa dhimbje, pasi Tirana ishte zemra ime dhe unë shpirti i saj," shkruan Radi në kujtimet e tij.[65]

Franko ishte debulesa e vëllait të tij të madh, Ferdinandit (Nandi), aktor i kinematografisë e teatrit, poet e regjisor. Në vargjet kushtuar internimit të Frankos për "ri-edukim", thurur e recituar prej tij, Nandi shprehu përmes pendës, trishtimin për këputjen e një ëndrre të bukur.

Mbi telat e kitarës tënde

Tinguj lëshonte melodia

Dhe shpirtrave të dashuruar

I sillte të këndshmen pranverë

Në zgavrën e kitarës tënde

Fole ngrinte dashuria

E Celentano të thonim ne atëher'

Dhe ëndrrën, melodinë

Lakejtë ta prishën

E kitarën ta flakën

65   Radi. F. Këngëtar-kantautor, kompozitor, instrumentist; *E djela shqiptare,* Klan Tv, 28 Nentor 2010. *Libri:* F. Radi, Jetë në kitarë, Fq. 92 rreshti 14, fq 93, rreshti 1, autorë: T. Radi & D. Gjergji, Tiranë, 2019.

Në një skaj verior
Atje ku dhe telat e tensionit të lartë
Kallkan krijonin mbi dëborë.

(Ferdinand Radi, audio, arkivi familjar)

Franko, brezi i tretë i familjes
Radi me kontribute në Pukë

Dokumenti origjinal i emërimit të Julia Radit mësuese në Pukë, 1936 (Arkiva e Muzeut Historik, Shkodër)

Franko nuk ishte i pari ndër Radët që prekte Pukën. Më 1936 halla e Frankos, Julia Radi, kishte qënë mësuese me Migjenin. Dokumenti eshtë shkruar nga Kryemësuesi Migjeni më 13 Qershor të atij viti dhe mban firmën e tij. Julia ishte shkaku i njohjes së xhaxhait të kantautorit, Lazrit, me shkrimtarin e madh Millosh Gjergj Nikolla.

Julia (majtas), me motrën e Migjenit, Cvetkën në oborrin e shkollës. Pukë,1936 Foto, Lazër Radi, vëllai i saj (arkivi familjar)

Prend Radi, gjyshi i Frankos, Prizren, 1922 (arkivi familjar)

Në fund të shekullit 19-të e fillimvitet e shekullit të 20-të, gjyshi i Frankos nga babai, Prend Radi, zhvillonte tregëtinë e qymyrgurit nga Prizreni, ku familja jetonte, drejt Shkodrës. Ishte dhe një lahutar i mirë. Në hanin e Gomsiqes, në Pukë, bashkë me rapsodin e famshëm pukjan Prendush Gega, organizonin mbrëmje mahnitëse për hanxhinjtë me këngë epiko-legjendare.

Më 1929 familja Radi e la Kosovën dhe u vendos në shtetin amë. Fillimisht në Durrës. Më 1943 u vendosën përfundimisht në Tiranë.

Franko ishte përfaqësues i brezit të tretë të Radëve që punoi në Pukë. Ndoshta një rastësi e çuditshme.

Jeta e Frankos në Fushë -
Arrëz, përgjimi nga policia, krijimi i ansamblit folklorik

Ucaktua në vatrën e kulturës së qytezës së minatorëve e sharrëxhinjve, mjaft i zëshëm për industrinë e kohës.

Sipas kritikut të artit Prof. Dr. Josif Papagjoni: "Franko ishte një njeri i njohur dhe në Fushë -Arrëz, me këngët e tij hite, por ama të gjithë e tregonin me gisht.

Grupi i çiftelive Fushë - Arrëz, ngritur nga Franko (i pari majtas), 1974 (arkivi familjar)

Nuk e lejonin të dilte në skenë, pasi mendohej që ky ishte një njeri i ndëshkuar, i çuar atje për gabime ose shfaqje liberale në muzikë etj etj."[66]

Kontributi i kantautorit Radi ishte i madh në ngritjen e grupeve artistike, edukimin e të rinjve me muzikën dhe perfeksionimin e orkestrës së qytezës duke kombinuar instrumentet popullorë me ato modernë. Por i mungonte liria.

"Atje përgjohesha nga policia. Kam patur probleme, sepse për çdo gjë unë denoncohesha në polici. Më thoshin të ruajnë poshtë shtëpisë, se mos këndon muzikë jo të pëlqyeshme (këngë të huaja)," ka theksuar Franko në median televizive. [67]

U mbështet nga drejtori Josif Papagjoni. Sikurse Radi edhe ai kishte shkuar në Fushë - Arrëz duke lënë pas profesionin e pedagogut të ri në Institutin e Lartë të Arteve, pas Plenumit IV të Komitetit Qendror të Partisë së Punës të Shqipërisë, ku u mbajt qëndrim i ashpër ndaj artit. Falë përkushtimit në punë, Franko arriti të ngrejë dhe grupin me çifteli e të ngjitet edhe vetë në skenën pukjane. Natyrisht me këngën popullore të zonës, të përpunuar e të interpretuar prej tij. Ai jo vetëm i dha Pukës, por dhe mori prej saj. Mbi gjithçka vlerësoi besnikërinë e pukasve.

"Mund të më kishin denoncuar për shumë gjëra dhe mund të përfundoja edhe më keq...Pata shumë miq. Nganjëherë edhe dyshoja, megjithatë u treguan shumë besnik me mua. Dhe unë i adhuroj për këtë akt," është shprehur Franko.[68]

Aty kishte mjeshtrat Ndue Shyti e Frrok Haxhia, rapsodë e instrumentistë të tjerë, prej të cilëve përfitoi shumë. Mësoi çiftelinë dhe instrumente të tjerë popullorë. Periudha e gjatë e Frankos në Fushë – Arrëz e ushqeu atë me motivet e muzikës së asaj treve. Këtë kulturë e shndërroi në pasuri profesionale për kompozimet e tij të pasviteve 1990 duke bërë edhe këngë rock me çifteli.

"Dhe ky njeri që ishte aq i ëmbël, aq i butë, durues, gati me një durim Sokratian do ta quaja unë, e priti fatin ballë për ballë. Nuk u ankua, nuk u qa, qëndroi dhe punoi aty. Franko e mori shumë seriozisht edhe nga pikëpamja muzikore trevën folklorike të Pukës, e cila u bë element dhe qenësi e muzikës së tij. Ai ka shfrytëzuar motivet që vinin nga folklori i Pukës. I ka përpunuar dhe ndoshta është mjeshtri dhe përpunuesi më i mirë për ta ngritur atë në nivelet e muzikës së kultivuar origjinale shqiptare," është shprehur Josif Papagjoni.[69]

---

66   Prof. Dr. Papagjoni, J. Kritik arti; *Dokumentari:* F. Radi, Jetë e trazuar, TVSH, 18 Prill 2018. *Libri:* F. Radi, Jetë në kitarë, fq. 253, rreshti 16, autorë: T. Radi & D. Gjergji, Tiranë, 2019. *Dokumentari:* Vitet `70, muzika e lehtë, diktatura. Françesk Radi. Tv1 channel, Shkodër, Tetor, 2022, RTK1, Prishtinë, Kosovë, 2022-12- 04.

67   Radi. F. Këngëtar-kantautor, kompozitor, instrumentist; *E djela shqiptare,* 28 Nentor 2010, Klan Tv. *Dokumentari:* F. Radi, Jetë e trazuar, TVSH, 18 Prill 2018. *Libri:* F. Radi, Jetë në kitarë, fq. 107, rreshti 21, autorë: T. Radi & D. Gjergji, Tiranë, 2019.

68   Radi. F. Këngëtar-kantautor, kompozitor, instrumentist; *E djela shqiptare,* Klan Tv, 28 Nëntor 2010.

69   Prof. Dr. Papagjoni. J. Kritik arti; *Dokumentari:* F. Radi, Jetë e Trazuar, TVSH, 18 Prill 2018. *Libri:* F. Radi, Jetë në kitarë, fq. 253, rreshti 27, autorë: T. Radi & D. Gjergji, Tiranë, 2019.

Në mesvitet '70 pedagogia Hamide Stringa së bashku me një grup të Institutit të Lartë të Arteve, shkoi në Fushë-Arrëz për të kryer punën fizike, e detyrueshme për intelektualët në diktaturë. Takohet sërish me ish studentin Franko. Kishte orientim edhe realizimin e intervistave për punën që ata bënin. Franko ishte njëri prej tyre. Detyra ja kërkonte që të ishte vigjëlente edhe ndaj fenomeneve të ndaluara për kohën.

E nuk mund t'i shpëtonin vështrimit të saj flokët disi të gjata të kantautorit. Sipas saj:

"Franko kishte një petinaturë rinore, që unë me syrin tim, do të thosha pak të kufizuar, i thashë: Më përpara shko krifi mirë flokët, pastaj hajde tek unë. Një prezantim pak me ton nga lart–poshtë. Kështu që ai e ndjeu veten pak të drojtur."[70]

Franko, Fushë–Arrëz,1974 (arkivi famr)

Franko, në barakat e Fushë–Arrëzit,1973 (arkivi familjar)

70   Stringa. H. Muzikologe, këngëtare lirike; Gazeta *Telegraf,* 8 Prill 2021, Frankua në Festivalin e 11-të të Këngës solli frymë të re, fq. 21, kolona 3, rreshti 18. *Interviste-video* për Françesk Radin, 6 Korrik 2020, Tiranë (arkivi familjar*). Dokumentari:* Vitet `70, muzika e lehtë, diktatura. Françesk Radi. Tv1 channel, Shkodër, Tetor, 2022, RTK1, Prishtinë, Kosovë, 2022-12- 04.

Por butësia e Frankos bënte mik gjithkënd. Artistët e Institutit u ndanë me publikun e Fushë–Arrëzit me një veprimtari muzikore që i dha kënaqësi të dy palëve. Këndoi dhe vetë zonja Stringa, përfshi dhe një këngë ruse.

"Menduam se ai që mund të na shoqëronte më mirë në koncert, ishte Franko, për arësye se ai ishte gjithë ditën me kitarë në dorë. Më pëlqeu njohja e mëtejshme që pata me të, por më pëlqeu dhe vetja në këtë kohë, që nuk mbajta qëndrim zyrtar ndaj kësaj rinie që kërkonte lirshëm të fluturonte," ka pohuar Stringa në intervistën e saj televizive për Frankon.[71]

Franko: "Periudha e viteve që kalova në Fushë–Arrëz ndoshta ishte periudhë jo fort e këndëshme, një ndërprerje që në fillim të karierës sime, por aty gjeta edhe shoqen e jetës, Teftën. Pra gjithë ajo sakrificë, gjithë ai mundim si duket edhe u shpërblye në momentin e duhur. Tefta, mësuesja e letërsisë, ishte konferenciere. Shtëpia e kulturës, mbështetej pikërisht tek nxënësit dhe arësimtarët e shkollës së mesme. Tefta më tërhoqi vëmendjen dhe unë menjëherë e aktivizova në shtëpinë e kulturës ku edhe punoja. Fillimisht marrëdhëniet tona ishin tepër korrekte, marrëdhënie pune. Veç kësaj midis nesh kishte një ndryshim të madh.

Tefta, Franko, Lezhë, 1975

71   Stringa. H. Muzikologe, këngëtare lirike; Gazeta *Telegraf*, 8 Prill 2021, Frankua në Festivalin e 11-të të Këngës solli frymë të re, fq. 21, kolona 3, rreshti 33, 43. *Iinterviste-video* për Françesk Radin, 6 Korrik 2020, Tiranë (arkivi familjar). *Dokumentari:* Vitet `70, muzika e lehtë, diktatura. Françesk Radi. Tv1 channel, Shkodër, Tetor, 2022, RTK1, Prishtinë, Kosovë, 2022-12-04.

Ajo ishte e emëruar, kurse unë isha i dënuar, një ndër ata të Festivalit të 11-të famëkeq të Këngës në RTSH. Në të vërtetë asgjë nuk ndryshonte midis të dënuarve dhe të emëruarve. Të dyja palët jetonim në të njëjtat kushte, flinim në të njëjtat godina, hanim në të njëjtat mensa punëtorësh apo lokale. Ndryshimi i vetëm mes meje dhe Teftës qe fakti që unë isha i vëzhguar e për gjithçka denoncohesha në polici. Por nuk ishte e lehtë të dashuroje në atë kohë, e sidomos në provinca të tilla. Po të përfliteshe nga opinioni shoqëror, organizata bazë e Partisë pas këtij konstatimi, të thërriste e të detyronte të martoheshe. Familja e re duhej ta ndërtonte jetën atje. Lëvizja e lirë e njerëzve edhe brenda vendit, nuk lejohej në Shqipërinë komuniste. Unë nuk mund ta tradhëtoja kurrë Tiranën, ndaj dhe dashuria jonë mbeti e fshehtë, për t'u rritur e për t'u shndrruar në gjithësinë për njeri-tjetrin pas kthimit në Tiranë,"[72]

Tefta, Franko, Tiranë, 2015

72   Radi. F. Këngëtar-kantautor, kompozitor, instrumentist; Gazeta *Shekulli*, Si e gjeta Teftën , 18 Mars 2001. *Libri*: F. Radi, Jetë në kitarë, fq. 119, rreshti 8, autorë: T. Radi & D. Gjergji, Tiranë, 2019.

Rikthimi në Tiranë
dhe vështirësitë për të gjetur punë

Më 1981 pas shumë mundimesh, Franko përfundimisht kthehet në Tiranë. Pati mbështetjen e Sekretarit të Parë të Komitetit të Partisë të Pukës, Thoma Dine dhe të anëtarit të Byrosë Politike të Komitetit Qendror të Partisë së Punës të Shqipërisë, Pali Miska, ish drejtor i sharrave më parë në këtë rreth. Gjatë funksioneve të tyre në këtë qytezë, ata e kishin njohur dhe vlerësuar Frankon për punën e madhe artistike për formimin dhe ngritjen e nivelit kulturor të të rinjve. Por firmën e fundit të kthimit në qytetin e zemrës, Tiranë, e vendosi Ramiz Alia, anëtar i Byrosë Politike dhe Sekretar i Komitetit Qendror të PPSh-së për ideologjinë dhe propagandën.

Vetë Franko ka thënë: "Shkëputja ime prej disa vitesh nga muzika, nga profesioni, ka lënë gjurmë të thella tek unë. Një muzikanti, një kantautori t'i heqësh të drejtën e profesionit, ka qënë një gjë e tmerrshme. Për dy vjet qëndrova i papunë. Trokita në shume dyer, por askush nuk ma hapte atë. Më shikonin ende me syrin e Festivalit të 11-të. As RTSH-ja ku trokita së pari për të shkuar pranë Orkestrës Simfonike. Isha emëruar aty fillimisht pas përfundimit të studimeve, por dhe kontributit tim në të, përgjatë viteve të shkollimit. Prej andej më larguan më 1973, pas Festivalit famëkeq."[73]

Më 1983, pas shumë peripecish, Franko filloi punë si kitarist solist në orkestrën e Cirkut të Tiranës. Pak vite më vonë ai kaloi në Estradën e Shtetit. Edhe këtu punoi si bassist në orkestër, me instrumentistë mjaft të talentuar si në Cirk dhe në Estradë. Kompozoi dhe orkestroi këngë për të tjerë, muzikoi shfaqje, pasi fillimisht nuk e lejonin të dilte në skenë.

---

73   Radi. F. Këngëtar-kantautor, kompozitor, instrumentist; *Emisioni:* Me Marizën, Scan Tv, 30 Dhjetor 2016. *Radio Kontakt*, 22 Qershor 2012.

Ky fakt pohohet nga kompozitori i madh Aleksandër Lalo: "Kemi punuar me Françeskun edhe në Varietenë e Tiranës. Aty i binte kitarës bass. Me thënë të vërtetën kemi bërë një luftë të madhe bashkë, sepse edhe aty e kishte shumë të vështirë të dilte si kantautor. Nuk e lejonin. Ishim dhe të shqetësuar, sepse ishim kompozitorë dhe muzikantë të survejuar. Frankos i vunë dhe nofkën Celentano."[74]

Këngë të kësaj periudhe janë: "Ecëm për krah të dy tokë", me një interpretim të ngrohte nga Luan Zhegu, "Rrugë dhe vite", "Lulja më e bukur", "Krah për krah në jetë", një duet mjaft i ndier i Radit me këngëtaren e mirënjohur të kohës, Elida Shehu, "Thurëm bashkë një këngë", kënduar nga Kozma Dushi, e të tjera, kompozime të Frankos, fituese të Anketës Muzikore në Radio Tirana. Shumë prej tyre tingëllojnë bukur edhe sot.

Për një pjesë të krijimtarisë muzikore të këtyre viteve Radi ka theksuar: "Pata ca gjëra të vogla brenda kornizës, jashtë karakterit tim. Muzika nganjëherë është edhe vulë e kohës, kështu që çdo gjë shkoi edhe me kohën."[75]

---

74   Lalo. A. Kompozitor; *Emisioni:* Muzikë, emocion, muzikë, TVSH, 14 Dhjetor 2001. *Libri:* F. Radi, Jetë në kitarë, fq. 257, rreshti 8, autorë: T. Radi & D. Gjergji, Tiranë, 2019. *Dokumentari:* Vitet `70, muzika e lehtë, diktatura. Françesk Radi. Tv1 channel, Shkodër, Tetor, 2022, RTK1, Prishtinë, Kosovë, 2022-12- 04.

75   Radi. F. Këngëtar-kantautor, kompozitor, instrumentist; *Pasdite në Top Channel,* 19 Qershor 2015. *Emisioni:* Fol me mua, TVSH, 15 Maj 2015. *Dokumentari:* F. Radi, Jetë e trazuar, TVSH, 18 Prill 2018.

Krijimtaria muzikore
e Frankos në vitet '70-72, mesvitet '80 dhe të pas 90-tës

Kompozitori Gjon Shllaku: "Krijimtaria muzikore e Françesk Radit, mund të konceptohet në tri faza, nisur nga mundësitë praktike dhe kufizimet për të krijuar në fushën e artit në kushtet e diktaturës komuniste dhe mbas saj.

"Periudha e "liberalizimit" të cilës i përkasin këngët "Biçikleta", "Adresa" dhe "Kur dëgjojmë zëra nga bota".

Periudha e mesviteve 1980, ku përmendim këngët "Krah për krah në jetë" "Ecëm përkrah të dy tok", "Lulja më e bukur", etj.

Periudha mbas viteve 1990, ku hyjnë gjithë këngët e tjera që krijoi. Pavarësisht nga ajo që ndodhi, kur Françeskut ju mohua e drejta e krijimtarisë dhe interpretimit, vlera më e lartë e fushës së këngës në periudhën e dytë të krijimtarisë së tij, është pikërisht ruajtja e raportit të "frymëzimit të kontrolluar" me kërkesat e kohës, përmes poezive me "tematikë të shëndoshë", por me korrektesë melodike si për shëmbull tek kënga "Krah për krah në jetë"- duet, apo dhe mbështetja më e drejtpërdrejtë në motivet popullore, sikurse tek kënga "Ecëm përkrah në jetë" që autori realizon pa rënë në kthetrat e folklorizmit e në vulgaritet, si shumë autorë të tjerë të këngës gjatë viteve '80 - '90."[76]

Në gjysmën e dytë të viteve '80 tenton të ngjitet sërish në skenën e Festivalit të Këngës në RTSH, ëndërr për të gjithë krijuesit. Doktor Gëzim Gjata, protagonist në këtë dëshirë të tij ka rrëfyer në median televizive.

---

[76] Shllaku. GJ. Kompozitor; Gazeta *Telegraf*, 11 Maj 2021, "Adresa" dhe "Biçikleta" të F. Radit, hite që koha i lartëson, fq, 22, kolona 2, rreshti 21, kolona 3, rreshti 30.

"Dëshironte që të këndonte në festival, mirpo nuk e lejonin nga vitet ' 87, '88. Punoja në një vend që mund ta ndihmoja. Më kërkoi t'ia çoja një letër të shkruar prej tij, tek ndonjë nga funksionarët e lartë që mbulonin artin. E pa ai më kryesori dhe tha: pse të mos këndoj Franko, nuk ka ndonjë pengesë. Franko e çoj përgjigjen në televizion. Drejtuesit e këtij institucioni ende kishin frikë për ta pranuar Frankon. Ata mbronin veten. Secili në atë kohë mbronte vetveten. Kishte një këngë shumë të bukur. Dhe teksti ishte i poetit të madh, rilindasit të shquar Naim Frashëri. Mendo ç'mund të ishte e dëmshme. E këndoi këngën. Si duket teknikut që kontrollonte regjistrimin, ju kujtua historia e zërit të Frankos, që e krahasonin me të Celentano-s dhe i thotë: A s'e këndon pak më keq?"[77]

Ky fakt është pohuar dhe nga vetë Radi, kur tekniku i regjistrimit ju drejtua me fjalët: "Këndoje pak më keq nga ç'e këndove pak minuta më parë Franko, se kështu nuk mund të pranohet kënga, nuk mund të futet në festival. E di që nuk u pranua ajo këngë."[78]

Në të vërtetë bëhej fjalë për këngën "Lulja më e bukur". U këndua në Anketën Muzikore, që ishte edhe aktiviteti muzikor radiofonik më i ndjekur i kohës, gjithashtu dhe niveli i konkurimit që Franko preku në gjysmën e dytë të viteve '80. Ishte pothuajse fitues i saj sa herë konkuronte me krijimet e tij apo dhe të kolegëve.

Franko mes trupës amatore të artistëve në Kuçovë, Nëntor 1988 (arkivi familjar)

Në këto vite ngjitet në skenën e trupës së Estradës, apo siç njihej ndryshe, Varietesë së Tiranës edhe me këngë të huaja, hite botërore për kohën, kryesisht latino-amerikane. Në këtë skenë njohu sërish suksesin me të cilin ishte ndarë më 1973.

---

77   Gjata. G. Doktor; *E djela Shqiptare*, Klan Tv, 28 Nëntor 2010. *Dokumentari:* Vitet `70, muzika e lehtë, diktatura. Françesk Radi. Tv1 channel, Shkodër, Tetor, 2022, RTK1, Prishtinë, Kosovë, 2022-12-04.

78   Radi. F. këngëtar-kantautor, kompozitor, instrumentist; *E djela Shqiptare*, Klan Tv, 28 Nëntor 2010.

Rikonfirmoi emrin e tij si kantautor, këngëtar, kompozitor e instrumentist duke patur ftesa nga trupat artistike edhe në rrethe. Një ndër to ishte pjesëmarrja në koncert-shown në qytetin Stalin, Kuçova e sotme, në Nëntor 1988.

"Franko në ato vite ishte në kulmin e ndriçimit të karrierës së tij. Salla mbante 300 vende dhe përjashta mund të ishin 2000-3000 veta. Të detyruar të plotësonim edhe kënaqësinë e njerëzve përjashta, dhashë urdhër që në dritare të viheshin dy boksa, dy altoparlanta. Ishte ftohtë shumë dhe njerëzit nuk largoheshin, rrinin, dëgjonin plot kënaqësi zërin melodioz të këtij artisti, të këtij djali të shkëlqyer do të thosha, që i dha shumë këngës dhe muzikës shqiptare," risjell në kujtesë drejtori i kinemasë në atë kohë, Skënder Jaçc. 79

Franko këndoi shumë këngë në atë koncert, shoqëruar nga duartrokitje të pandërprera dhe bize. Këndoi dhe dy këngë të huaja, "Palma'o" e "Bamboleo".

Sipas bateristit dhe solistit të grupit amator të qytetit, Edmond Naqellari: "Në fund të shfaqjes Franko këndoi këngën "Bamboleo" të grupit Gipsy Kings. E gjithë salla u ngrit në këmbë. Kjo këngë u përsërit tri herë dhe i gjithë refreni u këndua si jashtë dhe brenda bashkë me Frankon. Për atë që Franko i ka dhënë muzikës shqiptare mbetet një artist unik i mrekullueshëm."[80]

"Ishim në prag të rënies së murit të Berlinit dhe frika nuk ishte vrarë akoma. Por Franko e vrau atë natë frikën. Salla, jam i sigurtë se e ka memorizuar në muret e saj atë zë të bukur, atë zë melodioz. Franko e ngriti publikun peshë në atë mbrëmje magjike," kujton kineasti i mirënjohur Skënder Jaçe.[81]

Kantautori Radi u shoqërua nga orkestra amatore e qytetit, një grup të rinjsh mjaft të talentuar. Ata punuan me partiturat për dy ditë, pa pyetur për orët e tejzgjatura. Shpërblim ishte suksesi.

Jaçe vijon: "Mbas shfaqjes më kujtohet që spektatori priste jashtë dyerve për ta takuar a për t'i marrë një shenjë autografi Frankos, apo për të bërë një foto. Kishim një fotograf të kinemasë, se celular nuk kishte në ato vite, dhe atë e mbytën duke e tërhequr, kush të bënte më shumë foto. Natyrisht nuk mund të plotësoheshin kërkesat e të gjithëve."[82]

---

79   Jaçe. S. Kineast; https://gazetavatra.com/kujtime-francesk-radi-koncert-show-ne-qytetin-stalin-kucove-ne-1988/, 2 Qershor 2021, rreshti 19. Voal.ch, Françesk Radi dhe koncert – show në qytetin Stalin(Kuçova e sotme), në Nëntor të 1988 – ës, 14 Maj 2021, rreshti 19. *Intervistë-video*, 23 Tetor 2020, Tiranë, (arkivi familjar). *Dokumentari:* Vitet `70, muzika e lehtë, diktatura. Françesk Radi. Tv1 channel, Shkodër, Tetor 2022, RTK1, Prishtinë, Kosovë, 2022-12-04.

80   Naqellari. E. Instrumentist; https://gazetavatra.com/kujtime-francesk-radi-koncert-show-ne-qytetin-stalin-kucove-ne-1988/, 2 Qershor 2021, rreshti 27. Voal.ch, Françesk Radi dhe koncert–show në qytetin Stalin(Kuçova e sotme), në Nëntor të 1988 – ës, 14 Maj 2021, rreshti 26. *Intervistë-video*, 18 Shtator 2020, Kuçovë (arkivi familjar). *Dokumentari:* Vitet `70, muzika e lehtë, diktatura. Françesk Radi. Tv1 channel, Shkodër, Tetor, 2022, RTK1, Prishtinë, Kosovë, 2022-12-04.

81   Jaçe. S. Kineast; https://gazetavatra.com/kujtime-francesk-radi-koncert-show-ne-qytetin-stalin-kucove-ne-1988/, 2 Qershor 2021, rreshti 35. Voal.ch, Françesk Radi dhe koncert-show në qytetin Stalin(Kuçova e sotme), në Nëntor të 1988 – ës, 14 Maj 2021, rreshti 33. *Intervistë-video*, 23 Tetor 2020, Tiranë (arkivi familjar). *Dokumentari:* Vitet `70, muzika e lehtë, diktatura. Françesk Radi. Tv1 channel, Shkodër, Tetor, 2022, RTK1, Prishtinë, Kosovë, 2022-12-04.

82   Jaçe. S. Kineast; https://gazetavatra.com/kujtime-francesk-radi-koncert-show-ne-qytetin-stalin-kucove-ne-1988/, 2 Qershor 2021, rreshti 39. Voal.ch, Françesk Radi dhe koncert-show në qytetin Stalin (Kuçova e sotme), në Nëntor të 1988 – ës, 14 Maj 2021, rreshti 37. *Intervistë-video,* 23 Tetor 2020, Tiranë (arkivi familjar). *Dokumentari:* Vitet `70, muzika e lehtë, diktatura. Françesk Radi. Tv1 channel, Shkodër, Tetor, 2022, RTK1, Prishtinë, Kosovë, 2022-12- 04.

Rikthimi i Frankos në
Orkestrën Simfonike dhe Festivalin Kombëtar të Këngës në RTSh

Falë dirigjentit Zhani Ciko, më 1992 Franko kthehet në Orkestrën Simfonike të Radio Televizionit Shqiptar, në Formacionin e Lehtë Orkestral, përkrah Edison Miso, Edmond Xhani, Genc Dashi, Shpëtim Saraçi etj. Ky formacion konsiderohej si ajka e muzikantëve.

Plot 20 vjet mbrapa kantautori Françesk Radi, u rikthye në skenën e Festivalit të Këngës të RTSH-së fuqishëm e me një krijimtari të spikatur. Këngët e tij kanë mesazhe, kanë intuitë, kanë notë proteste, kanë muzikë, kanë kompozim, kanë edhe interpretim.

Në Festivalin 32-të të Këngës në RTSH u përfaqësua me "Një nënë, fëmijët, koha dhe unë". Kishte një fabul sociale, me një tekst të ndjerë të këngëtares së mirënjohur amerikano-italiane Romina Pawer. Ishte viti 1993. Për Frankon nuk ishte moment i lehtë. Kishin kaluar plot dy dekada dhe emocionet nuk mund të fshiheshin.

Vetë Franko është shprehur: "Ka qenë moment i vështirë, sepse isha para një përgjegjësie. Çfarë do të bëja. Unë e kisha një emër tashmë me këngët e viteve '70. Duhej të mendohesha mirë kur të dilja."[83]

---

83   Radi. F. Këngëtar-kantautor, kompozitor, instrumentist; *Pasdite ne Top Channel*, 19 Qershor 2015. *Libri:* F. Radi, Jetë në kitarë, fq. 172, rreshti 2, autorë: T. Radi & D. Gjergji, Tiranë, 2019. *Dokumentari:* Vitet `70, muzika e lehtë, diktatura. Françesk Radi. Tv1 channel, Shkodër, Tetor, 2022, RTK1, Prishtinë, Kosovë, 2022-12- 04.

Franko bassist, Orkestra Simfonike RTSh, 1996 (arkivi familjar)

Sipas personalitetit Zhani Ciko: "Dalja e tij në festival ishte shumë dinjitoze. Ai doli po me atë frymë që kishte krijuar që në vitet e rinisë. Pak kishte ndërruar brenda shpirti i tij i pa epur në konceptet dhe bindjet e tij. Për mua ai mbetet gjithmonë një muzikant i veçantë, nje personalitet do ta quaja në këngën e lehtë, i cili ka gjurmët e tij të pa shlyeshme."[84]

Kompozitori Aleksandër Lalo: "Franko mbetet një ndër të paktët muzikantë që është konseguentë në krijimtarinë e tij. Nuk ka tradhëtuar as veten, as shokët, as admiruesit e tij. Unë shoh një linjë të përgjithshme, në një kurbë që vjen në ngjitje. Edhe pas viteve '90 Françesku ka ditur të ruajë stilin e tij të muzikës, ka ditur të ruajë harmoninë, ka ditur të marrë bukur motivet popullore e t'i futë në muzikën e lehtë. Për mendimin tim është nga krijuesit e paktë në këtë kohë pak të trazuar, që ka patur ngritje cilësore."[85]

"Pas viteve 90 Franko ishte në lirinë dhe "mbretërinë"e tij . Një pas një pasonin këngët nga më të bukurat e krijuara dhe kënduara nga ai, duke lënë pas si një kohë të largët këngët që ia impononte koha dhe situata siç ishte ajo e "Sharrëxhijve" apo të "Luftës në Vietnam" që s'lidheshin gjëkundi me temperamentin e një djaloshi modern, të lirë, si rinia që shpërtheu dhe tronditi botën në Woodstokun e Gushtit të 1968- tës," është shprehur kompozitori Gazmend Mullahi.[86]

---

84   Ciko. Zh, Dirigjent; *Dokumentari:* F. Radi, Jetë e trazuar, TVSH, 18 Prill 2018. *Libri:* F. Radi, Jetë në kitarë, fq. 248, rreshti 37, fq. 249, rreshti 4, 8, autorë: T. Radi & D. Gjergji, Tiranë, 2019.

85   Lalo. A. Kompozitor; *Dokumentari:* F. Radi, Jetë e trazuar, TVSH, 18 Prill 2018. *Libri:* F. Radi, Jetë në kitarë, fq. 258, rreshti 5, autorë: T. Radi & D. Gjergji, Tiranë, 2019. *Dokumentari:* Vitet `70, muzika e lehtë, diktatura. Françesk Radi. Tv1 channel, Shkodër, Tetor 2022, RTK1, Prishtinë, Kosovë, 2022-12- 04.

86   Mullahi. G. Kompozitor; *Intervistë-audio* për kolegun F. Radi, 20 Shtator 2020, San Diego, California (arkivi familjar).

Gjon Shllaku: "Mbas vitit 1991 Françesku, rigjeti frymëzimin e kohëve të para këputur nga diktatura, riktheu frymën e "momenteve shpirtërore" të rinisë së tij në frymëzimin e kohës së re, duke vazhduar konseguent pa asnjë lëkundje stilin e tij të hershëm, meqenëse koha e tij, sikurse ajo e Celentano-s nuk ikin kurrë. Domosdo që arritjet në konsolidimin e stilit, do të vinin si për çdo autor, në momentin e çlirimit të përgjithshëm nga zgjedha e kufizimeve shpirtërore dhe artistike, kur përzgjedhja e gjithë elementëve të krijimtarisë i besohet vetëm frymëzimit të lirë të autorit. Dhe kjo u arrit me forcën më të madhe, në këngët e krijuara në këtë periudhë të tretë. Qoftë në zgjedhjen e tematikës së ndjeshme ndaj realitetit që përjetonte, në seleksionimin e poezive me vlera apo në përzgjedhjen e motiveve muzikore, ritmeve, harmonisë e në të shumtën e rasteve edhe timbrikës orkestrale, pasuruar ndërkohë nga instrumentet elektronike apo ato të gjalla solistike, Françesku avancon jashtëzakonisht, konsolidon identitetin e tij krijues, gjithmonë në vazhdimësi të traditës së mëparshme, të shijes personale. Jo thjesht në elementët e gjuhës muzikore si melodi, ritëm, harmoni e timbrikë, por edhe në trajtimin e formës së këngës, ruan dhe parimet e përzgjedhura sidomos në përdorimin e introduksioneve e ndërhyrjeve solistike të instrumentave–tipike e disa rrymave të muzikës moderne, shumë e pëlqyeshme dhe e përdorur në krijimtarinë e tij. Një ndikim të rëndësishëm luan në këtë drejtim, instrumenti i kitarës, pjesë e pandashme e tërësisë dhe formimit të tij muzikor."[87]

---

87   Shllaku. Gj. Kompozitor; Gazeta *Telegraf*, 11 Maj 2021, "Adresa" dhe "Biçikleta" të F. Radit, hite që koha i lartëson, fq, 22, kolona 3, rreshti 30. *Dokumentari:* Vitet `70, muzika e lehtë, diktatura. Françesk Radi. Tv1 channel, Shkodër, Tetor, 2022, RTK1, Prishtinë, Kosovë, 2022-12- 04.

𝕱𝖗𝖆𝖓𝖐𝖔 𝖎𝖘𝖍𝖙𝖊 𝖆𝖓𝖙𝖎𝖐𝖔𝖓𝖋𝖔𝖗𝖒𝖎𝖘𝖙.
Në këngët e tij ka notë proteste

Mbas viteve '90, fillova ta mendoj ndryshe muziken. Duke parë edhe realitetin shqiptar, këngët e mia kishin karakter edhe proteste. Të tilla janë këngët "Pseudodemokrati" ("Herezia"), me tekst të Alqi Boshnjakut, këngë autobiografike, që revokon të shkuarën time në regjimin komunist, por dhe dyfytyrësinë e të devotëshmëve të kohës, dje dhe sot, "Rock i burgut", kushtuar gjithë artistëve që u burgosën e u internuan nga regjimi diktatorial i Enver Hoxhës, (1944 -1990), për shkak të bindjeve të tyre, fjalës së lirë. Teksti i bukur është shkruar me një mendim brilant nga poeti Agim Doçi. Padyshim ajo ishte edhe një brengë që unë e ndieja dhe e realizova," ka theksuar Radi në rrëfimet për jetën e tij.[88]

Për studiuesen Mikaela Minga: "Rikthimi i tij në skenën e Festivalit pas rënies së diktaturës është rikthimi i dikujt që ka lënë diçka përgjysëm dhe që përpiqet ta rimarrë aty ku e kishte lënë, pikërisht me idenë e protestës dhe angazhimit qytetar. Kurse hapësira kohore në mes tregon që më shumë se impostimin çelentanian, Françesk Radi kishte përbrendësuar, falë përvojave jetësore e artistike, vizionin e Beatles-ve, me "Let It Be". Ndërkaq, për ne rasti i tij mbetet një mundësi për të reflektuar më shumë mbi njerëzoren brenda këngës së lehtë, për të dëgjuar e lexuar më me kujdes si historikisht kjo ka qenë terren negocimi të vazhdueshëm përmes tingullit që krijuesit e interpretuesit e saj kanë bërë me veten e tyre, me dëgjuesit, kolegët, me institucionin festivalor, me politikën, shtetin dhe tanimë, edhe me Eurovizionin."[89]

---

88   Radi. F. Këngëtar-kantautor, kompozitor, instrumentist; *Emisioni:* Fol me mua, TVSH, 15 Maj 2015. *Dokumentari:* F. Radi, Jetë e trazuar, TVSH, 18 Prill 2018. *Libri:* F. Radi, Jetë në kitarë, fq. 172, rreshti 12, autorë: T. Radi & D. Gjergji, Tiranë, 2019.

89   Dr. Minga. M. Etnomuzikologe; https://peizazhe.com/2021/04/28/francesk-radi/, rreshti 224.

"Gjatë karrierës së tij të lakmueshme, Françesku sikur zotëronte një kod shenjash e elementesh muzikore, një sekret që e bënte atë unik në sojin prej kantautori. Këto shenja dhe elemente sikur mundësonin që nga një kantautor, ai të shndërrohej në një interpretues të shkëlqyer këngësh shqipe a në gjuhë të huaja, në një interpretues unik të këngëve urbane të aranzhuara e të përshtatura në stile të ndryshme, si: Rock, Rock 'n Roll etj., apo dhe në një interpretues - reprodukues të veçantë të këngëve të mëhershme argëtuese shqipe të cilave ai iu jepte një "fytyrë" të re. Patjetër se në këtë pikë vjen në shprehje aftësia e Radit për t'i dhënë kahun e saktë një kënge, cilado qoftë ajo, të cilën e shndërronte, riaranzhonte dhe e interpretonte duke ruajtur në të karakterin e saktë, atë të cilin kënga e ka patur fillimisht. Radi kishte aftësinë që, të njëjtin skelet kënge, ta mishëronte, ta vishte ndryshe," vlerëson kritiku Behar Arllati.[90]

Për muzikantin Gjon Shllaku: "Françesku, ka krijuar muzikë në mënyrën më profesionale duke e mbështetur frymëzimin muzikor mbi një poezi të pëlqyer, shpesh të marrë nga vëllimet e botuara të poetëve të tij të preferuar. Duhet ta ketë njiohur shumë mirë vargun poetik, sepse është perfekt në zbërthimin silabik të poezive, gjithashtu mjaft i përshtatur melodikisht e harmonikisht, e sigurisht shumë i frymëzuar në detajet e tekstit. Kjo veçori i jep krijimtarisë së tij ngjyrime spektrale dhe kontrast të admirueshëm. Nga kënga në këngë, dallohen për karakter të spikatur frymëzimet muzikore si për shëmbull "Paganini", (Funk – Hip-hop) dallon nga "Një nënë, fëmijët, koha dhe unë" – një baladë e qetë me tekstin e frymëzuar të Romina Power; apo një ngacmim sa i sinqertë, aq edhe prekës i pseudodemokratit tek "Herezia", mbështetur në një ritëm energjik Italo-disco, përballë tij një "Zemër e lodhur", ndërtuar mjeshtërisht e me mjete të thjeshta, një nostalgji romantike karakteristike për autorin; një "Rock i burgut" përballë me brishtësinë e sinqeritetin fëminor të "Telefonatë zemrash" deri tek "balada realiste" e një ndjenje prindërore si "Jeta s'të le fëmijë"; autobiografia artistike e jetësore, e shprehur me tërë forcën e shpirtit, që e lartëson autorin në majat e krijimtarisë së muzikës së lehtë shqiptare, në këngën "Humba pranverën" - përballë një pesimizmi të justifikueshëm por, që gjallërohet deri në një stigmatizim të realitetit nga ritmi Rock & Roll në këngën "Ky Fat na ra" (House Disco), deri tek 'romanza kontemporane' e dashurisë së pastër bashkëshortore, tepër kumbuese e këngës "Fli e vuajtura ime" apo "Të gjithë në det", hymnizim i qetësisë dhe i shkujdesjes verore mbështetur në ritmin ekzotik Reggae."[91]

---

90   Prof. Dr. Arllati. B. Etnomuzikolog; Gazeta *Nacional,* 15 Maj 2021, F. Radi, këngëtari me shpirt bohemi, nga Prof. Dr. Behar Arllati, fq. 28, kolona 4, rreshti 29. https://gazetavatra.com/francesk-radi-kengetari-me-shpirt-bohemi/, 17 Maj 2021, rreshti 74. Voal.ch, 14 Maj 2021, rreshti 62. *Intervistë-video*, 18 Gusht 2020, Gjakovë (arkivi familjar). *Dokumentari:* Vitet `70, muzika e lehtë, diktatura. Françesk Radi. Tv1 channel, Shkodër, Tetor, 2022, RTK1, Prishtinë, Kosovë, 2022-12- 04.

91   Shllaku. Gj. Kompozitor; Gazeta *Telegraf,* 11 Maj 2021, "Adresa" dhe "Biçikleta" të F. Radit, hite që koha i lartëson, fq, 22, kolona 5, rreshti 10, 23. *Dokumentari:* Vitet `70, muzika e lehtë, diktatura. Françesk Radi. Tv1 channel, Shkodër, Tetor 2022, RTK1, Prishtinë, Kosovë, 2022-12-04.

Në krijimtarinë muzikore të Françesk Radit shpalosja e notës së protestës për problemet e shoqërisë shqiptare, është tipar dallues. Ai i kushtonte rëndësi të madhe fabulës së teksteve dhe bashkëpunoi me emra të shquar të poezisë si: Kastriot Gjini, Agim Doçi, shkrimtarin e madh Dritëro Agolli, Vangjel Kozma, Alqi Boshnjaku, Demir Gjergji, etj. ndërkohë që disa këngë mbajnë autorësinë e tij.

Vetë Franko ka thënë: "Kam kërkuar që në muzikën time të mos jetë vetëm dashuria, por të jenë edhe problemet. Gjithmonë unë kam marë emocionin, kam marë frymëzimin edhe nga jeta, nga realiteti shqiptar. Nuk dua të jem thjesht një interpretues, por me këngën time, me fjalën time, dua të them diçka më tepër se sa kënga e thjeshtë. Fabula ka rëndësi të jashtëzakonëshme. Kënga nuk është vetëm muzika. Për të patur sukses ajo duhet të jetë në harmoni me të gjithë komponentët e saj, përfshi tekstin. Fjala duhet shqiptuar shumë shumë mirë, sepse suksesi i këngës nuk është vetëm muzika, por edhe fjala, ky mesazh që vjen tek spektatori."[92]

Po aq të bukura mbeten dhe këngët me motive erotike. Në fabulat e tyre ndihet lirizmi, gjuha plot emocione njerëzore duke sjellë përmes muzikës së kompozuar nga Franko, një dashuri tokësore, me nota realiste. Pena e shkrimtarit të madh Dritëro Agolli, e mjeshtrit të vargut Agim Doçi, e të mirënjohurit Demir Gjergji, e të talentuarit Kastriot Gjini, etj, përmes meditimeve të tyre origjinale, së bashku poet-muzikant, e servirin dashurinë si një ndjenjë të bukur, plot forcë e gëzim për jetën, por edhe me të papriturat e saj, që shumë herë sjellin trishtim e nostalgji për gjurmët e lëna. Përmendim "Fli e vuajtura ime", "Sa e bukur je", "Erë vere", "Adresa", "Syri i saj po më verbon", etj.

Behar Arllati spikat ndër të tjera: "Mes shumësisë së tipareve që vërej në individualitetin e këtij emri jo të zakonshëm të muzikës sonë, do shtoja ekzistencën e një dallimi, do thoja rrënjësor, që Françesku bënte në paraqitjet e tij Koncert-Festival. Në koncerte, interpretonte këngë sipas karakterit të koncertit, duke e plotësuar atë në shumë aspekte me personalitetin dhe me identitetin e tij të padiskutueshëm. Festivalet në anën tjetër, i pasuronte jo vetëm me një krijim të ri krejtësisht origjinal, unik, por edhe me ngjyrimin e zërit, stilin e të muzikuarit, mënyrën e interpretimit me kitarë në dorë. Françesk Radi ishte artist unik edhe në stilin e veshjes që nga rinia e tij e hershme. Sa klasik, modern aq edhe sportiv, avangard për kohën, me qëndrimin skenik aspak të ngurtërsuar etj. Unik edhe në performancë me formacionet muzikore, instrumentet apo komplekset që e shoqëronin interpretimin e tij. Në këtë

---

92   Radi. F. Këngëtar-kantautor, kompozitor, instrumentist; *Emisioni:* Me Marizën, Scan tv, 30 Dhjetor 2016. *Emisioni:* Fol me mua, TVSH, 15 Maj 2015. *Dokumentari:* F. Radi, Jetë e trazuar, TVSH, 18 Prill 2018. *Libri:* F. Radi, Jetë në kitarë, fq.189, rreshti 16, fq. 190, rreshti 5, autorë: T. Radi & D. Gjergji, Tiranë, 2019. *Dokumentari:* Vitet `70, muzika e lehtë, diktatura. Françesk Radi. Tv1 channel, Shkodër, Tetor 2022, RTK1, Prishtinë, Kosovë, 2022-12- 04.

kontekst, mund të them se me përkushtimin e tërësishëm ndaj krijimit dhe realizimit sa më të saktë profesional, bënte gjithçka për t'ia arritur qëllimit, aq sa fitohej përshtypja se i rrinte mirë skena Radit, po aq sa dhe Radi skenës." [93]

---

93   Prof. Dr. Arllati. B. Etnomuzikolog; Gazeta *Nacional,* 15 Maj 2021, F. Radi, këngëtari me shpirt bohemi, Prof. Dr. Behar Arllati, fq. 28, kolona 4, rreshti 6. https://gazetavatra.com/francesk-radi-kengetari-me-shpirt-bohemi/, 17 Maj 2021, rreshti 45. *Voal.ch,* 14 Maj 2021, F. Radi, këngëtari me shpirt bohemi, Prof. Dr. Behar Arllati, rreshti 52. *Intervistë-video* 18 Gusht 2020, Gjakovë (arkivi familjar).

Franko trashëgoi
nga i ati veshin muzikor

Ndoshta një ndikim të fuqishëm në kërkim të fabulës së këngës, tek Franko luajti muzika italiane, e cila këndohej çdo ditë në shtëpi nga i ati, Balto. Duket se veshin muzikor e trashëgoi prej tij.

"Babai im ishte muzikant, pjesë e grupit të orkestrës së qytetit të Prizërenit. I binte kitarës, kontrabasit. Ai këndonte muzikën klasike, këndonte nga Verdi, Puccini, këndonte nga Kavaleria rustikane (Cavalleria rustikana) nga Mascagni, Berberi i Sevilies (Il barbiere di Siviglia) nga Rossini. I këndonte në variantet e tyre shqip. Si duket në Kosovë, në rininë e vet, ai i ka kënduar të gjitha këto. Dhe shpesh ne këndonim bashkë. Por ai kishte për zemër këngën e Krishtlindjeve, "Natë e qete, natë e bardhë". Kur isha i vogël ma këndonte shpesh."[94]

"Krishtlindjet, kjo festë e bukur për kristianët, është festuar në familjen tonë edhe në kohën e diktaturës. Ishim një familje me tradita të hershme e kontribute të vyera për besimin katolik. Festonim duke marrë parasysh edhe rrezikun e sistemit që më 1967 shkatërroi objektet e kultit e masakroi me pushkatime e burgime predikusit e të gjitha besimeve. Krishtlindjet janë një festë familjare. Mblidheshim në shtëpinë tonë miq, shokë, familje dhe festonim natën. Gëzim, hare, këndonim e vallëzonim. Darka ka qënë gjithmonë ai, simboli. Dhe Krishtlindjet me të drejtë janë quajtur edhe Nata e Dritës së Jetës," shkruan Radi në kujtimet e tij.[95]

---

94   Radi. F. Këngëtar-kantautor, kompozitor, instrumentist; *Emisioni:* Me Marizën, Scan tv, 30 Dhjetor 2016. *E djela shqiptare*, Klan Tv, 28 Nëntor 2010. *Libri:* F. Radi, Jetë në kitarë, fq. 29, rreshti 1, autorë: T. Radi & D. Gjergji, Tiranë, 2019. *Dokumentari:* Vitet `70, muzika e lehtë, diktatura. Françesk Radi. Tv1 channel, Shkodër, Tetor, 2022, RTK1, Prishtinë, Kosovë, 2022-12- 04.

95   Radi. F. Këngëtar-kantautor, kompozitor, instrumentist; *Top show magazinë*, Top Channel, pjesa 2, 18 Dhjetor 2014. *Dokumentari:* Vitet `70, muzika e lehtë, diktatura. Françesk Radi. Tv1 channel, Shkodër, Tetor, 2022, RTK1, Prishtinë, Kosovë, 2022-12- 04.

Orkestra e qytetit të Prizrenit,1923. Babai i Frankos, Balto Radi (në mes) me kontrabas (arkivi familjar)

Ndikimi i këngëtarit
të madh italian, Adriano Celentano

Rol jo të vogël në preferencat e temës së protestës në krijimtarinë muzikore të Françesk Radit luajti edhe këngëtari i madh italian Celentano, të cilin e adhuronte që kur ishte fëmijë. Franko njihte dhe këndonte gjithçka nga repertori i tij. Për të ai thotë:

"Unë këngët e Celentano-s i kam kënduar. Ndoshta ka qënë zëri im më afër këtij këngëtari dhe gjithmonë më është dukur sikur këngët e tij janë shkruar edhe për mua, sepse i kisha shumë të lehta për t'i kënduar. Por s'është se imitoj Celentano-n. Unë këndoj Frankon, gjithmonë me zërin tim."[96]

Këngëtari i shquar Sherif Merdani, që vuajti në burgun famëkeq të Spaçit për vite të tëra, është shprehur: "Unë kisha për idhull Tom Xhons, Françesk Radi, miku im dhe kantautori i mrekullueshëm, kishte për ideal një Celentano. Ai e shqipëroi aq bukur, me aq origjinalitet dhe i dha vlera vetes. Franko ka adhuruar gjithçka të Celentano-s, kitarën, zërin, tekstet, muzikën, stilin. Nuk kishte rast që Franko gjatë netëve vallëzuese, argëtuese të mos këndonte këngët e tij. I mjaftonte kitara, për të krijuar atmosferë të paharuar, spektakolare, pasi tekstet e këngëve të Celentano-s i njihte të gjitha."[97]

"Me ka mbetur ne mendje imazhi i tij, gjithnjë në atë dhomën e vogël mes dëborës, mes të ftohtit duke ulur zërin dhe duke kënduar posaçërisht A. Celentano-n dhe këngëtarë të tjerë të mëdhenj italianë, me kokën e zhytur

---

96   Radi. F. Këngëtar-kantautor, kompozitor, instrumentist; *Emisioni:* Fol me mua, TVSH, 15 Maj 2015. *Pasdite ne Top Channel,* 19 qershor 2015. *Dokumentari:* F. Radi, Jetë e trazuar, TVSH, 18 Prill 2018. *Libri:* F. Radi, Jetë në kitarë, fq. 155, rreshti 2, autorë: T. Radi & D. Gjergji, Tiranë, 2019. *Gazeta Shqiptare,* 29 Korrik 2010, Kitara dhe kënga në plazh shërbenin si "karremi" për të afruar vajzat, nga Eraldo Rexho, Summer pages, fq. 5, kolona 2, rreshti 10. *Dokumentari:* Vitet `70, muzika e lehtë, diktatura. Françesk Radi. Tv1 channel, Shkodër, Tetor, 2022, RTK1, Prishtinë, Kosovë, 2022-12- 04.

97   Merdani, Sh. Këngëtar, diplomat; *Dokumentari:* F. Radi, Jetë e trazuar, TVSH, 18 Prill 2018. *Libri*: F. Radi, Jetë në kitarë, fq. 272, rreshti 5, autorë: T. Radi & D. Gjergji, Tiranë, 2019.

në kitarë dhe kishte çuditërisht një zë gati gati magjik. Përpos se ishte i ëmbël, i veçantë, specifik, kishte dhe një ngjyrë karakteristike të timbrit të zërit, që e bënte atë të ishte me të vërtetë një nga këngëtarët shumë të rrallë dhe të veçantë të asaj kohe. Dhe me sa duket nëpërmjet kitarës, muzikës, Celentano-s dhe gjithë këngëtarëve të mëdhenj italianë, Franko arriti të krijonte atë katarsis të domosdoshëm të vetvehtes, por edhe timin e të shokëve të tjerë duke shfryrë zhgënjimet tona."[98] Janë fjalët e Prof. Dr. Josif Papagjoni, mik i kantautorit me të cilin ndanë barakën e drurit në kushtet e tmerrëshme të të ftohtit në Fushë-Arrëzin e viteve '70.

Adhurimi për Celentano-n nuk iu shua kurrë. Si përfaqësues i artistëve të viteve '70 të shekullit 20, Franko këndoi si të thuash bashkë me të. Që nga kënga e famshme "24 milla baci", e deri tek më të fundit. Arësyetimi i tij ishte:

"Ka bërë gjëra të reja në të gjitha kohërat. Celentano ka bërë muzikë mjaft të bukur e vazhdon të bëjë muzikë të bukur, të ndjerë e mjaft profesionale."[99]

Referuar dorëshkrimeve të Radit, ai kishte një mendim të dyzuar nëse duhej ta takonte këngëtarin famoz italian. E mundonte pyetja: "Ç'do të bëhej sikur të gjithë fansat të kërkonin të takoheshin me të" ? Shkroi dhe një letër, por kurrë nuk ja dërgoi. Mes të tjerash në të shkruan:

I dashur Adriano!

Ishe Ti, shpirti yt, muzika jote që ushqente dhe vuloste në shpirtrat tanë, atë që quhet të qenët i lirë. Ne e dinim që muzika jote ishte një mollë e ndaluar për ne në atë kohë, por ky fenomen nuk na shqetësonte. Ne ishim gati edhe të sakrifikoheshim, vetëm e vetëm që të mbanim gjallë shpirtin, mos ta linim atë të vdiste. Ata e dinin se muzika ishte shumë e rrezikshme për ta dhe donin ta prangosnin atë. Por fatkeqësisht nuk e dinin se tingujt nuk mbahen dot në pranga. Me dhjetra herë na kanë dërguar në polici, sepse këndonim këngët e tua nëpër parqe, lulishte, plazhe, në mbrëmje rinore. Ishe ti Adriano që më dhe frymëzimin e parë për të kënduar dhe kompozuar. Sa herë ulesha për të krijuar, përpara meje shfaqej imazhi yt dhe kjo ma bënte më të sigurt dhe më të garantuar suksesin tim. Më vjen

98   Prof. Dr. Papagjoni. J. Kritik arti; Dokumentari: F. Radi, Jetë e trazuar, TVSH, 18 Prill 2018. Libri: F. Radi, Jetë në kitarë, fq. 253, rreshti 7, autorë: T. Radi & D. Gjergji, Tiranë, 2019. Dokumentari: Vitet `70, muzika e lehtë, diktatura. Françesk Radi. Tv1 channel, Shkodër, Tetor, 2022, RTK1, Prishtinë, Kosovë, 2022-12- 04.

99   Radi. F. Këngëtar-kantautor, kompozitor, instrumentist; Top show magazinë, Top Channel, Muzika italiane, pjesa e dytë, 21 Prill 2006. Dokumentari: Vitet `70, muzika e lehtë, diktatura. Françesk Radi. Tv1 channel, Shkodër, Tetor, 2022, RTK1, Prishtinë, Kosovë, 2022-12- 04.

keq që nuk e kam patur mundësinë të takohem me ty Adriano. Por siç duket ka qënë më e lehtë të këndoj këngët e tua të bukura dhe të vështira, se sa të takohem me ju.

Letra origjinale e Frankos për Celentano-n, 1992 (arkivi familjar)

"Më ra rasti, dikur, andej nga fundi i viteve '90, ka rrëfyer shkrimtari Shpend Sollaku Noé, të takohem e t'i jepja Adriano-s të dëgjonte një cover tjetër të këngës "Susanna", të interpretuar më parë në italisht po prej Celentano-s. Ai, sipas mënyrës së vetë, komentoi: «Po, ky jam unë, dmth, duhet të jem unë, dmth, nuk jam unë, por një që më duket më mirë sesa të isha unë». I tregova se këngëtari që po dëgjonte ishte shqiptar, që quhej Françesk Radi, një kantautor i shquar që edhe e kish pësuar prej muzikës së tij në kohën e diktaturës. I premtova që t'i dërgoja një CD të plotë të Françeskut tonë, porsa të më binte në dorë......"[100]

---

100   Sollaku. Sh. Noé, Shkrimtar; Gazeta online *Shqiptarja.com*, Françesk Radi e kreu revolucionin e tij, 27 Mars 2019, rreshti 1. *Libri:* F. Radi, Jetë në kitarë, fq. 339, rreshti 1, autorë: T. Radi & D. Gjergji, Tiranë, 2019. *Dokumentari:* Vitet `70, muzika e lehtë, diktatura. Françesk Radi. Tv1 channel, Shkodër, Tetor, 2022, RTK1, Prishtinë, Kosovë, 2022-12-04.

Franko solli vetvehten
në interpretimin e hiteve të muzikës botërore dhe të kolegëve

ëndoi në shumë gjuhë dhe mbi 80 këngë, hite botërore, nga artistët më të hershëm e deri tek më të rinjtë. Dhe lista është e gjatë, nga Amy Winehouse, Stromae, Sting, La Bouche, B.Marlin, Aretha Franklin, Adamo, The Beatles, Giorgos Mazonakis, Elvis Presley, John Lennon, Joe Dassin, Frank Sinatra, Ricky Martin, Toto Cutugno, Roberto Ferri, Edoardo Bennato e shumë të tjerë. Disa prej tyre të shqipëruara. Por mbreti i këngës për Frankon ishte Ray Charles. Franko nuk imitoi kurrë të tjerët. Ai thjeshtë solli vetvehten me një performancë të re.

Kompozitori i mirënjohur Zef Çoba: "Si interpretues, dëgjoj zërin e tij të brendshëm që i thërriste të ndërtonte një urë kulture, me artin e muzikës së lehtë bashkëkohore botërore. Këtë e realizoi duke interpretuar repertorin më të zgjedhur të hiteve të muzikës së lehtë botërore dhe emrave më të njohur të saj, duke filluar nga muzika e lehtë e viteve 60 të shekullit të kaluar, e deri në atë të fillimit të këtij shekulli. Këndoi në italisht, anglisht, frëngjisht, greqisht, spanjisht etj. Sigurisht kjo u bë e mundur kryesisht pas ndryshimeve politike të vitit 1990-të. Them kryesisht, sepse në ambiente të ngushta shoqërore ashtu siç dëgjohej fshehurazi "muzika e ndaluar", fshehurazi edhe këndohej."[101]

Franko këndoi dhe mjaftë këngë të kolegëve të tij, por duke i punuar shumë prej tyre në orkestracion. Nuk ishte egoist. Vlerësonte, pëlqente dhe këndonte muzikën e bukur. Këndoi nga krijimtaria muzikore e Kastriot Gjinit,

101   Prof. Çoba. Z. Kompozitor; Gazeta *Telegraf,* 8 Prill 2021, F. Radi është zëri i sinqertë i muzikantit pasionant, fq. 20, kolona 3, rreshti 28. *Interviste-video* per F. Radin, 31 Janar 2021, Shkodër (arkivi familjar). *Dokumentari:* Vitet `70, muzika e lehtë, diktatura. Françesk Radi. Tv1 channel, Shkodër, Tetor, 2022, RTK1, Prishtinë, Kosovë, 2022-12-04.

Aleksandër Vezulit, Josif Mingës, Spartak Tilit, Ardit Gjebresë, e deri tek më të rinjtë Roland Qafoku, Mentor Haziri, etj.

Radio Televizioni Shqiptar, ku Franko e filloi dhe e mbylli karrierë e tij, mbeti për të, institucioni i adhuruar. "E rëndësishme është që unë u formova në këtë institucion. Suksesi im në këtë institucion ka qënë, trishtimet e mia, festivalet, anketat, dhe çdo gjë të bukur që unë kam bërë si kantautor e instrumentist, është e lidhur me këtë institucion të bukur."[102]

---

102   Radi. F. Këngëtar-kantautor, kompozitor, instrumentist; *Emisioni:* Me Marizën, Scan Tv, 30 Dhjetor 2016. *Dokumentari:* F. Radi, Jetë e trazuar, TVSH, 18 Prill 2018. *Libri:* F. Radi, Jetë në kitarë, fq. 170, rreshti 6, autorë: T. Radi & D. Gjergji, Tiranë, 2019. *Dokumentari:* Vitet `70, muzika e lehtë, diktatura. Françesk Radi. Tv1 channel, Shkodër, Tetor, 2022, RTK1, Prishtinë, Kosovë, 2022-12- 04.

Franko ishte kritik
ndaj kiçmuzikës dhe mungesës së kritikës muzikore

Muzikanti Radi nuk bëri kurrë kompromis me krijimtarinë. Adhuroi muzikën profesionale, punoi fort për të, i dha shpirtin dhe zemrën e tij për t'ia përcjellë publikut e brezave si vlerë e kënaqësi. Ai ngriti zërin fort kundër kiçmuzikës, keqpërdorimit, deformimit e banalitetit të saj, larg kauzës njerëzore dhe shpresës për një jetë më të mirë. Mbajti qëndrim kritik ndaj muzikës komerçiale që bën bujë e reklamë, por që kalon e harrohet shpejt me rrymat e tallavasë e ndonjë tjetër.

"Mendoj se mungon shumë kritika muzikore, sepse nganjëherë ato që nuk janë vlera shihen si të tilla, kur në fakt nuk kanë asnjë grimcë të vlerës së vërtetë. Për mendimin tim po shkatërrohen shijet e publikut, sepse shqiptarët edhe në diktaturë, krahas asaj që të imponote regjimi, gjithmonë kanë dëgjuar muzikë të mirë. Edhe pse e ndaluar kanë dëgjuar muzikën më të mirë të kohës, të perëndimit. Të gjitha llojet e muzikave i kanë dëgjuar. Por me keqardhje them që tashti kanë ndryshuar shijet, prandaj detyra jonë, dhe e ju të rinjve, është që gjithmonë ta ushqejmë shpirtërisht publikun me muzikë të mirë . Muzika e bukur e çdo kohe mbetet e bukur. Ajo nuk humbet, pavarësisht momentit se kur vlerësohet. Besoj se deformimet e muzikës po prekin fundin e së keqes, pra finishin e shkatërrimit dhe më tej nuk ka tjetër, veçse ringjallje të vlerave. Unë gjithmonë kam shpresuar tek mirësia dhe vitaliteti i vlerave të kombit tonë," është shprehur Franko.[103]

---

103   Radi. F. Këngëtar-kantautor, kompozitor, instrumentist; Gazeta *Standard*, 24 Mars 2007, F. Radi, kantautori që i bën të gjitha, nga Lorena Kollobani, fq. 29, kolona 4, rreshti 12. *Emisioni:* Me Marizën, Skan Tv, 30 Dhjetor 2016. *Libri:* F. Radi, Jetë në kitarë, fq.183, rreshti 6, autorë: T. Radi & D. Gjergji, Tiranë, 2019.

Nga natyra optimizmi nuk i mungoi kurrë dhe besonte tek gjeneratat e reja. Ishte aktiv me kritikën e tij në median e shkruar dhe atë televizive. Franko ishte antikonformist:

"Më shqetëson fakti që kritikët e muzikës më shumë kanë tituj, se sa artikuj kritikë për disa festivale që zhvillohen në vend, apo për këngën tonë përfaqësuese në Eurovizion. Jam pro kritikës mbështetëse, që i ndihmon krijuesit, dhe jo asaj shkatëruese," ka shkruar ai.[104]

FAQE 14
E MËRKURË
31 GUSHT 2005

INTERVISTE

REPUBLIKA

Françesk Radi rrëfen mangësitë e këngës shqipe. Nuk ekziston kritika muzikore!

Krijimtaria artistike dhe pengjet e një artisti

"Xhanbazët e muzikës po e çojnë këngën shqipe drejt shkatërrimit"

ARJOLA HEKURANI

Françesk Radi dhe Xhani Morandi

Françesk Radi dhe autori i teksteve të Luço Batistit, Mogoli

Gazeta Republika, 31 Gusht 2005 (arkivi familjar)

---

104   Radi. R. Këngëtar-kantautor, kompozitor, instrumentist; Gazeta *Republika*, 21 Tetor 1999, Lidhja ime me muzikën është e përjetshme, nga Ilir Bushi, fq. 13, kolona 5, rreshti 27. Gazeta *Republika,* 31 Gusht 2005, F. Radi rrëfen mangësitë e këngës shqipe, nga Arjola Hekurani. Nuk ekziston kritika muzikore. fq.14, kolona 3, rreshti 1. *Libri:* F. Radi, Jetë në kitarë, fq. 186, rreshti 6, autorë: T. Radi & D. Gjergji, Tiranë, 2019.

Franko i apasionuar
dhe zotërues i teknologjisë muzikore

Ishte i etur e i përkushtuar për të nxënë teknologjinë e re, e cila ecën çdo dite. Por ama dhe kritik ndaj saj në muzikë. "Ka prishur punë pasi ka futur artificialen dhe të riprodhosh artificialen në art, nuk është gjë e mirë.

Franko, momente pune në studion personale në shtëpi, 2008 (arkivi familjar)

Franko, momente pune në studion personale në shtëpi, 2008 (arkivi familjar)

Në këtë kohë që po themi se elektronika ka arritur kulmin edhe në muzikë, prap muzikantët dhe studiot po i rikthehen instrumenteve të gjallë, orkestrave, sepse gjithmonë tingulli real nuk zëvendësohet dot me artificialin, me elektronikën. Në Shqipërinë e viteve '90 një gjë e tillë ishte gati e pamundur për mungesë financash dhe të menaxherëve për muzikantët. Për disa vite elekronika bëri punën e vet edhe në aktivitetin më të qenësishëm të vitit, Festivalin e Këngës në Radio Televizionin Shqiptar. Ishte një eksperiencë shumë e keqe që muzika përfundoi në një tastierë, në një kuti elektronike për kohën. Kam qënë dhe unë një ndër ata që u detyrova të punoj në këtë mënyrë," është shprehur Franko.[105]

Investimi i gjithkohshëm e bëri Frankon një muzikant më se të kompletuar. Gjithçka e realizonte vetë: kompozim, orkestracion, interpretim, regjistrim, montim.

105   Radi. F. Këngëtar-kantautor, kompozitor, instrumentist; *Radio Kontakt*, 22 Qershor 2012. *Gazeta Sot*, 29 Nëntor 2015, Elektronika e ka shkatërruar muzikën, montazhierët kanë zëvendësuar kompozitorët, nga Julia Vrapi, fq. 18. kolona 3, rreshti 47. *Dokumentari:* Vitet `70, muzika e lehtë, diktatura. Françesk Radi. Tv1 channel, Shkodër, Tetor, 2022, RTK1, Prishtinë, Kosovë, 2022-12- 04.

Franko përpunoi dhe
interpretoi nën ritme të moderuara muzikën popullore dhe qytetare

Françesk Radi është i njohur edhe si interpretues shumë i zellshëm i folklorit shqiptar dhe këngëve tradicionale qytetare. Shumë nga krijimet e tij ishin dhe mbeten lajtmotive këngësh, refrenë hitesh që vërshëllehen nga publiku.

Ai vetë ka pohuar: "Mbas viteve '90 pak a shumë unë u mora seriozisht edhe me këngën popullore. Në repertorin tim ka shumë këngë të kënduara nga unë, të modernizuara. Ato mbeten ashtu siç kanë qënë, por unë i punova në orkestracion, i solla ndoshta dhe për kohën, sepse ishte e domosdoshme që kënga popullore të këndohej edhe nga rinia nëpër disko."[106]

Sipas etnomuzikologut Behar Arllati: "Franko ndjehej komod kur ishte në cilësinë e kantautorit, e po aq komod edhe në interpretimet e këngëve tradicionale qytetare. Herë - herë gjatë interpretimit të disa perlave popullore në variantin e përpunuar, të jepet përshtypja sikur aty ai ndodhej tërësisht në "terrenin" e tij. Numri i këngëve të traditës popullore qytetare që Franko ka interpretuar, nuk mund të thuhet se është i pakët, nisur nga fakti se këto këngë janë riaranzhuar, stilizuar e përshtatur kryesisht për zhanrin Rock. Në procesin e ndërrimit të stilit të këngëve popullore tradicionale zakonisht ai paraprin me një hyrje të vetë llojit, tipike "alla Françesk Radi", për të kaluar më pas në pjesët kryesore të këngës: në strofat dhe refrenin. Ndryshimi i metrit dhe tempit bëhet obligativ pasi me këtë ndryshim, Radi sërishmi sikur dëshiron

---

106   Radi. F. Këngëtar-kantautor, kompozitor, instrumentist; *Emisioni:* Fol me mua, TVSH, 15 Maj 2015. *Dokumentari:* F. Radi, Jetë e trazuar, TVSh, 18 Prill 2018. *Libri:* F. Radi, Jetë në kitarë, fq. 189, rreshti 1, autorë: T. Radi & D. Gjergji, Tiranë, 2019. *Dokumentari:* Vitet `70, muzika e lehtë, diktatura. Françesk Radi. Tv1 channel, Shkodër, Tetor, 2022, RTK1, Prishtinë, Kosovë, 2022-12- 04.

të na dëshmojë se karakteri i tij si muzikant i përket Rock - ut duke i qëndruar besnik kurdo, paçka se kënga është nga tradita popullore qytetare shqiptare."[107]

"Mënyra origjinale e interpretimit të këngëve popullore shqiptare, nga gjithë gjerësia e trevave shqiptare është pjesë e rëndësishme e krijimtarisë së Farançesk Radit. Ai përmes individualitetit stilistik personal, ka lënë gjurmë në modelet e trajtimit të këtyre këngëve dhe ka ndikim të drejtpërdrejtë në jetëgjatësinë e këtyre vlerave. Ripunimi dhe interpretimi në versione të reja i këngëve të periudhës së parë, trajtuar me lirshmëri si në variantet melodike, ashtu edhe në orkestracion, shoqëruar me videoklipet përkatëse, i kanë dhënë një popullaritet të madh atyre," shkruan Gjon Shllaku.[108]

"Që në fillimet kur muzika Rock u shfaq si stil në kulturën e vendeve të perëndimit (mesi i viteve '50), ajo kishte qasjen të trajtohej si "konsum ditor", duke tejkaluar kufinjtë e muzikës, duke shndërruar mentalitetin, duke "pushtuar" stilin e veshjes, krehjes, mendimit...duke ndryshuar brezat. Për hir të realitetit, Shqipëria, pas një lloj liberalizmi jetëshkurtër, në veçanti pas vitit 1972, kishte nisur zhytjen e saj në guacën socialiste e cila nuk lejonte asgjë tjetër të futej brenda. Megjithatë, Françesk Radi, qoftë edhe për inercion, e interpretonte këngën e tij jashtë çdo guace. Ishin shumë faktorë ndikues pse ndodhte kjo dukuri, e cila bënte që edhe Radi ta trajtonte Rock - un si konsum të përditshëm të ushqimit të tij shpirtëror, njëjtë si amerikanët, anglezët, italianët, gjermanët, holandezët, çekët, kroatët etj. Kjo vërehet në të gjitha këngët e traditës popullore të cilat nuk vinin nga një qytet a zonë e caktuar, por nga shumë qytete e krahina shqiptare, ndër të cilat Shkodra dominonte natyrshëm," shkruan Prof. Dr. Behar Arllati.[109]

Kështu, janë të paharrueshme interpretimet në këngët:"Çil nj'at' zemër plot kujtime" (me origjinë beratase, por në variantin tekstor shkodran), "Pranvera filloi me ardh", "O sa e kandshme vjollcë ti je", "Oj zogo", "Potpuri këngësh shkodrane" (të gjitha shkodrane), "Si dukat i vogël je" (gjakovare - kosovare), "Molla e kuqe ç'ban andej" (Shqipëria e veriut), "Mora mandolinën" (varianti shqip beratas), "Dy lule të bardha" (Shq. e Mesme), "Gushëbardha si dëbora" (Shq. e Jugut), Kolazhi me këngë vlonjate "Në një arë në një lëndinë" e shumë të tjera.

"Bukuria e këngëve popullore të trevave të ndryshme, e frymëzoi për t'i sjellë me kreativitet shumë prej tyre në imazhin e stilit të tij të preferuar. Titujt

107   Prof. Dr. Arllati. B. Etnomuzikolog; Gazeta *Nacional,* 15 Maj 2021, Françesk Radi, këngëtari me shpirt bohemi, fq. 28, kolona 1, rreshti 39. https://gazetavatra.com/francesk-radi-kengetari-me-shpirt-bohemi/,17 Maj 2021, rreshti 23. *Intervistë-video,* 18 Gusht 2020, Gjakovë (arkivi familjar).

108   Shllaku. Gj. Kompozitor; Gazeta *Telegraf,* 11 Maj 2021, "Adresa" dhe "Biçikleta" të F. Radit, hite që koha i lartëson, fq, 22, kolona 5, rreshti 64, dokumentari: Vitet `70, muzika e lehtë, diktatura. Françesk Radi. Tv1 channel, Shkodër, Tetor, 2022; RTK1, Prishtinë, Kosovë, 2022-12-04.

109   Prof. Dr. Arllati. B. Etnomuzikolog; Gazeta *Nacional,* 15 Maj 2021, F. Radi, këngëtari me shpirt bohemi, kolona 2, rreshti 4.   https://gazetavatra.com/francesk-radi-kengetari-me-shpirt-bohemi/, 17 Maj 2021, rreshti 36. https://www.voal.ch/francesk-radi-kengetari-me-shpirt-bohemi-prof-dr-behar-arllati-etnomuzikolog, 14 Maj 2021, rreshti 31. *Intervistë-video* 18 Gusht 2020, Gjakovë (arkivi familjar).

e këngëve të njohura "Lule bore", "Oj zogo", "Si dukat i vogël je", "Dy lule të bardha", etj., etj., tregojnë se sa i kujdesshëm ishte në përzgjedhjen e tyre si përsa i përket cilësisë artistike, ashtu edhe përsa i përket mundësisë që ato i jepnin, për t'i përshtatur e orkestruar në frymën e përjetimit të tij," është shprehur muzikanti Zef Çoba në analizën e tij për krijimtarinë muzikore të Frankos.[110]

Sipas etnomuzikologut Behar Arllati: "E njëjta gjë vlen dhe për interpretimet e romancave e serenadave, si: "Luleborë" e kompozitorit shkodran Simon Gjoni, tangoja "Fluturës" e elbasanlliut Baki Kongoli, "Kur perëndon dielli" e shkodranit Leonard Deda, serenadën korçare "I vetmuari - Rrugës i trishtuar" apo perlën arvanitase "Kur më vjen burri nga stani", të aranzhuar fillimisht nga Kristo Kono me fjalë të përshtatura nga liriku i madh Lasgush Poradeci etj. Të njëjtin invencion krijues Radi e përcjell dhe te këngët e tjera joshqipe, duke dhënë të kuptohet se çdo krijim e trajton njëjtë, duke e veshur me të njëjtën gjallëri e butësi të stilit të tij."[111]

Sherif Merdani, këngëtari i brezit, është shprehur për Frankon: "Tani e kujtoj me nostalgji dhe duke bërë një apel për këngëtarët tanë të rinj, për kompozitorët tanë të rinj: dëgjojeni Françeskun, studiojeni Françeskun. Do të kini vetëm njohuritë më moderne të muzikës së lehtë shqiptare, bazuar mbi motivet popullore, mbi motivet karakteristike të jugut e te veriut, aq sa do t'u çudisë me të vërtetë."[112]

"Nisur nga këto karakteristika jo uniforme, Françesk Radi mbetet unik në interpretimet e repertorit nga tabani popullor. Ai po ashtu është një muzikant model se si duhen trajtuar këngët e krijuara nga populli," shkruan në analizën e tij etnomuzikologu Behar Arllati.[113]

---

110   Prof. Çoba. Z. Kompozitor; Gazeta *Telegraf,* 8 Prill 2021, F. Radi është zëri i sinqertë i muzikantit pasionant, fq. 20, kolona 5, rreshti 22. *Intervistë-video,* 31 Janar 2021 (arkivi familjar).

111   Prof. Dr. Arllati. B. Etnomuzikolog; Gazeta *Nacional,* 15 Maj 2021, F. Radi, këngëtari me shpirt bohemi, fq. 28, kolona 3, rreshti 15. https://gazetavatra.com/francesk-radi-kengetari-me-shpirt-bohemi/, 17 Maj 2021, rreshti 54. *Intervistë-video,* 18 Gusht 2020, Gjakovë (arkivi familjar). https://www.voal.ch/francesk-radi-kengetari-me-shpirt-bohemi-prof-dr-behar-arllati-etnomuzikolog, 14 Maj 2021, rreshti 46.

112   Merdani. Sh. Këngëtar, diplomat; *Intervistë-video,* 10 Prill 2017, Tiranë (arkivi familjar).

113   Prof. Dr. Arllati. B. Etnomuzikolog; Gazeta *Nacional,* 15 Maj 2021, F. Radi, këngëtari me shpirt bohemi, fq. 28, kolona 4, rreshti 57. https://gazetavatra.com/francesk-radi-kengetari-me-shpirt-bohemi/, 17 Maj 2021, rreshti 89. *Intervistë-video,* 18 Gusht 2020, Gjakovë, (arkivi familjar). https://www.voal.ch/francesk-radi-kengetari-me-shpirt-bohemi-prof-dr-behar-arllati-etnomuzikolog, 14 Maj 2021, rreshti 77. *Dokumentari:* Vitet `70, muzika e lehtë, diktatura. Françesk Radi. Tv1 channel, Shkodër, Tetor, 2022, RTK1, Prishtinë, Kosovë, 2022-12-04.

Franko preferonte
skenat dhe studiot live

Franko la pas hite dhe kujtime. Performanca e tij e fundit televizive, vetëm një muaj përpara largimit nga jeta, ishte diskutimi në emisionin "Thurje" për Festivalet e Këngës në RTSH, por edhe ato italiane të San Remo-s.

"Nuk mund t'i shpëtonte produksionit, artisti i madh," është shprehur moderatorja Jonida Vokshi.[114] Ju kërkua të interpretonte një këngë me kitarë. Franko me një intuitë fatale zgjodhi këngën "Vietato Morire" të kantautorit të suksesshëm shqiptaro-italian, Ermal Meta, të cilin e vlerësonte si një djalë të talentuar që ka hyrë thellë në kërkesat e muzikës italiane.

Për Radin klipet nuk ishin qëllim në vetvete. Preferonte studiot dhe skenat live.

"Unë kam bërë vetëm një videoklip pas viteve 90, "Zemër e lodhur", që me të vërtetë është punuar shumë mirë dhe mua më pëlqen. Por klipi më i bukur për një këngëtar është ai i të kënduarit live në skenë. Do të dëshiroja që të gjitha këngët e mia t'i kisha live," është shprehur Franko.[115]

Për etnomuzikologun Arllati: "Me këto karakteristika, që e kompletojnë qenien e tij si muzikant (instrumentist, këngëtar, kompozitor, aranzhues këngësh të njohura), emri i Radit shkruhet në historinë e muzikës sonë jo vetëm si një kantautor, por dhe si një risimtar këngësh shqipe dhe jo shqipe, si

114   Vokshi. J. Moderatore; *Emisioni:* Thurje, DigitAlb, F. Radi, Jetë në kitarë, fq. 233, rreshti 30, autorë: T. Radi & D. Gjergji, Tiranë, 2019.

115   Radi. F. Këngëtar-kantautor, kompozitor, instrumentist; Intervistë në *Radio Kontakt*, 22 Qershor 2012. *Dokumentari:* Vitet `70, muzika e lehtë, diktatura. Françesk Radi. Tv1 channel, Shkodër, Tetor, 2022, RTK1, Prishtinë, Kosovë, 2022-12-04.

një pasurues i fondit të këngëve të lehta shqipe me vlera të jashtëzakonshme."[116] "Franko si instrumentist mori pjesë me kontrabas në orkestër simfonike, duke luajtur në dhjetëra koncerte muzikë të kompozuar nga emrat më të shquar të muzikës klasike. Me pasion luajti në kitarë e kitarë bass në shumë formacione instrumentale të muzikës së lehtë, të drejtuara nga muzikantët më të mirë të kësaj fushe," është shprehur Çoba.[117]

---

116   Prof. Dr. Arllati. B. Etnomuzikolog; Gazeta *Nacional,* 15 Maj 2021, F. Radi, këngëtari me shpirt bohemi, fq. 28, kolona 4, rreshti 62. https://gazetavatra.com/francesk-radi-kengetari-me-shpirt-bohemi/,17 Maj 2021, rreshti 92. *Intervistë -video*, 18 Gusht 2020, Gjakovë (arkivi familjar). https://www.voal.ch/francesk-radi-kengetari-me-shpirt-bohemi-prof-dr-behar-arllati-etnomuzikolog, 14 Maj 2021, rreshti 80.

117   Prof. Çoba. Z. Kompozitor; Gazeta *Telegraf,* 8 Prill 2021, F. Radi është zëri i sinqertë i muzikantit pasionant, fq. 21, kolona 4, rreshti 3. *Interviste- video* per F. Radin, 31 Janar 2021, Shkodër (arkivi familjar). Dokumentari: Vitet `70, muzika e lehtë, diktatura. Françesk Radi. Tv1 channel, Shkodër, Tetor, 2022, RTK1, Prishtinë, Kosovë, 2022-12-04.

Franko bashkëshort dhe prind

Franko gëzoi një familje të lumtur. I përkushtuar pafundësisht për të. "Për mua familja është jo vetëm përgjegjësi e sakrificë, por dashuri e madhe. Gjithmonë familja ndikon për mirë, sepse të frymëzon, të mbush me frymëzim atëherë kur ndihesh bosh. Është bashkëshortja, janë fëmijët, vajza, djali, është komuniteti brenda në shtëpi, që gjithmonë të japin një kënaqësi, të japin një shtysë për të krijuar diçka të bukur, ndoshta dhe për hirë të tyre. Për mua muzika dhe familja janë tepër të rëndësishme e mbi gjithçka. Me to, jam i dashuruar përjetësisht," është shprehur kantautori Radi në intervistën për Radio Kontakt.[118]

Bashkëshort plot energji, përballë sfidave të reja me të cilat jeta e përballi. Ishte prind i dy fëmijëve, Anjezës e Baltionit. Vajza trashëgoi zemërgjerësinë, buzëqeshjen e tij, stilin trend të veshjes e mënyrën e të jetuarit bukur. Djali pothuajse gjithçka të karakterit të të atit, edhe veshin muzikor, ndonëse në një tjetër rrymë. Është kitarist bass, krahas profesionit në elektronikë.

Franko ishte gjithmonë i ëmbël dhe i buzëqeshur me të gjithë. Gjithmonë i ri, elegant, si një sfidë e moshës ndaj viteve dhe kohës. Përjetoi edhe mrekullinë që të dhuron statusi i të qenit gjysh.Jetoi i rrethuar nga shumë dashuri.

---

118   Radi. F. Këngëtar-kantautor, kompozitor, instrumentist; *Intervistë,* Radio Kontakt, Tiranë, 22 Qershor 2012.

Thjeshtësia, sinqeriteti,
tipare dalluese në personalitetin e Frankos

"Nuk u mburra kurrë para fëmijëve për talentin në rininë time, për videoklipet e parë shqiptar dhe as si kantautori i parë i muzikës së lehtë moderne shqiptare. Ju thashë se muzika ishte dashuria ime e parë, se ju përkushtova shumë, ndaj dhe m'u çel rruga drejt formacioneve orkestrale më në zë të kohës. Dënimin tim në Fushë-Arrëz e kalova gjithashtu me një fjali. Ishte sistemi komunist që jo vetëm mua, por dhe shumë artistë të tjerë të të gjitha fushave, pas vitit 1972, Festivalit të 11 –të të Këngës në RTSH, na dënoi për shfaqje liberale në art. Nuk dëshiroja që në shpirtin dhe zemrën e pastër të fëmijëve të mi të mbillja hijen e mllefit, që dalëngadalë mund të kultivohej e mund të shndërrohej nesër në një ves të dëmshëm, po aq sa dhe vesi i mburrjes. Mbolla tek ata vetëm dashurinë njerëzore. Tashmë që janë formuar, le ta lexojnë e ta dinë atë të vërtetë të madhe që unë e kam hedhur në letër. Vuajtje të mëdha shpirtërore dhe shumë punë më është dashur në përpjekje me mentalitetin e kohërave, për të lënë pas emrin tim, që besoj do t'i bëj të ndihen krenarë. Jeta ime, edhe pse me shumë probleme, mbarti brenda saj edhe të bukurën. Unë thjeshtë u them fëmijëve: Sfidova dhe mbijetova," shkruan Franko në kujtimet e tij.[119]

---

119   Radi. F. Këngëtar-kantautor, kompozitor, instrumentist; *Libri:* F. Radi, Jetë në kitarë, fq. 15, rreshti 1, fq. 144, rreshti 14, fq. 146, rreshti 4, autorë:T. Radi & D. Gjergji, Tiranë, 2019.

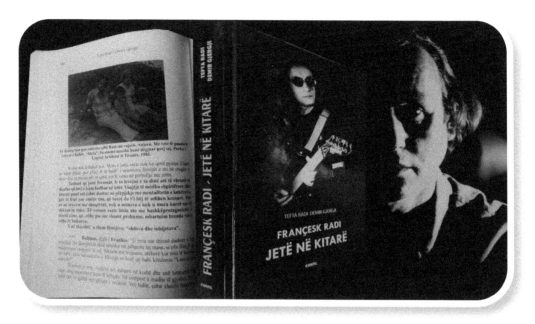

Fragment i shkëputur nga libri me kujtime, Françesk Radi - Jetë në kitarë

Tefta, Baltion, Franko, Robin Krist (nipi), Anjeza

Franko: "Në jetën time i kam provuar të gjitha, suksesin, dështimin. Persekutimin tim dhe familjar, një grua dinjitoze dhe dy fëmijë krenar, dashurinë, respektin, konkurencën e ndershme etj."[120]

---

120   Radi. F. Këngëtar-kantautor, kompozitor, instrumentist; *Dokumentari:* F. Radi, Jetë e trazuar, 18 Prill 2018. *Libri:* F. Radi, Jetë në kitarë, fq.244, rreshti 9, autorë: T. Radi & D. Gjergji, Tiranë, 2019.

𝔑𝔡𝔞𝔯𝔧𝔞 𝔢 𝔟𝔢𝔣𝔱𝔢

e Frankos nga jeta

𝔐 basditen e 3 Prillit 2017, zemra e tij pushoi së rahuri. Vdekja e rrëmbeu parakohe kantautorin. Franko u godit nga një hemoragji e rëndë cerebrale, duke lënë pas dhimbje dhe trishtim. Historia e trishtë e një ëndrre të shkëputur për më shumë se dy dekada, sikurse është shprehur edhe ai vetë, la gjurmë të thella. 20 vite të humbura nuk u fshinë kurrë gjatë gjithë jetës nga kujtesa i tij, për të mbërritur deri në fatalitet.

Nga ceremonia e lamtumirës së artistit Franko Radi, 4 Prill 2017 (arkivi familjar)

Nga ceremonia e lamtumirës së artistit Franko Radi, 4 Prill 2017 (arkivi familjar)

Kortezhi i përmortshëm u shoqërua nga tingujt funebër të fanfarës së kryeqytetit.

Vdekja e shkëputi nga lumturia në moshën më të mirë të shijimit të saj. 67 vjeç, shumë vital e produktiv në muzikë. Me shumë projekte për të realizuar. Iku si një nxënës i gjithkohshëm. Në studio deri mbrëmjen e fundit. Franko iku..., por la pas jo vetëm dhembje. La shumë dashuri, dinjitet, respektin e thellë, gjurmën e tij të pa shlyer në historinë e muzikës së lehtë shqiptare.

Vargje në kujtim te kantautorit F. Radi, nga publicisti M. Leka

I dashur mik!

Ty ta "shpejtuam" ikjen të gjithë nga pak,

Ca naivë (edhe unë) e ca hipokritë:

Që s'të kuptuam

Që s'të dëgjuam

Që s'të njohëm mirë

Që s'ta lexuam heshtjen i dashur mik!

Që s'të gjetëm "Adresën"

Që s'të kapëm ritmin, edhe kur ti ecje me "Biçikletë"

Që s'të bëmë "Një telefonatë zemrash" kur t'i kishe nevojë…

Ndaj na mblodhe, si të përhumbur në terr për të na thënë:

"Ky fat na ra", "Humbët pranverën"…Ke të drejtë Franko!

Problemi nuk është me disa që ikin, por me ne të gjallët. Mbi tokë ecin shumë njerëz, por pak prej tyre lënë gjurmë! Ti, ishe ndër të paktët!"[121]

(Martin Leka, publicist)

"Franko ishte ai që ushqeu ëndrrat tona drejt lirisë. Franko, mik i vjetër që nuk vjetëroheshe…trim i hershëm që nuk u trembe... Njeriu i pasur që kishe pasuri veç muzikën... Muzën e parë…Franko, tani je Frymë…je ndryshe nga ne…këtu le kujtim artin tënd…atje, pranë

të tuve…shkon sot…Prill i trishtë si në këngët e vjetra të Don Backyt…e pafundmja…Lamtumirë mik! Ju do të bëni edhe dheun të këndojë …" 122

(Prof. Asoc. Dr. Përparim Kabo, studiues)

121　　Leka. M. Publicist; http://shekulli.com.al/martin-leka-leter-prekese-per-francesk-radin-ndjese-per-ato-qe-smunda-te-thosha-dje/, 5 Prill 2017, rreshti 32, http://gazetashqiptare.al/2017/04/05/martin-leka-mea-culpa-ato-qe-smunda-te-ti-thosha-dje/, 5 Prill 2017, rreshti 39. *Gazeta Shqiptare*, 5 Prill 2017, letër prekëse për Françesk Radin, "Mea culpa", ato që s'munda të thosha dje, fq, 18. *Dokumentari:* F. Radi, Jetë e trazuar, TVSH, 18 Prill 2018. *Libri:* F. Radi, Jetë në kitarë, fq. 198, rreshti 11, autorë: T. Radi & D. Gjergji, Tiranë, 2019

122　　Prof. Asoc.Dr. Kabo. P. Studiues; *Libri:* F. Radi, Jetë në kitarë, fq.198, rreshti, 26, autorë: T. Radi & D. Gjergji, Tiranë, 2019.

"Jam mësuar të portretizoj në kanavace me mijëra herë, por të përshkruash dhe „pikturosh" Frankon, qenka tepër e vështirë...mbase se ajo ngjyrë që mund të përmbledhë një shpirt të shndritshëm si i tij, ende nuk është shpikur. Për ty mund të shkruhet pafundësisht Franko, pasi e pafund ishte dhe madhësia jote si artist dhe si njeri, por unë do të zgjedh të jem i rezervuar, pasi edhe bukuria e tillë është, ashtu si një yll që bie dhe kalon në 1/100 e sekondës, por të gjurmon shpirtin dhe memorien përjetë. Respekt dhe mall për tingujt, batutat dhe buzëqeshjen tënde ngjitëse, miku im!"[123]

(Roland Karanxha, piktor)

HESHTNI SONTE

Heshtni sonte!...
Në djall televizioni, radioja,
Magnetofoni, kasetofoni i makinës!
Heshtni sonte!...
Në djall këngët, tekstet e vjedhura,
Muzika e vjedhur,
Heshtni sonte!
Shuhet një # yll nga Galaktika e këngëve pa Mort! - # Françesk Radi !

(Alfred Molloholli, poet)

Diçka e pa zakontë që një gazetare shkruan për bashkëshortin e saj. Por është arësyeja dhe zemra. Unë e Franko ishim bashkudhëtarë të brezit të artë do të thosha të viteve '70. Ndamë gjithçka bashkë: rininë, jetën, gëzimet, trishtimet, kritikat, vlerësimet, profesionet tona. Rrëfimi im vjen përmes dëshmive të gjalla e dokumenteve zyrtarë. Askush nuk e besoi largimin e papritur të

---

123   Karanxha. R. Piktor; gazeta Koha jonë, 4 Prill 2019,Kujtoj zgjimin përkëdhelës i F.Radit mes tingujve të " Yesterday" dhe "Let it be", fq. 17, kolona 5, rreshti 26, libri: F.Radi, Jetë në kitarë, fq. 324, rreshti 24, autorë: T.Radi&D. Gjergji,Tiranë,2019.

Frankos. Ishte i shëndetshëm e sportiv. Por jeta është improvizim, nuk ka skenar, shkruhet rrugës – ka thënë dikush. Jeta është film. Dhe ne, aktorët që luajmë dramat e jetës sonë. Gjithçka lind e shuhet në këtë jetë...Veç koha jo. Ajo rrjedh drejt pafundësisë. Tashmë jetoj në dy botë, në dy kohë: në të shkuarën dhe në të tashmen. Natyrisht, e shkuara, mbetet pjesa më e bukur e jetës, sepse Franko është i pranishëm aty. Ashtu siç vetë Franko shprehej:

"Njerëzit kotë nuk thonë që njeriu ka të shkuar, se e tashmja nuk kujton ndonjë gjë. Por e shkuara gjithmonë mbetet në kujtesë."[124]

Si e tillë e shkuara jonë, kujtimet e saj, nuk do të çrrënjosen kurrë nga mendja dhe zemra ime.Si në një film shoh jetën tonë, jetën e Frankos, sa të trazuar, aq edhe të bukur, për të ndjekur rrugëtimin e një ëndrre, që edhe pse e prerë, do të tingëllojë gjatë në muzikën shqiptare.

Kryebashkiaku Erion Veliaj në ceremoninë e përurimit të monumentit të artistit Françesk Radi,
3 Prill 2018 (foto, Bashkia Tiranë)

124   Radi. F. Këngëtar-kantautor, kompozitor, instrumentist; *Emisioni:* Me Marizën, Scan Tv, 30 Dhjetor 2016. *Dokumentari:* F. Radi, Jetë e trazuar, TVSH, 18 Prill 2018. *Libri:* F. Radi, Jetë në kitarë, fq. 35, rreshti 15, autorë: T. Radi & D. Gjergji, Tiranë, 2019. *Dokumentari:* Vitet `70, muzika e lehtë, diktatura. Françesk Radi. Tv1 channel, Shkodër, Tetor, 2022, RTK1, Prishtinë, Kosovë, 2022-12- 04.

Momumenti Françesk Radi, 3 Prill 2018 (skulptor, Adrian Pepa) (foto, Bashkia Tiranë)

Monumenti i Françesk Radit është vendosur në Parkun e Liqenit Artificial të Tiranës, përballë Amfiteatrit Veror. Pikërisht në vendin ku ndihet jehona e tingujve të kitarës dhe këngës së tij në vitet e bukura të rinisë, por dhe e pas viteve '90

"Françesk Radi ka qënë për shumë njerëz, burim frymëzimi, por dhe arësye mbijetese në një situatë shumë të vështirë, kur fjala e lirë, muzika e lirë, bindjet e lira, opinioni i lirë, kanë qënë një sfidë për Shqipërinë e kohës. Detyra e gjeneratës sonë është që të mos harrojmë."[125]

(**Erion Veliaj, Kryebashkiaku i Tiranës**)

---

125 Veliaj. E. Kryetari i Bashkisë Tiranë; https://www.youtube.com/watch?v=LzVNMXQD6kk *Libri:* F. Radi, Jetë në kitarë, fq. 239, rreshti 7, autorë: T. Radi & D. Gjergji, Tiranë, 2019.

"Këtë të ri, Françesk Radin, në ato vite e kishin pranuar me imazhin e këngëtarit si shumë këngëtarë të kohës në muzikën moderne në botë. Është i riu që me kitarën e tij në sheshe e në parqe shpalos bukuritë e moshës, shpalos zërat e jetës e të kohës rinore. Franko e pagoi shtrenjtë imazhin e të riut me kitarë…imazhin e të qenit vehtja, i pavarur…një zë i lirë, ndryshe nga këngët në modë, këngët e zëna për fyti nga propaganda zyrtare. Imazhi i djalit me kitarë që aspiron lirinë e këngës dhe të jetës…tani si shtatore në bronz, u bë pjesë e atij pejsazhi që ai e donte. Historia e tij do të dijë t'u flasë brezave."

(**Sadik Bejko, poet**)

Miqtë dhe kolegët
për Franko Radin

"Dikur, kur ishim në shkollë profesor Tonin Harapi na thoshte: "Dëgjoni djema, a është më mirë të bësh hap në jetë, apo të lësh gjurmë". Dhe ne të gjithë si të rinj që ishim i thoshim: Të bësh hap, mendonim të vraponim, të vraponim në atë kohë. Ah, na thoshte, nuk është ashtu. Të lësh gjurmë është më mirë, se në qoftë se ke lënë gjurmë, hapin e ke bërë. Dhe Frankon nuk e kemi më, por edhe e kemi. Me atë hapin e rëndësishëm dhe me kontributin që ai na ka lënë. Ndoshta ai nuk na dëgjon, ose na dëgjon, por ai do të mbetet gjithmonë Françesk Radi, me zërin e bukur dhe me këngët e bukura."[126]

(Robert Radoja, piaist)

"Për mua Franko mbetet gjithmonë një muzikant i veçantë, një njeri i veçantë, është një personalitet do ta quaja në këngën e lehtë, i cili ka gjurmët e tij të pashlyeshme..."[127]

(Zhani Ciko, dirigjent)

---

[126] Radoja. R. Pianist; *Dokumentari:* F. Radi, Jetë e trazuar, TVSH, 18 Prill 2018. *Libri:* F. Radi, Jetë në kitarë, fq. 251, rreshti 19, autorë: T. Radi & D. Gjergji, Tiranë, 2019.

[127] Ciko. Zh. Dirigjent; *Dokumentari:* F. Radi, Jetë e trazuar, TVSH, 18 Prill 2018. *Libri:* F. Radi, Jetë në kitarë, fq. 249, rreshti 4, 9, autorë: T. Radi & D. Gjergji, Tiranë, 2019.

"Nuk ishte thjesht një fanatik i viteve të rinisë së vet, jo. Franko ecte me hapin e kohës, me muzikën e kohës e gjithmonë i parapriu të bukurës, i parapriu bashkëkohores..."[128]

(**Mefarete Laze, këngëtare**)

"Franko do të mbahet mend gjithë jetën si kantautori i parë shqiptar. Në stilin e tij tepër të veçantë, me risi. Në të gjitha këngët e Frankos unë mbaj mend vetëm mesazhe."[129]

(**Luan Zhegu, kantautor**)

"Rrallë bashkohet një muzikant, një këngëtar, një kantautor me njeriun e vërtetë. Ai ishte i mrekullueshëm..."[130]

(**Sherif Merdani, këngëtar, diplomat**)

"Kur mendoj karrierën e tij, mendoj vetëm një artist unik. Një kantautor që krijonte aq bukur për vehten e tij..."[131]

(**Aurela Gace, këngëtare**)

"Nuk pranonte improvizime të tepërta në këngët e tij. Donte që gjithçka të ishte korrekte. Gjithmonë kërkonte perfeksionin..."[132]

(**Mariza Ikonomi, këngëtare**)

---

128   Laze. M. Këngëtare; *Dokumentari:* F. Radi, Jetë e trazuar, TVSH, 18 Prill 2018. *Libri:* F. Radi, Jetë në kitarë, fq. 301, rreshti 10, autorë: T. Radi & D. Gjergji, Tiranë, 2019.

129   Zhegu. L. Kantautor; *Dokumentari:* F. Radi, Jetë e trazuar, TVSH, 18 Prill 2018. *Libri:* F. Radi, Jetë në kitarë, fq. 290, rreshti 5, autorë: T. Radi & D. Gjergji, Tiranë, 2019.

130   Merdani. Sh. Këngëtar, diplomat; *Dokumentari:* F. Radi, Jetë e trazuar, TVSH, 18 Prill 2018. *Libri:* F. Radi, Jetë në kitarë, fq. 273, rreshti 1, autorë: T. Radi & D. Gjergji, Tiranë, 2019.

131   Gace. A. Këngëtare; *Dokumentari:* F. Radi, Jetë e trazuar, TVSH, 18 Prill 2018. *Libri:* F. Radi, Jetë në kitarë, fq. 231, rreshti 5, autorë: T. Radi & D. Gjergji, Tiranë, 2019.

132   Ikonomi. M. Këngëtare; *Dokumentari:* F. Radi, Jetë e trazuar, TVSH, 18 Prill 2018. *Libri:* F. Radi, Jetë në kitarë, fq. 286, rreshti 27, fq. 287, rreshti 2, autorë: T. Radi & D. Gjergji, Tiranë, 2019.

"Këngët që Franko i dhuroi publikut të gjërë në moshën e rinisë së tij, do të mbeten përherë si hymne të artit të frymëzuar nga bukuria e jetës. Krijimtaria e tij më e zgjedhur, përfshirë këngët e fundit, si një testament artistik për muzikën e lehtë shqiptare, dëshmojnë përpjekjet e një artisti të lirë në shpirt, i bindur në rrugën artistike që ndjek drejt përjetësisë së veprave të tij."

(Gjon Shllaku, kompozitor)

"Nuk abuzoi kurrë me muzikën dhe me krijimtarinë e tij, por dhe me zërin e bukur dhe me vuajtjet që ai ka patur gjatë gjithë jetës së tij..."

(Kastriot Tusha, tenor)

"Humbja për muzikën shqiptare është e madhe, për artin e interpretimit në mënyrë të veçantë po e po, sepse Françesk Radi realisht ka qenë një zë krejt i veçantë."

(Kujtim Aliaj, dirigjent)

"Franko, tentoi të sjellë një gjë të re në muzikën shqiptare, por gjithnjë brenda kuadratit që mbante vulën Made in Albania. Franko nuk kopjoi, nuk mori bulza nga bota, por shkruajti ashtu siç ja ndjente shpirti i tij..."

(Enver Shëngjergji, kompozitor)

"Jam ndier kështu keq me ikjen e Battisti-t, të Pavarotti-t, të Dalla-s. Si ata, edhe Franko ishte një nga dobësite e mia më të mëdha. Po të kisha mundur të merrja pjesë në funeralin e tij, do të kisha kënduar "Adresa"-n, version gospel. Me siguri pas zërit tim do të rimerrnin fluturimin mijëra fluturza akordesh të kitarës së tij."[133]

(**Shpend Sollaku Noè, shkrimtar**)

"Ajo që më ka tërhequr vazhdimisht vëmendjen tek Françesku ka qenë qartësia, qetësia dhe vlera që e mbarte me vehte dhe e impononte përmes muzikës së tij të vyer. Ishte natyra e artistit te plotësuar. Ka qenë shumë i sjellshëm dhe shumë komunikues. Për këto vlera ne të gjithë e adhuronim."

(**Limoz Dizdari, kompozitor**)

"Në atë kohë ishte më lehtë të të thoshim armik, se sa modern. Por Franko mbijetoi me mënyrën e vet "alla Franko" duke lënë pas gjurmën e tij të bukur."

(**Justina Aliaj, aktore, këngëtare**)

"Për të gjithë krijimtarinë tënde muzikore, zërin e veçantë, interpretimin tënd të lirshëm dhe europian, veçanërisht në periudhën komuniste, ku në fund të tunelit të realizmit socialist, Ti ishe një nga dritat e pakta që na ndriçonte, gëzonte dhe na motivonte shpresën, arësyen e fundit për të mbijetuar: Falenderim e mirënjohje të përjetshme!"[134]

(**Mirush Kabashi, aktor**)

---

133   *Sollaku. Noè, Sh. Shkrimtar;* https://shqiptarja.com/lajm/si-reagoi-adriano-celentano-kur-degjoi-francesk-radin-te-kendonte, *27 Mars 2019.*

134   Kabashi. M. Aktor; *Shkrimi:* Hej, Franko! Në pëkujtim të kantautorit Radi (arkivi familja)r

"Françesk Radi që nga fillimet e tij dhe me pjesën e muzikës që krijoi vitet e fundit, diti ta përvijojë profilin e tij si një muzikant i veçantë i gjithë botës muzikore shqiptare." [135]

(Sadik Bejko, poet)

"Një muzikant i shkëlqyer. Franko ishte një artist me dimension, i veçantë në llojin e tij, sidomos në krijimari. Në motivet e tij ai ishte shumë shqiptar." [136]

(Jetmir Barbullushi, dirigjent i Orkestës Simfonike të RTSH-së)

"Karakteristika e këngëve të Frankos ishte fakti që ishin këngë shumë të thjeshta, me një tekst të studiuar mjaft mirë, me një harmoni shumë të qartë. Ishin këngë të avancuara për kohën." [137]

(Edison Miso, kitarist)

"Franko ishte kitarist i talentuar, orkestrues elitë, kompozitor i paharruar dhe këngëtar plot dritë e emocion. I veçantë në muzikën shqiptare. Françesk Radi është një nga personalitetet më të mëdha të këngës shqiptare. E nisi karrierën me një start të suksesshëm dhe e mbylli me më shumë duartrokitje. Me kalimin e kohës me siguri do të rritet më shumë se monumenti i tij, në Parkun e Liqenit të Tiranës."

(Osman Mula, regjisor, muzikant)

---

135   Bejko. S. Poet; *Dokumentari:* F. Radi, Jetë e trazuar, TVSH, 18 Prill 2018. *Libri:* F. Radi, Jetë në kitarë, fq. 260, rreshti 34, autorë: T. Radi & D. Gjergji, Tiranë, 2019.

136   Barbullushi. J. Dirigjent; *Dokumentari:* F. Radi, Jetë e trazuar, TVSH, 18 Prill 2018. *Libri:* F. Radi, Jetë në kitarë, fq. 269, rreshti 7, fq. 268, rreshti 21, autorë: T. Radi & D. Gjergji, Tiranë, 2019.

137   Miso. E. Kitarist; *Dokumentari:* F. Radi, Jetë e trazuar, TVSH, 18 Prill 2018. *Libri:* F. Radi, Jetë në kitarë, fq. 284, rreshti 11, autorë: T. Radi & D. Gjergji, Tiranë, 2019.

"Shumë njerëz e krahasuan Frankon (për ngjashmërinë e timbrit ndoshta) me këngëtarin e famshëm italian Adriano Celentano, por unë për nga rëndësia dhe përmasat do ta krahasoja me Lucio Battisti, një artist që bëri epokë dhe vuri bazat e këngës moderne italiane. Të njëjtën gjë bëri dhe Franko në muzikën e lehtë tonën. Ai i dha një frymë të re e tingëllim modern muzikës së viteve '70, duke u bërë popullor dhe i dashur për njerëzit e publikun. Franko ishte dhe mbeti një kantautor brilant e i papërsëritshëm, kantautori më përfaqësues i muzikës së lehtë shqiptare."[138]

(**Miron Kotani, kompozitor**)

"Franko ishte kreativ, ishte person që krijonte, kërkonte, nuk bënte stop. Na ka lënë një repertor shumë të pasur. Për mendimin tim është nga më të spikaturat, në repertorin e muzikës së lehtë shqiptare."[139]

(**Sokol Marsi, producent muzikor**)

"Në të gjitha festivalet dhe bashkëpunimet që kam me Frankon, na bëhej zemra mal, se kur dilte Frankua dhe korrte gjithë duartrokitjet e sallës, suksesi ishte i padiskutueshem. Jam shumë krenar që kam patur bashkëpunime me Frankon. Sillej me bashkëpunëtorët me një dashamirësi tipike, aq më tepër që ai krijoi profilin e vet si kantautor, sepse sundohej nga profili i tij si njeri shumë i ëmbël, shumë i dashur."[140]

(**Agim Doçi, poet**)

---

138   Kotani. M. Muzikant; *Libri:* F. Radi, Jetë në kitarë, fq. 321, rreshti 22, autorë: T. Radi & D. Gjergji, Tiranë, 2019.

139   Marsi, S. Producent muzikor; *Dokumentari:* F. Radi, Jetë e trazuar, TVSH, 18 Prill 2018. *Libri:* F. Radi, Jetë në kitarë, fq. 292, rreshti 8, autorë: T. Radi & D. Gjergji, Tiranë, 2019.

140   Doçi. A. Poet; *Dokumentari:* F. Radi, Jetë e trazuar, TVSH, 18 Prill 2018. *Libri:* F. Radi, Jetë në kitarë, fq. 271, rreshti 10, 17, autorë: T. Radi & D. Gjergji, Tiranë, 2019.

"Njeri i mirë, i mirë, i mirë. Jo vetëm kitarist i shkëlqyer, por edhe pianist i mirë. Ishte i sjellshëm, i edukuar, me karakter, djalë i mrekullueshëm. Talentin ja kishte dhënë zoti, edukatën fisi, kulturën këmbëngulja... Dëgjoja këngët Frankos. Nuk ngjan kënga me këngën."[141]

(Adon Miluka, trompist)

"Gjithmonë ishte modest tepër, gjithmonë kërkonte, nuk është se mbetej i kënaqur me diçka. Dëshironte të gjente më të mirën. Dhe i tillë mbeti Franko deri në fund."[142]

(Ylli Pepo, regjisor & producent)

"Kantautori Radi ishte modeli i kulturës sonë shqiptare. Ai solli modernen, solli folkun, solli baladën, solli jetën e tij në krijimtari, solli muzikën shqiptare që është kryesore. Franko la pas një krijimtari muzikore mjaft të pasur dhe të pëlqyer nga brezat. Franko ishte Jezus në muzikë dhe në shpirt."[143]

(Mark Luli, kompozitor)

"Nga pikëpamja muzikore u lidhëm më tepër me Frankon, sepse zgjidhja gjithmonë këngët e tij për të kënduar. Ndaj artistë si ai janë gjithmonë me fat, sepse këngët e tyre do të tingëllojnë gjithmonë si të freskëta. Kjo e bën atë, apo të tjerë si ai, të jenë gjithnjë "gjallë". Ishte kritik dhe e vlerësoj për këtë. Ishte edhe antikonformist e nuk lëpihej pas politikës."[144]

(Redon Makashi, kantautor)

---

141   Miluka. A. Trompist; *Dokumentari:* F. Radi, Jetë e trazuar, TVSH, 18 Prill 2018. *Libri:* F. Radi, Jetë në kitarë, fq. 294, rreshti 7, autorë: T. Radi & D. Gjergji, Tiranë, 2019.

142   Pepo, Y. Regjisor & Producent; *Dokumentari:* F. Radi, Jetë e trazuar, TVSH, 18 Prill 2018. *Libri:* F. Radi, Jetë në kitarë, fq. 275, rreshti 24, autorë: T. Radi & D. Gjergji, Tiranë, 2019.

143   Luli. M. Kompozitor; *Dokumentari:* F. Radi, Jetë e trazuar, TVSH, 18 Prill 2018. *Libri:* F. Radi, Jetë në kitarë, fq. 235, rreshti 6, autorë: T. Radi & D. Gjergji, Tiranë, 2019.

144   Makashi. R. Kantautor; *Libri:* F. Radi, Jetë në kitarë, fq. 307, rreshti 27, 38, autorë: T. Radi & D.Gjergji, Tiranë, 2019.

"Françesk Radi, artisti që vuajti pa fund, por kurrë nuk u përul, duke i dhuruar publikut të vendit të tij kënaqësinë e të paturit në fondin e artë një qenie të lirë artistike."[145]

(Julian Deda, aktor)

"Françesku ishte këngëtar i veçantë për zërin dhe karakterin e tij. Me një shpirt human, që sfidoi vështirësitë që i solli jeta, duke lënë pas një thesar të vyer me kompozime e këngë."[146]

(Irini Qirjako, këngëtare)

"Franko ishte një njeri i mrekullueshëm, i shkëlyqer. Ishte talent i rrallë, një kantautor, i vetmi në stilin e tij."[147]

(Bujar Qamili, këngëtar)

"Bashkëkohësit, por edhe brezat, do të kujtojnë zërin e veçantë të Françesk Radit, që si asnjë këngëtar tjetër, këndoi me aq pasion këngët italiane, në kohën që ishte tabu."[148]

(Kozeta Mamaqi, gazetare)

"Franko ishte dhe mbeti idealist, dhe idealizmit në Shqipëri i shpallin luftë!"[149]

(Kujtim Prodani, kantautor)

145   Deda. J. Aktor; *Po aty,* fq.233, rreshti 8, autorë: T. Radi & D. Gjergji, Tiranë, 2019.
146   Qirjako. I. Këngëtare; *Po aty,* fq. 233, rreshti 12, autorë: T. Radi & D. Gjergji, Tiranë, 2019.
147   Qamili. B. Këngëtar; *Po aty,* fq. 233, rreshti 1, autorë: T. Radi & D. Gjergji, Tiranë, 2019.
148   Mamaqi. K. Gazetare; *Po aty,* fq. 233, rreshti 17, autorë: T. Radi & D. Gjergji, Tiranë, 2019.
149   Prodani. K. kantautor, Po aty, fq. 231, rreshti 18, autorë: T. Radi & D. Gjergji, Tiranë, 2019.

"Franko ishte thellësisht qiellor me shpirtin, me muzikën dhe me zërin e tij. Këngëtar dhe kantautor i madh, njeri i thjeshtë, deri në pafajësinë e një fëmije..."[150]

(Gaqo Apostoli, inxhinier)

"Franko për mua është modeli i kantautorit shqiptar. Është rokeri i parë, modeli edhe modern, edhe perëndimor. Franko është i dënuar përjetësisht që të kujtohet..."[151]

(Elton Deda, kantautor)

---

150   Apostoli. G. Inxhinier; Do të shihemi lart në qiell, Françesk, miku im i shtrenjtë....(arkivi familjar).

151   Deda. E. Kantautor; *Dokumentari:* F. Radi, Jetë e trazuar, TVSH, 18 Prill 2018. Libri: F. Radi, Jetë në kitarë, fq. 311, rreshti 2, autorë: T. Radi & D. Gjergji, Tiranë, 2019.

PASAPORTA

Emri: Françesk

Mbiemri: Radi

Data e lindjes: 13 Shkurt 1950

Vendi i lindjes: Tiranë

Ndarja nga jeta: 3 Prill, 2017

Vendi i vdekjes: Tiranë

Gjendja civile: I martuar

Bashkëshortja: Tefta Radi, gazetare

Fëmijët: Anjeza, Baltion

Prindërit: Balto e Roza

Vëllezërit: Ferdinad, Alfons

Motrat: Terezina, Imelda

Arsimi: Instituti I Lartë I Arteve, dega e muzikës, kontrabas, Tiranë

Lartësia: 1.80 m

Pesha: 75 kg

Ngjyra e syve: Kafe e errët

Përvojat e para muzikore: Këngë popullore shkodrane dhe italiane të kënduara në familje

Paraqitja e parë para publikut: Më 1966, si instrumentist, kitarë bass, në Festivalin e Këngës në Radio Televizionin Publik. Si këngëtar, më 1968 në Estradën e Shtetit E para ngjarje e rëndësishme për karrierën: Fitimi i konkursit më 1965, të shkollës së mesme, Liceu Artistik "Jordan Misja," Tiranë Kënga e parë e inçizuar si kantautor: "Adresa", 1971 nga Radio-Tirana

Instrumenti që luante: Kitarë, kitarë bass, kontrabas, piano, instrumente popullorë Këngët më të suksesshme: "Adresa", "Biçikleta", "Rock i burgut", "Zemër e lodhur", "Humba pranverën", "Telefonatë zemrash", "Ky fat na ra" etj.

Muzika e preferuar: Rock and roll dhe ajo klasike

Këngëtarët më të preferuar: Ray Charles, The Beatles, Adriano Celentano, Amy Winehouse

Gjuhët: Italisht dhe gjuhë të tjera të të kënduarit

Filmi që preferonte më shumë: Filmat që mbështeteshin në histori të vërteta si: American Gangster, Monster, Goodfellas

Pjata më e preferuar: Peshku dhe gatimet vegjetariane

Pija më e preferuar: Vera, pinte gjithmonë pak

Veshja më e preferuar: sportive, xhinset, tishërtet, këmishat, shajet

Besimi: Katolik

Automobili: Renault

Preferenca: Librat mbi historinë e muzikës dhe artit, jetën e kopozitorëve, muzeumet

Sportet: Luante futboll, ushtrohej në paralele e shtangë

Shkrimi dhe firma e tij

BIBLIOGRAFI

1. Radi, Tefta. Gjergji, Demir. *Françesk Radi, Jetë në kitarë.* (ISBN 978-9928-04-511-9).Tiranë: EMAL, 2019. S.d.

2. Arkivi familjar. *Dorëshkrime nga Françesk Radi.* Tiranë.

3. Stringa. Hamide. Gazeta *Telegraf.* Tiranë: 2021 (8 Prill).

4. Rexho. Eraldo. *Gazeta Shqiptare.* Tiranë: 2010 (29 Korrik).

5. Shllaku. Gjon. Gazeta *Telegraf.* Tiranë: 2021 (11 Maj).

6. Çoba. Zef. Gazeta *Telegraf.* Tiranë: 2021(8 Prill).

7. Anon. Gazeta *Integrimi.* Tiranë: 2010 (22 Mars).

8. Hekurani. Arjola. Gazeta *Republika.* Tiranë: 2005 (31 Gusht).

9. Kalemi. Spiro. Gazeta *Drita.* Biblioteka Kombëtare.Tiranë: 1973 (11 Shkurt).

10. Milloshi. Hysni. Gazeta *Zëri i rinisë.* Biblioteka Kombëtare.Tiranë: 1973 (21 Janar).

11. Bushi. Ilir. Gazeta *Republika.*Tiranë: 1999 (21 Tetor).

12. Arllati. Behar. Gazeta *Nacional.*Tiranë: 2021 (15 Maj).

13. Kollobani. Lorena. Gazeta *Standard.*Tiranë: 2007 (24 Mars).

14. Revista *Radiopërhapja.* Nr. 16.Biblioteka "Marin Barleti". Shkodër: 1972 (25 Gusht).

15. Revista *Radiopërhapja.* Nr.1.Biblioteka " Marin Barleti". Shkodër: 1973 (1Janar).

16. Nikolla. Millosh. Gjergj. (Migjeni). Muzeu Historik. Shkodër: 1936 (13 Qershor).

17. Televizioni Shqiptar. *Françesk Radi, Jetë e trazuar.*Tiranë: 2018 (18 Prill).

18. Televizioni Shqiptar. *Françesk Radi, "Fol me mua".*Tiranë: 2015 (15 Maj).

19. Televizioni Shqiptar. *Muzikë,emocion, muzikë.*Tiranë: 2001 (14 Dhjetor).

20. Top-Channel.tv. *Pasdite në Top Channel.* Tiranë: 2015 (19 qershor).

21. Klan TV. *E djela shqiptare.* Tiranë: 2010 (28 Nëntor).

22. Top-Channel.tv. *Top show magazinë.* Tiranë: 2014 (18 Dhjetor).

23. Top-Channel.tv. Top show magazinë. Tiranë: 2006 (21 Prill).

24. Scan tv. *Me Marizën.* Tiranë: 2016 (30 Dhjetor).

25. Radio Kontakt. *Me kantautorin Françesk Radi.* Tiranë: 2012 (22 Qershor).

26. Ciko. Zhani. Promovimi i librit: *Françesk Radi, Jetë në kitarë.* Akademia e Shkencave. Tiranë: 2019 (27 Shtator).

BURIME NGA INTERNETI

Mullahi. Gazmend. Koha Jone_4 prill 2019 by Koha Jone - Issuu

https://issuu.com › gazetakohajone › docs › koha_jone..2019 (4 Prill). Minga. Mikaela. https://peizazhe.com/2021/04/28/francesk-radi/.

Sollaku. Noé. Shpend. Si reagoi Adriano Çelentano kur dëgjoi Françesk Radin të ... https://shqiptarja.com › lajm › si-reagoi-adriano-celenta..., 2019 (27 Mars).

Jaçe. Skënder. https://gazetavatra.com/kujtime-francesk-radi-koncert-show-ne-qytetin-stalin-kucove-ne-1988/, 2021 (2 Qershor).

Naqellari. Edmond. Françesk Radi dhe koncert–show në qytetin Stalin(Kuçova e sotme), në Nëntor të 1988 – ës, 2021 (14 Maj).

Arllati. Behar.https://gazetavatra.com/francesk-radi-kengetari-me-shpirt-bohemi/, 2021 (17 Maj).

Vrapi. Julia. Françesk Radi: Elektronika ka shkatërruar muzikën, montazhierët kanë zëvendësuar kompozitorët - kultura-lifestyle. 2015 (29 Nëntor).

Leka. Martin. http://shekulli.com.al/martin-leka-leter-prekese-per-francesk-radin-ndjese-per-ato-qe-smunda-te-thosha-dje/. 2017 (5 Prill).

Veliaj. Erion. https://www.youtube.com/watch?v=LzVNMXQD6kk. 2018 (3 Prill).

Çdo familje e ka një histori. Kjo, është e Frankos dhe imja.

Tefta Radi

CHAPTER IV
KAPITEL IV
KAPITULLI IV

From the repertoire of songs by Françesk Radi
Transcribed by Gjon Shllaku

Aus dem Liederrepertoire von Françesk Radi
Transkribiert von Gjon Shllaku

Nga repertori i këngëve të Françesk Radit
Transkriptoi: Gjon Shllaku

Françesk Radi, Tiranë 2002

"Adresa"

Lyricist: Kastriot Gjini

(1971)

Composer: Françesk Radi

"Adresa"

Oh sa fort na rra-hu ze – mra, do-rën kur ma dhe;

Dhe a – dre-sën që se di – ja, vetë ti vashë ma dhe. Kur u

nda-më atë natë, unë e-cja për-mes da-shu – risë; Më tre

go-ve o vash', a – dre-sën e vetë lu-mtu – risë.

Lyrics of the songs in English and German

The address

Composed: Françesk Radi
Arranged: Aleksandër Lalo
Lyrics: Kastriot Gjini

Where do you live my girl, I can't ask you, no
Who will tell me her simple address?
I asked two or three friends but they didn't know
And your girlfriends only chuckled at me

Searching for you, I painted the streets in red
Without warning, you appeared before me
Looked me straight in the eye
And asked me: 'What are you looking for
All by yourself this evening?'
I answered a little late
' Just for your address.'

Your hand in mine, our hearts pounding harder
It was you who gave me your address
Parting that night, I walked back along the path of love
Oh girl, you showed me the address of happiness itself. *

Translated: Virgjil Kule,
2021.

* *Composed in 1971, Franko performed 'The Address' in the second Student's Music Festival in 1972. It was number one in Radio Tirana's hit parade in May 1972 and won 'The Winner of the Winners' radio program. It was used by Albanian Radio Televizion for the production of its first music video, with the singer walking on the Adriatic beach. The video was directed by renowned film director Albert Minga. In the fall of '72, the well-known director Ylli Pepo, made the first version of this music video where 'the representation of the characters there is made in the style of the film,' with photography by Gazmir Shtino. Franko co-starred with Anila Kati who at that time was singled out as one of Tirana's most beautiful girls.*
Franko remastered 'The Address' in 1992.

die adresse

Melodie: Françesk Radi
Instrumentierung: Aleksandër Lalo
Text: Kastriot Gjini

Wo wohnst du, o Mädchen, fragen kann ich dich nicht
Jemand zeige mir bitte, wo ihr Zuhause ist
Ich fragte herum, doch es war vergeblich
Und ihre Freundinnen lachten über mich

Ich lief durch die Stadt, ich suchte sie auf den Straßen
Plötzlich steht sie vor mir, schaut mir in die Augen
Und sie fragt, was ich will, warum bin ich heute allein
Schüchtern geb' ich zurück: Kann ich deine Adresse haben

Endlich lacht sie und die Herzen schlagen bis zum Hals
Lächelnd drückt sie mir einen Zettel in die Hand
Jene Sternennacht war ich schwer verliebt
Sie gab mir nichts weniger als die Adresse vom Glück. *

Übersetzung: Anila Wilms
10. September 2020

---

* *Erstes Lied von Françesk Radi aus dem Jahr 1971.*
  Wurde im Jahr 1972 im Zweiten Studentenfestival gesungen. Gesang: Françesk Radi Gewann die Musikalische Enquete des Radio Tirana von 1972. Im selben Jahr gewann es den ersten Platz im Musikprogramm „Beste der Besten". Diese Sendungen waren albanische Äquivalenten der westlichen Hitparaden. Das Video zum Lied wurde vom RTSH (Albanisches Radio-TV) am Ufer der Adria gedreht; es wird von Fachleuten als erster albanischer Videoclip angesehen. Laut Ylli Pepo, dem Produzenten des Liedes, wurde das Video wie ein Kurzfilm konzipiert, in dem der Liedtext entfaltet wird. Kamera: Gazmir Shtino. Darsteller: Françesk Radi und Anila Kati (Schülerin im Kunstlyzeum „Jordan Misja" in Tirana, galt als eine Schönheit der Zeit).
  1992 wurde es vom Autor remastered.

"Biçikleta"

Lyricist: Françesk Radi

(1972)

Composer: Françesk Radi

"Biçikleta"

ti sa çu - di pse vallë, unë ty të nga-tërroj me çdo nje - ri.
ne sa gë-zim kur sy - të tanë u ndri - çu - an me ne - on.

E so-lle lu mtu ri-në

ti ktu mbi urë me bi-çi - kletë da-shu-ri-në e vë - rte - të. Mu-zgu a-ty na gje-ti

ne sa gë-zim kur sy - të tanë u ndri-çu-an me ne - on.

The BiCycle

Composed: Françesk Radi
Arranged: Aleksandër Lalo
Lyrics: Françesk Radi

For a long time I waited at the bridge
But you never stopped there
I wished to see your bike broken
So you would walk at least once
On the bridge I stand
Waiting to hear your bike's bell
I hear something pinging from the street corner?
But no, I'am wrong, it isn't you!
I search for our eyes
In every mimosa tree
Is that you now, at the street corner?
Oh no. Strange, I keep mixing up faces...

Finally, there you are, on the bridge path!
The starting point of our love
I don't know why I stayed silent
When your bike's chain broke
Like and old friend you came to me
And said: 'Can you help?'

On that bike you brought the happiness on the bridge path
True love
Dusk found us still there
The joy in our eyes
Lit by neon lights. *

Translated: Virgjil Kule,
2020.

*Released in 1972, 'The Bicycle' won Radio Tirana's Musical Enquete and 'The Winner of the Winners' radio program. Produced in August/September 1972 alongside 'The Address', it was the second Albanian music video, directed by Ylli Pepo with photography by Gazmir Shtino. It co-starred Franko and the beautiful Valentina Baxhaku. Franko remastered 'The Bicycle' in 1993.

das Fahrrad

Melodie: Françesk Radi
Instrumentierung: Aleksandër Lalo
Text: Françesk Radi

Oh wie oft ich auf der Brücke stand
Du hieltest einfach nicht an
Wann verdammt steigst du mal vom Rad
Und gehst an mir vorbei
Ich steh und steh
Und warte, warte wie so oft
Dass deine Fahrradklingel schon ertönt

Du bist es nicht, ich hab mich wieder geirrt
Ich weiß nicht wie's mir geschieht
Ich bin verliebt, verliebt
Räder und Mädels ziehen
An mir vorbei und überall
Sehe ich dich und nur dich

Auf die Brücke läufst du endlich
Nein, diesmal irr' ich mich nicht
Schiebst dein Rad und schaust mich an
Und ich bin stumm, weiß nicht warum
Du kommst zu mir
Und lachst und sagst, hey alter Freund
Verstehst du was vom Fahrrad?

Ich bin ein Meister
Ich bin fürs Rad geschaffen, Mädchen
Du und ich zusammen, das heißt echtes Glück
Bleib bis zum Abend, bleib für immer
Bei mir und diese Lichter
Werd'n niemals ausgehen. *

Übersetzung: Anila Wilms
September 2020

* Das Lied wurde 1972 in der Musikalischen Enquete von Radio Tirana veröffentlicht und gewann den ersten Platz. Gesang: Françesk Radi. Erster Platz auch in der Sendung „Beste der Besten". Zweiter albanischer Videoclip, von Ylli Pepo produziert. Kamera: Gazmir Shtino. Darsteller: Françesk Radi und Valentina Baxhaku (eine Schönheit der Zeit). Zur gleichen Zeit wie „Die Adresse" gedreht (August-September 1972).
1993 wurde es vom Autor remastered.

"Kur dëgjojmë zëra nga bota"

Lyricist: Sadik Bejko   (1972)   Composer: Françesk Radi

"Kur dëgjojmë zëra nga bota"

Në Vie-tnam o shokë,
Në këtë mbrë mje në park,

Bo mba-rdu-an praap so
Me shqe tësim bie ki - ta

nte.
ra,

Shqe të - si - min tonë

1. Në ç'do ti ngull të saj,

Në ki - ta - rë ta këndojm'.
Zë - ri ynë sot ku - mbon.

2.

Në këtë mbrë mje në park,

Me shqe tësim bie ki - ta   ra,

Në ç'do ti ngull të saj,

Zë - ri ynë sot ku mbon.

When We Hear Voices from the World

Composed: Françesk Radi
Arranged: Gaspër Çurçia
Lyrics: Sadik Bejko

At the park with a few friends
Quiet and calm in the evening
On a bench, guitar in hand
I began to sing for them
But my voice wasn't clear
And the guitar didn't play easily
My friends asked me
'What's up with you tonight?
Don't hide what's in your heart.'

There is something I must say
Nothing secret in my heart
'In Vietnam, my dear friends
They did bomb again tonight
Our worry, we'll sing it with the
guitar'

'Then take the guitar,' said my friends
'Silence doesn't fit our park
Bombs falling somewhere far away
Ignite our song even stronger
Every passing day, the war urges
For less silence and more wisdom
You, our guitar, sing today
Sing for us and sing for them.'

Our song grows louder
Merging so many sorrows
In the evening at the park
The guitar sounds full of grief
In every sound it makes
The song of pain is rining tonight

This evening in the park
The guitar sounds full of grief
In every sound it makes…*

Translated: Virgjil Kule,
2021.

* This song was performed in the Albanian RadioTelevision's infamous 11th Festival of Song in 1972 and was dedicated to the war in Vietnam. The song was criticized for 'modernism' and its authors were prosecuted by the dictatorial regime. Performed by Françesk Radi.

der ruF der WelT

Melodie: Françesk Radi
Instrumentierung: Gaspër Çurçia
Text: Sadik Bejko

Ich und die Kumpels heute im Park
In der stillen, lauen Nacht
Sitzen wir zusammen auf der Bank
Mit Gespräch, Gitarre und Gesang

Doch meine Stimme hat keine Kraft
Die Gitarre klingt auch matt
Meine Freunde meinen, ich hätt' was
Ich hätt' heute etwas, das ich ihnen nicht sag'

Ja, mein Herz steht heute in Flammen
In Vietnam sind Bomben gefallen
Heute wieder einmal
Bomben auf Vietnam
Bin vor Kummer krank
Und die Stimme versagt

Nein, wir werden heute nicht schweigen
Uns're Stimmen und uns're Gitarren
Werden heute umso höher schwingen
Lasst uns unser stärkstes Lied singen
Krieg erreicht uns Tag für Tag
Es ist blutig und es ist laut
Die Gitarren sind uns're Waffen
Lasst uns heute zurückschlagen

Unser Lied wird kräftig und laut
Alle Stimmen darin vereint
Auf den Ruf der Welt
Antworten wir heute
Gegen Kummer und Pein
Sing in die Nacht hinein. *

Übersetzung: Anila Wilms
26. September 2020

* *Das Lied wurde im notorischen 11. Musikfestival von RTSH von 1972 vorgestellt. Das Thema war der Krieg in Vietnam. Es wurde vom kommunistischen Regime wegen "modernistischer Tendenzen" harsch kritisiert, die Autoren wurden verurteilt. Françesk Radi wurde zur "Umerziehung" in einer entlegenen Gegend in Nordalbanien interniert, in Fushë Arrëz. Für zwei Jahrzehnte (bis zum Sturz des Regimes) wurde ihm das Recht zur kreativen musikalischen Arbeit und zur Teilnahme an den Musikfestivals von RTSH entzogen. Gesang: Françesk Radi. Originalaufnahme aus dem Jahr 1972.*

"Krah për krah në jetë"

Lyricist: Vasil Dede   (1984)   Composer: Françesk Radi

side By side

Composed: Françesk Radi
Arranged: Françesk Radi
Lyrics: Vasil Dede

When you smile a flower blossoms bright
Deep into my eyes
A new star brightens the sky
Your loving burns like fire in my heart

I see you and feel butterflies
Deep inside my chest
We work side by side in a factory
And side by side we walk through life

Oh, how many dreams we weave
We run together in our lives
In my eyes, you are
The burning fire that warms my heart. *

Translated: Miranda Shehu Xhilaga,
2020.

*Winner of Radio-Tirana's Musical Enquete, 1984.
Performed by Françesk Radi and Elida Shehu.

"Pseudo demokrati"

Lyricist: Alqi Boshnjaku　　　　　　　(1994)　　　　　　　Composer: Françesk Radi

"Pseudo demokrati"

Heresy

Composed: Françesk Radi
Arranged: Françesk Radi
Lyrics: Alqi Boshnjaku

When I wrote poetry
You accused me of heresy
Grabbed the pen from my hands
Turned it into a knife
and stabbed me in the back

When I wrote melody
You accused me of heresy
Grabbed my musical score
And made it my obituary

Though you stick up two fingers
I don't believe you are a democrat
Seeking vengeance isn't for me
Sinners are punished by God

When I was cherishing my dreams
About a life full of loving bells
You instilled dreams of horror
Bunkers, people locked up in dungeon cells

You saluted me by day
Fist raised on your temple
By night you planned
Where to hit me with that fist

Though you stick up two fingers
I don't believe you are a democrat
Seeking vengeance isn't for me
Sinners are punished by God. *

Translated: Virgjil Kule,
2021.

* *Autobiographical song, 1994*
  Performed by Françesk Radi

die häresie

Melodie: Françesk Radi
Instrumentierung: Françesk Radi
Text: Alqi Boshnjaku

Damals webte ich Poesie
Und du brülltest „Häresie!"
Du entrissest mir meine Feder
Und daraus machtest du ein Messer

Damals webte ich Melodien
Und du brülltest „Häresie"
Du entrissest mir meine Noten
Und machtest dich zum Todesboten

Heute zeigst du den Friedensgruß
Ein Menschenfreund durch und durch
Doch Rache ist meine Sache nicht
Denn die Strafe kommt nur von IHM
Von IHM dort oben im Himmel!

Damals schmiedete ich einen Traum
Von der Liebe und von dem Leben
Und du zimmertest einen Totenbaum
Um das Leben darin einzusperren

Damals trafst du mich auf der Straße
Und erhobst zum Gruß die Faust
Es war nicht aus Menschlichkeit
Es war der Ruf zum Mord und Totschlag

Heute zeigst du den Friedensgruß
Ein Menschenfreund durch und durch
Doch Rache ist meine Sache nicht
Denn die Strafe kommt nur von IHM. *

Übersetzung: Anila Wilms
23. Oktober 2020

  * *Autobiographisches Lied aus dem Jahr 1994*
    Gesang: Françesk Radi

"Telefonatë zemrash"

Lyricist: Xhevdet Rexhaj   (1994)   Composer: Françesk Radi

Sot ke ditë li - ndjen bi - ja i - me, por unë jam larg e nuk vij dot.

Në çast më çe - lin plot u - ri - me, ç'të flas më parë në te - le fon.

Ku jtoj me mall di - tën kur li - nde, ça-stin kur vu - ra e - mrin tënd,

kur të qu - a - jta Sa - ra - nda, si ty i bu - kur është ky vënd, sa

ky qy-tet të rrosh ti Sa - ra lo-tët si de - ti Jon.

Ta ni që flas me ty o ba - bi, në du ar mbaj fo - to-gra fin'

Ba shkë me ne është e - dhe ma - mi, më puth a - jo më puth dhe ti.

"Telefonatë zemrash"

Zërin dë gjoj në te le fon, se si më du ket nuk e di!
Një ditë do kthe –hem pë –rsë– ri, dhe bashkë do të jemi ne të tre.

Prap më puth, më pë rqa fon, ta mam si këtu në/fo to gra fi.
Do të bëjmë fo –to –gra– fi, me ngjy –ra ma –lli do të jenë!

Kur ta mby llësh te le fo nin, unë do të dë gjoj pë rs'ri!
Një pre mtim do bë –jnë sy –të nda rje më a – snjë– here.

A mund t'ia shu –ajmë die llit atë zjarr? A mund ta shte –rrim një o–qe an?

A shtu nuk tre – ten ndje njat e ty – re, le të jenë sa–do larg!

"Telefonatë zemrash"

A mund t'ia shu - ajmë

die llit atë zjarr? A mund ta shte - rrim një o-qe an? A shtu nuk tre - ten

ndje njat e ty - re, le të jenë sa-do larg!

phOne Call of HearTs

Composed: Françesk Radi
Arranged: Edison Miso
Lyrics: Xhevdet Rexhaj

Today is your birthday, my baby
But I'm far away and I can't be there
How many wishes I have for you today
What should I tell you on the phone
first?
I fondly remember the day you
were born
The moment I called your name
When I called you Saranda
It's so beautiful there, like you are
As long as this city lives, Sara
Your tears are like the Ionian Sea

While we're talking, my daddy
I'm holding a fotograph
It's us along with Mama
You're kissing me, and so is she
Hearing your voice on the phone
I can't explain it, but I feel
Your kiss and your hug
Just like in this photograph
When you hang up the phone
I hear you still!

Can we extinguish the sun's fire?
Can we dry up the ocean?
Our feelings cannot be erased
However far they may be!

While we're talking, my daddy
I hold tight to this photograph
With you and me is also Mama
She kisses me, and so do you

One day I will return again
And the three of us will be together
We will take pictures
Saturated with the colour of love!
Our eyes will make a promise
to never part again

Can we extinguish the sun's fire?
Can we dry up the ocean?
Our feelings cannot be erased
However far they may be! *

Translated: Miranda Shehu Xhilaga,
2020.

* *Winner of the audience award at the 33rd Song Festival in RTSH, 1994*
  Performed by Françesk Radi and Mariza Ikonomi

TeleFongespräch

Melodie: Françesk Radi
Instrumentierung: Edison Miso
Text: Xhevdet Rexhaj

Heute, mein Kind, ist dein Geburtstag
Ich bin weit weg, kann nicht dabei sein
Mein Herz quillt heute über von Liebe
Wie und wo fange ich nur an?
Bei dem Tag, als du zur Welt kamst
Und ich dir einen Namen gab?
Als ich dich Saranda nannte
Ein Name so schön wie dieses Land
Mögest du so alt werden, Sara
Wie dieses Meer und diese Stadt

Lieber Papa, ich höre dich
Und sehe dich gerade auf dem Bild
Mamma ist auch hier bei mir
So wie du, sie gratuliert
Es ist erstaunlich und es ist schön
Wie du allein mit deiner Stimme
Mich von fern umarmen kannst
Genau wie hier auf unserem Bild
Du legst auf, doch die Umarmung
Bleibt für immer bei mir!

Kann die Sonne jemals erlöschen?
Kann der Ozean austrocknen?
Genauso wenig kann die Liebe versiegen
Mögen wir noch so weit weg sein

Lieber Papa, ich höre dich
Und sehe dich gerade auf dem Bild
Mamma ist auch hier bei mir
So wie du, sie gratuliert

Eines Tages werde ich zurück sein
Und wir drei wieder vereint
Wir werden neue Bilder machen
Mit schönen Regenbogenfarben
Das Versprechen in den Augen
Für immer und ewig zusammen.
*

Übersetzung: Anila Wilms
5. October 2020

---

* Im 33. Musikfestival von RTSH, 1994. Erster Publikumspreis.
 Gesang: Françesk Radi, Mariza Ikonomi

"Fli e vuajtura ime"

Lyricist: Dritëro Agolli (2000) Composer: Françesk Radi

Medium ♩ = **120**

Grua ja fle nën ça - rça fin e bardhë, E bu kur si pë - re -
ndi e lashtë. Me sytë e saj që më ma - hni tën, Po flenë dhe buzët e saj.
Dhe ba lli/i hij shëm që kur s'u ngrys, Po flenë dhe mo llëzat e
fa - qe - ve. E-dhe kur qesh i bë hen gro - pë za, Po flenë dhe flokët e
saj. Më fal e di, se të kam lo - dhur shumë,
Dhe___ ndo një - herë dhe të kam tra - dhëtu - ar, Këtë

"Fli e vuajtura ime"

"Fli e vuajtura ime"

Dhe sytë e bu kur s'fli-nin dot._____ Më i-me. Jam i

ve tëm pa ra te je, i pa-gjum jam pa ra te je Po ti fli, po ti fli e vuaj tura i me. Jam i

ve tëm pa ra te je, i pa-gjum jam pa ra te je Po ti fli, po ti fli e vuaj tura i-me.

Sleep, my suFFering BeauTy

Composed: Françesk Radi
Arranged: Françesk Radi
Lyrics: Dritëro Agolli

Woman sleeps under white sheet
Charming like an ancient God
Her lips are sleeping too
Her eyes that dazzled me
And her forehead that never frowns
Sleeping are her cheekbones
Her dimpled smile
Her hair sleeps too
But I want to be with you tonight
Sleep, my suffering beauty in love with me
Sorry, I know I tired you out
Sometimes betrayed you
Sleepless, I stand tonight in front of you
But sleep, sleep, my suffering beauty

A sense of guilt is troubling me
Accompanied by a sense of nostalgia
Often I took long journeys away from home
And you remained all alone
I left you with worries and children
While I was neglecting our time together
All house chores fell on your fragile shoulders
Leaving sleepless your beautiful eye

Forgive me, please, for tiring you out
For even betraying you sometimes
But tonight I want to be with you
Sleep, suffering beauty in love with me. *

Translated: Virgjil Kule,
2021.

* *Performed by Françesk Radi, RTSH, Spirng Songs Festival, 1994.*

Schlaf, meIne LieBe

Melodie: Françesk Radi
Instrumentierung: Françesk Radi
Text: Dritëro Agolli

Sie ruht unter den weißen Laken
So schön wie eine griechische Göttin
Es ruhen ihre wunderschönen Augen
Und ihr edler Mund

Es ruhen ihre rosigen Wangen
Mit den Grübchen, die mich bezaubern
Es ruht ihre verzeihende Stirn
Und ihr goldenes Haar

Ich weiß, ich weiß, es war für dich nicht leicht
Und manches Mal war ich nicht ganz true
Ich bin dein Mann, wirst du mir je verzeihen?
Oh schlaf, meine Liebe, erhole dich, meine Schöne

Ich steh nackt hier vor dir, ich lieg schlaflos bei dir
Doch du schläfst, doch du schläfst, meine Liebe

Heute hab' ich ein Schuldgefühl
Bin berührt und aufgewühlt
Ich war oft weg und ich ging oft zu weit
Ich ließ dich oft allein

Du musstest viel alleine tragen
Das ganze Leben, die ganzen Lasten
Auf deinen schönen, schmalen Schultern
In den schlaflosen Nächten. *

Übersetzung: Anila Wilms
14. November 2020

* *Gesang: Françesk Radi.*
Festivalsongs der Saison.1994

"Sa e bukur je"

Lyricist: Agim Doçi   (1995)   Composer: Françesk Radi

"Sa e bukur je"

you are soBeauTiFul

Composed: Françesk Radi
Arranged: Françesk Radi
Lyrics: Agim Doçi

You are so beautiful, so sweet
When I see you, you speak so softly
You come to me like a calm sea, full of love
Only I know well that you are mine
Stay close to me and let me say
We grew up together
Isn't this anger pointless?
My heart just can't accept it

You are so beautiful, so sweet
With every step, I feel you coming
towards me
You are so beautiful, so sweet
When you're away, I wait for you
until midnight
And when you're not with mi
I can never truly miss you
Because your soul, your voice
Warm me from deep in my heart
There comes a day when our children
grow up
Together, we love each other
And today we remember how long the
road was

You are so beautiful, so sweet
When I see you, you speak so sweetly
to me
And when you smile at me
Even when you don't speak to me
I understand and feel
What it is you don't say
Smiling, you knock on my heart
And I feel it straight away
The signal that wakes me up
You kiss me longingly

You are so beautiful, so sweet
With every step, I feel you coming
towards me
You are so beautiful, so sweet
When you're away, I wait for you
until midnight... *

Translated: Miranda Shehu Xhilaga,
2020.

* *Dedicated to his wife, Tefta.*
  Performed by Françesk Radi, RTSH, Spring Songs Festival, 1995.

Wie schön du BisT

Melodie: Françesk Radi
Instrumentierung: Françesk Radi
Text: Agim Doçi

Oh wie schön du bist, oh wie gut du bist
Wie sanft du zu mir sprichst
Ein Meer voller Liebe bringst du mit
Ich weiß genau, woher, wohin
Zusammen aufgewachsen
Zusammen ein Leben lang
Jeder Streit und jeder Groll
Völlig sinn- und zwecklos

Oh wie schön du bist, oh wie lieb du bist
Selbst wenn du nicht bei mir liegst
Warte auf dich, schlafe nicht ein
Die ganze Nacht bis der Morgen graut

Und wenn du nicht bei mir bist
Bist du doch immer bei mir
Seit immer schon wir beide
Ein Herz und eine Seele

Aus dem Haus sind die Kinder
Doch wir beide sind
Noch hier
Welch ein Leben
Welch ein Weg
Oh wie schön du bist, oh wie süß du bist

Wie sanft du zu mir sprichst
Und wenn du trauerst, und wenn du lachst
Ich weiß genau, was dich bewegt
Leise du sprichst
Lächelnd du rufst
Ich werde wach
Von dem Signal
Du küsst mich zart

Oh wie schön du bist, oh wie lieb du bist
Selbst wenn du nicht bei mir liegst
Warte auf dich, schlafe nicht ein
Die ganze Nacht, bis der Morgen graut. *

Übersetzung: Anila Wilms
12. Oktober 2020

* *Aus dem Jahr 1995, der Ehefrau Tefta gewidmet.*
  Gesang: Françesk Radi, Festivalsongs der Saison.

"Rock i burgut"

Lyricist: Agim Doçi   (1996)   Composer: Françesk Radi

"Rock i burgut"

"Rock i burgut"

pranë dhe larg___ që - nka___ li - ri - a, Nën ri -tmin rock___

unë pro - te - stoj. I li -dhur nënë më shkoi ri -

ni - a, Ha - rro - va ve -ten sot nën ri -tmin rock.___

Sa Ha - rro - va ve -ten sot nën ri -tmin rock.

Rock dhe ve -tëm rock, rock.

rocK oF prison

Composed: Françesk Radi
Arranged: Françesk Radi
Lyrics: Agim Doçi

Burrel!

I am tied up to this old prison
With a wounded heart and great longing
I see a sliver of sky, but have no scrap of paper
And so my thoughts become my envelope

Mother, I am tied to this old prison
With my wounded heart and my longing
I see that sliver of sky, but have no paper
My freedom so close, and yet so far

In the darkness of night I seek my freedom
I am alone, without a friend
These walls are mute, bedecked in chains
These shackles clash with the rhythm of rock

How close and yet so far, oh, is my freedom
Under rock's rhythm, I protest
Bound here, oh mother, my youth is wasted
Only rock'n'rock makes me forget

This is our rock rising in revolt
How little freedom, how many guards
Under this rhythm I have all but forgotten
Freedom is near yet so far

In the darkness of night I seek my freedom
I am alone, without a friend
These walls are mute, bedecked in chains
Those chains I swing to rock'n'roll

Rock and only rock, rock *

Translated: Miranda Shehu Xhilaga,
2020.

*This song dedicated to all the Albanian artists prosecuted by the communist regime of Enver Hoxha from 1944 to 1990
Performed by Françesk Radi, 35th Festival of Song, 1996.

knasTrocK

Melodie: Françesk Radi
Instrumentierung: Françesk Radi
Text: Agim Doçi

Burrel!

Im alten Knast bin ich gefesselt
Die Seele wund, das Herz in Schmerzen
Der Himmel eng, hab keine Feder
Der Geist fliegt frei, kennt keine Grenzen

Im Dunkeln träum' ich von der Freiheit
Kein Licht zu sehen am Horizont
Nur stumme Mauern weit und breit
In Fesseln tanz' ich Rock'n'Roll

Wie weit liegt noch der Tag der Freiheit
Wie finster noch der Horizont
Wie eng die Ketten um den Leib
Die Seele singt und tanzt den Rock'n'Roll

Ich rüttle heftig an meinen Ketten
Am schwarzen Kreuz, am schweren Joch
Den alten Kerker werd' ich spërëngën
Ich bin der Kerl des Rock'n'Roll

Im Dunkeln träum' ich von der Freiheit
Kein Licht zu sehen am Horizont
Nur stumme Mauern weit und breit
In Fesseln tanz' ich Rock'n'Roll

Wie weit liegt noch der Tag der Freiheit
Wie finster noch der Horizont
Wie eng die Ketten um den Leib
Die Seele singt und tanzt den Rock'n'Roll

Rock und immer Rock, Rock!

Übersetzung: Anila Wilms
18. Oktober 2020

* *35. Musikfestival von RTSH, 1996. Gesang: Françesk Radi.*
   Den verfolgten Künstlern unter der Diktatur 1944-1990 gewidmet.

"Zemër e lodhur"

Lyricist: Vangjel Kozma   (1997)   Composer: Françesk Radi

"Zemër e lodhur"

shaTTered hearT

Composed: Françesk Radi
Arranged: Françesk Radi
Lyrics: Vangjel Kozma

I left the city noise, I left near dawn
Ahead oh me lies the longest road,
the longest road
I left the city filled with tired hearts
A dry tree mourns and the grass weeps
How this long-lasting pain has aged me
The city looks like a withered leaf
Today it saddens me
Reminding me of my first longing
It reminds me

The city left behind me,
with its false hope
Time steals everything
All that it can find
My tired heart is lost for words
My city lost, far away
Weighing heavy on my soul
Reminding me of my first longing
It reminds me

Come close to me says the forest
And by name it calls me
The sweet green voice of nature
A sweet green voice filled with life
I will crawl, I will rest
Through thorns and through grass
Like a bird
I will take to the forest *

Translated: Miranda Shehu Xhilaga,
2020.

---

* *'Shattered Heart' was dedicated to the tragic political and social events that swept Albania during 1997 and won the second prize of the RTSH Spring Songs Festival. The videoclip was released on 24 June 2009, with photography by Adnan Qeraxhiu.*
Performed by Françesk Radi.

mÜdes Herz

Melodie: Françesk Radi
Instrumentierung: Françesk Radi
Text: Vangjel Kozma

In der Morgendämmerung verließ ich die Stadt
Ließ hinter mir den Krach, den großen Krach
Und die müden Herzen auf den heißen Straß'n
Die kahlen Bäume und den gelben Rasen

Der Schmerz ist alt, oh leider, zu alt
Die Stadt sieht aus wie ein trock'nes Blatt
Was für ein trauriger Tag
Und er wird lang, so lang
Oh so lang

In der Morgendämmerung verließ ich die Stadt
Ließ hinter mir den Krach, den großen Krach
Und die falsche Hoffnung auf den engen Straß'n
Und diese stickigen, listigen Zeiten

Das Herz ist müde und kann nicht mehr
Heut' muss ich weg, ich muss weg von hier
Mein Kopf ist schwer und leer
Die Seele hinterher

Und die Wiesen und die Berge
Rufen heute hell und laut
Komm ins Grüne, komm ins Grüne
Hier ist Leben, hier ist Kraft

Ich geh' weilen, ich geh' wandern
Durch die Felder, durch den Wald
Wie ein Vogel, ohohohoh
Heut' bin ich frei. *

Übersetzung: Anila Wilms
26. September 2020

* *Das Lied greift die Ereignisse von 1997 in Albanien durch eine eindringliche Metapher des Poeten Vangjel Kozma auf. Zweiter Preis im Musikfestival RTSH Songs of the Season, Juni 1997. Gesang: Françesk Radi. Der Videoclip wurde am 24. Juni 2009 veröffentlicht.*

"Humba pranverën"

Lyricist: Agim Doçi (1997) Composer: Françesk Radi

"Humba pranverën"

i losT ThespringTime

Composed: Françesk Radi
Arranged: Françesk Radi
Lyrics: Agim Doçi

I am alone and far from my mother
I look to the shore
I will return again

This heart of mine nearly burst
Today I understand
I wiped my tears and went away
When darkness fell.
How many illusions a man has
Arduous life
Years passed, my hair grew white
As white as snow
My eyes are teary
What longing I feel
Sad, wounded,
This heart of mine.

I am coming: don't close the
door on me
Wait for me, wait for me, I lost the
spring
My son, my daughter and my mother
I will kiss them all again
Bride, bride, your eyes are opening
I am coming back, oh how sad
you've been
I could not stand a life alone
Open the door, oooh
Open the door, oooh

Midnight passed and light retreated
I shed a tear
Kissed the letter where the longing burned
I will return again
My eyes are tearful
What longing I feel
Sad, wounded,
This heart of mine

I am coming: don't close the door on me
Wait for me, wait for me, I lost the spring
My son, my daughter, and my mother
I'll kiss them all
Bride, bride, your eyes are opening
I am coming back, how sad you have been
I could not stand a life alone
Open the door, oh,
Open the door, oooh… *

Translated: Miranda Shehu Xhilaga,
2020.

*Winner of the second prize at the 37th Festival of Song, 1998.
Interpreted by Françesk Radi*

VerpassTer Frühling

Melodie: Françesk Radi
Instrumentierung: Françesk Radi
Text: Agim Doçi

Einsam bin ich, von Mutter weit entfernt
Sehne mich nach Land
Zeit, nach Hause zu kommen

Mein armes Herz ist ach so voll
Dass es bald platzt
Trockne die Tränen und mache mich
Nachts auf den Weg

Träume habe ich keine mehr
Das Leben war hart
Jahre vergehen, Haare ergrauen
So weiß wie Schnee

Meine Augen tränen heute
Sehnsucht ich hab'
Mein altes, wundes Herz
Blutet und schmerzt

Komme, komme, lasst mich rein
Habe den Frühling schon verpasst
Sohn und Tochter und meine Mutter
Nehme ich in den Arm

Meine Liebste, die Augen strahlen
Ich komme, ich komme, die Einsamkeit
Ist zu Ende, zu Ende, jetzt bin ich da
Mach' die Türe auf
Mach' die Türe auf

Der Morgen dämmert, siehst du das?
Eine Träne fiel
Auf das heiße Blatt Papier
Ich komme, ich bin bald da

Meine Augen tränen heute
Sehnsucht ich hab'
Mein altes, wundes Herz
Blutet und schmerzt. *

Übersetzung: Anila Wilms
30. September 2020

*Zweiter Platz im 37. Musikfestival von RTSH, 1998.
Gesang: Françesk Radi

"Ky fat na ra"

Lyricist: Agim Doçi

(1999)

Composer: Françesk Radi

"Ky fat na ra"

"Ky fat na ra"

Bo-tën e tërë, Hej bo tën e të rë.

Pak më tej ho ri-zo nti Ku shpthen Një shpresë e re,

Po kë rkoj mi dis njerë zve Një buzë - qe - shje_____ Të

kesh pa ra, Nuk je i si gurtë. Mos kesh pa ra Dhe më pak i si gurtë.

Rrojmëtë da shu ru ar, Me de rë të blin du ar Të hu ajtë pu no jnë. Shqi pta rët të rro jnë Ky

fat na ra._____

We are doomed To such FaTe

Composed: Françesk Radi
Arranged: Françesk Radi
Lyrics: Agim Doçi

Hey,
 I walk the streets and think
Without a home, without money
Without you, my love
Without you, my love
A siren sounds loudly
What's going on?
 Hey, what's going on?
The police seize them,
The mafia releases them
Hey, what's going on?
 Governments come and go
 Rise and fall
We are tired of promises
And empty words
Life is given only once
And we want to live it

 You have money,
 you do not feel safe
Without money,
you're even less safe
 We live happily
 Behind reinforced doors
 The foreigners work hard
 For Albanians to live
 We are doomed to such fate

Translated: Virgjil Kule,
2021.

Hey,
I pass through the crowd
And I feel have afraid
People look troubled
And paranoid
Hey, paranoid
They stare in amazement
 And curse through their teeth
Who in hell destroyed this world?
 Hey, the entire world?
I got no answer
From people and books…
With a tired heart, turn back to the TV
 Murder, theft and poverty

 You have money,
 you do not feel safe
Without money,
 you're even less safe
 We live happily
 Behind reinforced doors
 The foreigners work hard
 For Albanians to live
 We are doomed to such fate.

 Beyond the horizon
 A new hope is bursting forth
 I am looking among people
 For a smile, Hey, Hey,
 You have money,
 you do not feel safe
 Without money,
 you're even less safe
 We live happily
 Behind reinforced doors
 The foreigners toil
 For Albanians to live
 This is our fate. *

Interpreted by Françesk Radi, 38th Festival of Song, 1999.

ein Tolles los

Melodie: Françesk Radi
Instrumentierung: Françesk Radi
Text: Agim Doçi

Hey,
Ich lauf' durch die Straßen
Ich grübele nach
Hab kein Geld
Kein Obdach
Und keine Frau
Und keine Frau
Ich höre Sirenen
Es ist die Polizei
Am nächsten Tag
Sind alle wieder frei
Was ist los?
Hey, was ist los?

Die falschen Propheten
Die kommen und gehen
Die wollen uns retten
Mit leeren Versprechen
Und viel Bohei
Mein kleines Leben
Kommt unter die Räder
Welch' Schweinerei

Oh, wer Geld hat, der hat keine Ruh'
Wer kein Geld hat, der kennt auch keine Ruh'
Es lebe die Freiheit hinter Panzerscheiben
Welch' tolles Leben mit Europageldern
Ein tolles Los!

Ich gehe durch die Menge
Sie macht mir Angst
Die Leute sind träge
Und wirken brutal
Sehr brutal
Hey, wie brutal
Sie schauen zu Boden
Sie schimpfen und fluchen
Auf diese Zeit

Auf den ganzen Globus
Ganzen Globus
Auf den ganzen Globus
Ich schaue mich um
Ich lese jeden Tag die Presse
Ich finde die Antwort nirgendwo
Nur Hauen und Stechen
Lug und Trug und Korruption

Oh, wer Geld hat, der hat keine Ruh'
Wer kein Geld hat, der kennt auch keine Ruh'
Es lebe die Freiheit hinter Panzerscheiben
Welch' tolles Leben mit Europageldern
Ein tolles Los!

Heute such' ich die Hoffnung
Ein neues Licht am Horizont
Ein schönes Lächeln
Unter Menschen *

Übersetzung: Anila Wilms
25. Oktober 2020

*Gesang: Françesk Radi.
  Musikfestival von RTSH, 1999*

"Erë Vere"

Lyricist: Demir Gjergji   (2001)   Composer: Françesk Radi

"Erë Vere"

"Erë Vere"

Go To Measure 18

81 · C#

F#7 · Bm

86 · Em

Bm

Të gje-ja shpesh në fa - je Dhe të mba-ja prap në krahë. Por vë-

91 · Em

F# · Bm · Em

rtet e rdhi një natë Nen dje nim ftohtë, e dhe pse bashkë._____ A-ro ma jo te sot

96 · Bm

Em · A

vjen E më sjell kaq e-mo cion,_____ Nga ve tmi-a po më zgjon, Më dë-

101 · C · F#

Bm · G

rgon në tje tër botë._____ E u rre-ja, e pë lqe-ja

106 · Em

F#

Pranë e pa-ta dhe sa larg, A - jo tre-tej në me snatë Da shu ri e pla-gë ba

111 · Bm

G · Em7

shkë! Sa e do-ja, e la rgo-ja Ja be-so-ja a - to lot,

116 · F#

Bm

Mbe - ti i - lu - ion i kotë, A - jo lojë në shtrat të ngro htë.

suMmer Breeze

Composed: Françesk Radi
Arranged: Françesk Radi
Lyrics: Demir Gjergji

Often I found you guilty
And again I held you in my arms
But then there came an evening
When we felt cold,
Though we were close together
Now your scent revisits me
And with it brings emotions
Waking me from loneliness
And taking me to another world
She comes to my mind
White lily, her feminine form
Talking together on the bed
Surrounded by innocent emotions
I uncovered her, she covered me
During that night of sin
Old wounds reopened today
Autumn and May in our hearts

I hated her, I loved her
Close to me, but far way
She disappeared at midnight
Love and wounds together stay!
I loved her, I rejected her
I trusted her tears
Vain illusion
Our game in the warm bed. *

Translated: Virgjil Kule,
2021.

*Performed by Françesk Radi, Magical Song Festival, 2001.

soMmerWind

Melodie: Françesk Radi
Instrumentierung: Françesk Radi
Text: Demir Gjergji

Sie ging nicht selten fremd
Und oft erwischte ich sie dabei
Eines nachts wurde es kalt
Ich konnte ihr nicht mehr verzeihen
Heute Nacht ihr Duft
Bringt plötzlich alles das zurück
Es weckt mich aus der Lethargie
Schickt mich gleich ins Paradies
Ihr schöner, nackter Körper
In den Laken lilienweiß
Auf den Kissen flüstert sie
Und klingt unschuldig wie ein Lamm

Dann reiß' ich ihr die Kleider
Voller Leidenschaft vom Leib
Die alte Lust ist wieder da
Reißt alte Wunden wieder auf

Mal war's Hass und mal war's Liebe
Sie war fern und sie war nah
Dann verschwand sie in der Nacht
Die Liebe brachte uns nur Leid
Mal vertraute ich ihren Tränen
Und dann stieß ich sie wieder ab
Es blieb ein Bettspiel ohne Namen
Ein Traum von einer Sommernacht *

Übersetzung: Anila Wilms
15. November 2020

*Festival des Magischen Lieds 2001
Gesang: Françesk Radi*

"Aladini e Piter Pani"

Lyricist: Demir Gjergji

Composer: Françesk Radi

Aladdin and piTer pan

(A song for children)

Composed: Françesk Radi
Arranged: Françesk Radi
Lyrics: Demir Gjergji

Every afternoon at three
I sit down to watch TV
Stories and adventure –full!
Magic wonders are so cool
A new world in front of me
Imagination running free
It takes me where I want to be
No need for planes or wheels

There's Aladdin, Peter Pan
On screen they beckon:come!
I find myself sucked into the story
A fabled queen in all her glory
Yes, sir – says the impish Puck
David beats mighty Goliath
Snow White and Cinderella
Go to visit Rapunzel

The king is in trouble now
The royal internet is out
And he can't invite his friends
To the Prince's royal weddiing
A wolf howls at the moon
The she-wolf left him lonely
She jumped from the old story
To be a star in a new movie

There's Aladdin, Peter Pan
From the screen they beckon:come!
I find myself sucked into the story
A fabled queen in all her glory
Yes, sir – says the impish Puck
David beats mighty Goliath
Snow White and Cinderella
Go to visit Rapunzel

This tale is done
With harm to none
I said what I knew
The rest is on you

Translated: Blerta Alikaj,
2020.

"Playstation"

Lyricist: Demir Gjergji

Composer: Françesk Radi

Sa ngjy‑ra lo‑je kam   Në lo‑jë po më ftojnë   Dhe
a‑ftë me a‑vion   Vë‑llai im su‑lmon,   Dhe

ne‑ve po vra‑pojmë   Që loj‑ën ta fi‑llojmë.   Dhe shko jmë në la‑rgësi   Në
flu‑tu‑rat kë‑rkojnë   Të hyjnë në lo‑jën tonë.   Dhe tre‑na ae‑ro‑planë   Ka‑

fa‑nta‑zi,   Shte gtojmë,   ka‑lojmë   Si   e‑ra flu‑tu‑rojmë.   Shte
lojnë në/e kran,   Nga

gtojmë,   ka‑lojmë   Si   e‑ra flu‑tu‑rojmë.

I   lo‑ja   pllei ste jshën Ne gjith

"Playstation"

playsTaTion
(A song for children)

Composed: Françesk Radi
Arranged: Françesk Radi
Lyrics: Demir Gjergji

The colors on the screen
Are calling my name
And we all jump in
To start our awesome game
We travel far and free
In our fantasy
We wander, explore
Like the wind we soar

We wander, explore
Like the wind we soar
Flying like a hawk
My brother attacks
Even the butterflies
Want to play with us
Trains and aeroplanes
Zoom through our screen
These Playstation games
Always help us learn
These Playstation games
Always help us learn

We just need our consoles
And a big screen
To summon the spring
Like magicians
I fight the ruddy pirates
And I always win
These Playstation games
Always help us learn
These Playstation games
Always help us learn
Playstation

Translated: Blerta Alikaj, 2020.

"Në bibliotekë"

Lyricist: Demir Gjergji

Composer: Françesk Radi

Sa herë vij në bi blio-tekë
Dhe po-e-ti pa vo-nesë
I shoh li-brat që më ftojnë
Vje-rshat nis më re-ci-ton

Gjej po-e-tin që më thërret
Nga le-gje-nda del një mbret
Mirë-se-e-rdhe moj Va-lbonë.
Kry-e-lartë që-ndron në

fron.
Gjith monë li-brat i shfe tojmë
Me dë-shi-rë i le xojmë

Dhe më shfa-qet gjithë bo-ta
A-ty po u-dhë-tojmë.
Sa herë
Sa herë

vij në bi-blio-tekë
vij në bi-blio-tekë
Fi-lloj li-brat të shfle-toj
Nga një gjë të re më-soj

Një tre-gim e një no-velë
Fjalë më fjalë e fletë më fletë
Me vë-me-ndje i le-xoj. Sa herë
Gji-thë bo-tën e zbu-loj. Sa herë

"Në bibliotekë"

in The library
(A song for children)

Composed: Françesk Radi
Arranged: Françesk Radi
Lyrics: Demir Gjergji

When I go to the library
All the books invite me in
I hear the poet calling me
Dear Valbona, welcome in
Then, the poet in no time
Lays down his awesome rhymes
A king jumps out of the story
And reigns in all his glory
I am always browsing books
Eagerly, I read inside
With them, I fly everywhere
Worldwide

When I go to the library
And start browsing everything
A story or a fairy tale
Finished all in just a blink
When I go to the library
Everything opens up to me
Word to word, cover to cover
The world anew I discover

Here's a picture of Pinocchio
and the fox that tricks him
Peter Pan and Puss in Boots
join the game with me
I get smarter every day
Every day a mystery
Even the angriest river
I turn into energy

Translated: Blerta Alikaj,
2020.

Françesk Radi, Tiranë 2005

Françesk Radi, studio TVSH, Tiranë, 2001

KëNGë Të PLOTëSUARA
ME PARTIN E PIANOS

SUPPLEMENT SONGS
KLAVIER SCORE

UM DEN KLAVIERPART
ERGäNZTE LIEDER

"Adresa"

Lyricist: Kastriot Gjini

(1971)

Composer: Françesk Radi

E ca rrugëves'disa e-ca, të kërko va ty; E pa pri tur më/do le

pa-ra, më pe drejt në sy. Dhe më the ç'far kër kon, kët' mbrë mje i ve - tëm pse

rri; Tu pë - rgji gja pak vonë, do de sha a dre - sën ta di.

Oh sa fort na rra hu ze - mra, do rën kur ma dhe.

Dhe a - dresën që se di - ja, vetë ti vashë ma dhe. Kur u nda më atë natë, unë

e cja përmes da-shu - risë; Më tre - go ve o vash', a - dresën e vetë lu-mtu

risë.

"Biçikleta"

Lyricist: Françesk Radi   (1972)   Composer: Françesk Radi

Oh   sa pri — ta unë   te ku ra por jo
Ja   mbiurë   u du - ke ti në startin

s'nda - le   ti   a-snjë herë.   Si   s'tuprish   kjo
to - në   të   da shu-risë,   nuk e di   pse

bi — çi - kle - ta në/këmb' të   e - cje ti   veç një-
he — shta unë kur bi - çi - kle - ta tu   prish

herë. / ty.

Mbi urë që - ndroj, po pres një
Më e - rdhe pranë si mik i

zi - le të dë - gjoj dhe ja tej në kthesë po ti-ngë - llon.____
vje - tër dhe më the: a mu ndesh ti vallë të më ndi - hmosh.____

Jo ti nuk je, por unë ga - boj, se ku - ptoj pse sytë e
E so - lle lu - mtu - ri - në ti ktu mbi urë me bi - çi -

tu i kë - rkoj në ç'do mi - mo - zë.
kletë da - shu - ri - në e vë - rte - të.

"Biçikleta"

Ja   tej   në kthesë u   du-ke ti   sa   çu – di   pse   vallë, unë
Mu – zgu   a-ty na   gje-ti ne   sa   gë-zim   kur   sy – të

ty   të nga-tërroj   me çdo nje – ri.
tanë u ndri-çu – an   me ne – on.

"Biçikleta"

E   so‑lle lu mtu ‑ ri‑në

"Biçikleta"

ti ktu mbi urë me bi – çi – kletë da – shu – ri – në e vë – rte – të.

Mu – zgu a – ty na gje ti ne sa gë–zim kur sy – të

tanë u ndri–çu – an me ne – on.

"Kur dëgjojmë zëra nga bota"

Lyricist: Sadik Bejko   (1972)   Composer: Françesk Radi

"Kur dëgjojmë zëra nga bota"

"Kur dëgjojmë zëra nga bota"

Në këtë mbrë-mje në park,

"Kur dëgjojmë zëra nga bota"

"Krah për krah në jetë"

Lyricist: Vasil Dede   (1984)   Composer: Françesk Radi

Mediu Rock ♩ = 110

Kur ti qesh një lu-le/e bu - kur çel,   Ja kë-tu në sytë e   mi,   Një

yll   i ri   shkë - lqen   në qiell,   Plot   zjarr shkë-lqen dhe sy - ri yt i

"Krah për krah në jetë"

"Humba pranverën"

Lyricist: Agim Doçi   (1998)   Composer: Françesk Radi

"Humba pranverën"

"Humba pranverën"

"Humba pranverën"

"Erë Vere"

Lyricist: Demir Gjergji   (2001)   Composer: Françesk Radi

6

Foto Credits:

Radi family archive
Foto Marubi
Marsel Rexhini
Nasi Bisha
Bashkia Tiranë

Foto editing

Studio Vrapi (Tiranë)

Special thanks to:

Kozeta Gjika
Gentian Balashi
Lidia Radi
Katherine Russell
Jessica Winkler
Tonin Derçaj
Franc Ndue
Artan Kalavace
Spartak Verdha
Sakip Skepi
Robert Prendushi
Raimonda Moisiu
Adhurim Thomai
Enkela Vehbiu
Anita Hoxha
Shkëlqim Denaj
Xhafer Biranji